文史哲學集成

馮永敏著

劉師培及其文學研究

文史哲出版社印行

國立中央圖書館出版品預行編目資料

劉師培及其文學研究 / 馮永敏著. -- 初版. --
臺北市 : 文史哲, 民８１
面 ; 公分. -- (文史哲學集成 ; 266)
參考書目:面
ISBN 957-547-179-2(平裝)

1. 劉師培 - 傳記 2. 劉師培 - 學識 - 文學

782.882 81005686

㉖⑥ 文史哲學集成

劉師培及其文學研究

著者：馮永敏
出版者：文史哲出版社
登記證字號：行政院新聞局局版臺業字五三三七號
發行人：彭正雄
發行所：文史哲出版社
印刷者：文史哲出版社
台北市羅斯福路一段七十二巷四號
郵撥○五一二八八一二彭正雄帳戶
電話：三 五 一 一 ○ 二 八

實價新台幣五二○元

中華民國八十一年十一月初版

ISBN 957-547-179-2

自序

劉師培是近代文學史上，極具代表性的學者之一。他的文學理論及文學創作均有可觀之處。就創作而言，他兼善韻文、散文、駢文。就文學理論來說，他對文學特質，文學源流、文學影響及創作論、文體論、文學史研究等，都提出精湛見解。尤其提倡白話文學，和創作大量獨具特色的白話文，可說是由晚清到五四，我國白話文發展的橋樑。

劉師培在文學上的造詣，是全面而又極富獨創性，並且爲舊文學過渡到新文學，由古代文學演進到近代文學，提供了良好的示範與導引。因此，其人其文實有深入探討而不容忽視的必要與價值。本人也就是著眼於此一觀點，才廣搜資料，博考眾籍，著成此篇的。

研治期間，蒙　王師更生析疑解惑，指示津梁，撰述之際，又承悉心批閱，疏通紕繆。至於其他師友之關切協助，家人之愛護支持，以及師院同仁之體諒鼓勵，當本文定稿殺青之際，特誌於此，以示永懷。並祈博雅先進，匡我不逮。

馮永敏謹識於民國八十一年五月國立台灣師範大學國文研究所

申叔先生遺像

•㈠劉師培先生遺像
（影自《劉申叔先生遺書》）

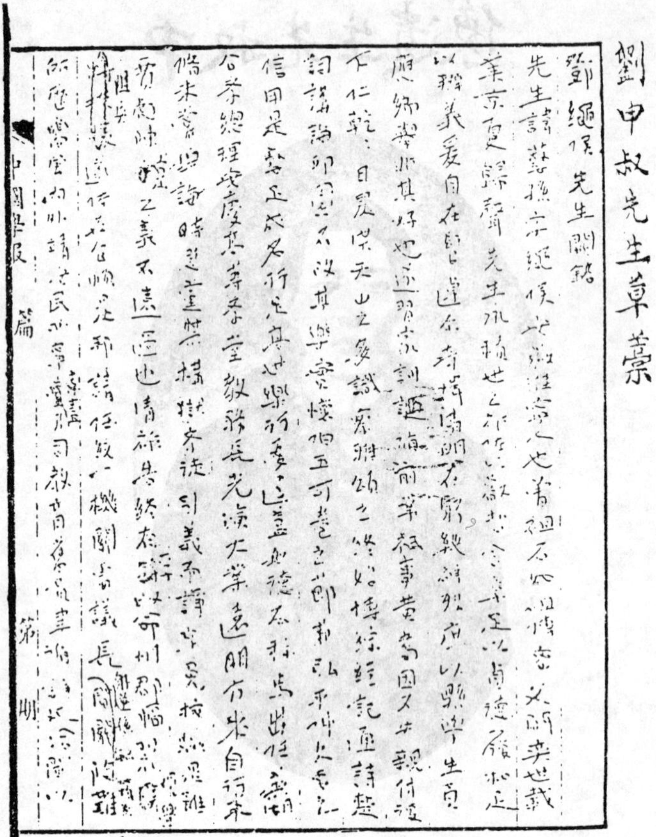

手迹

·(二)劉師培先生手迹〈鄧繩侯先生闕銘〉
（影自王森然《近代二十家評傳》）

·㈢清光緒三十年《中國白話報》創刊

（影自上海圖書館）

• ㈣清光緒三十四年於上海與蘇曼殊、鄧秋枚、柳亞子等合影
（後排左起：蘇曼殊、朱少屏、鄧秋枚、林力山、韓筆海，
前排左起：何震、劉師培、柳亞子）
（影自《柳亞子選集》）

來稿

論激烈的好處

激烈派第一人來稿

現在有一種的人　天天說平和　天天說待時　說天下的事情　都要慢慢的一步一步做起來　斷不可不顧事情的成敗　只曉得亂鬧　唉呀　這話便說錯了現在說這話的人　他心裡有幾種想頭　一種是看見康有爲變法　唐才常勤王　都是因做事怱促失敗大事的　所以遇見這激烈的人　就引起康有爲唐才常的幾樁舊事來　說你們斷斷亂鬧不得　就是亂鬧　斷斷是無濟於事的　一種是看見現在平和黨的人　有的開學堂　有的興實業　到也覺得有幾分效驗　說他們宗旨雖不好、還能辦兩件實實在在的事情　你們除亂鬧以外　就沒有一樁事情能辦了可不是和平的好處麼　這兩種人　由我看起來　都說他是趨利避害　因什麼原故呢　天下惟這種平和黨的人　又獲名　又獲利　又能保全身家妻子　這維新的人　既說他開通　那守舊的人又不說他悖逆　他既能在守舊的面前討好　又要在維新的面前做名　所

・㈤以激烈派第一人筆名於《中國白話報》第六期發表〈論激烈的好處〉
（影自北京圖書館）

傳記

孔子傳　　光漢

第一章　總論

中國自古代以來　沒有一個不敬重孔子的　但提着孔子兩個字　就說他是大成至聖先師　就說他是空前絕後的聖人　爲甚麼緣故呢　一樁是周朝的時候　諸子百家也很多　但他們着的書　不是說理不完全　就是著作不多　所以讀書的人　不甚麼把他看重　惟獨孔子的學問　甚爲完全　他刪訂的書　又有七八種　共諸子百家的學術比起來　便大大的不同了　一樁是諸子百家的學術　各成一派　但着書的人　學生不狠多　子孫又不能守業　所以他的學問　不能行到遠處　而孔子的學生　共總有三千人　又很有勢力　諸侯也很崇拜他　又孔子的令孫　名字叫做子思　也能够傳播孔子的學問　所以孔子的聲名　就一天一天的大起來　一樁是漢武帝時候　把諸子百家的學問　一切不用　惟獨用孔子的學術　這箇緣故　是因爲孔子

・㈥以光漢爲筆名於《中國白話報》第十期發表〈孔子傳〉
（影自上海圖書館）

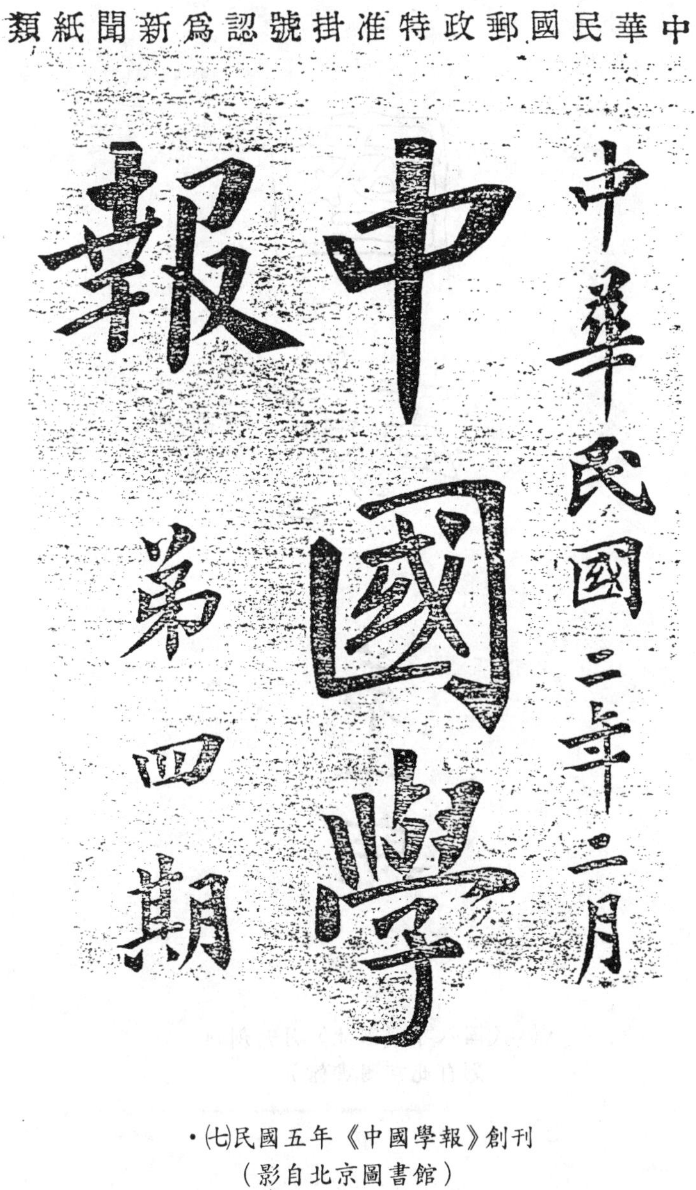
中華民國郵政特准掛號認為新聞紙類

中華民國二年十二月

中國學報

第四期

•(七)民國五年《中國學報》創刊

（影自北京圖書館）

國故

第一期

·㈧民國八年《國故》月刊創刊
（影自北京圖書館）

文說五則

儀徵劉師培撰

物成而麗．交錯發形．分動而明．剛柔判象．在物僉然．文亦猶之．惟是捺欲通噓．絃埏實同．偶類齊音．中邦臻極．何則．准聲署字．修短揆均．字必單音．所施斯適．遠國異人．書違頡誦．翰藻弗殊．侔均斯遯．是則音泮輕軒．象昭明兩．比物醜類．泯蹟從齊．切響浮聲．引同協異．乃禹域所獨然．殊方所未有也．

此一則．明儷文律詩．爲諸夏所獨有．今與外域文學競長．惟資斯體．

易大傳曰．物相雜故曰文．論語曰．郁郁乎文哉．由易之說．則青白相比．玄黃厝雜之謂也．由語之說．則會集衆彩．含物化光之謂也．嗣則汳長說文．詁遣相詮．成國釋名．即繡爲辟．准萌造字之基．顧題正名之指．文匯一端．殊途同軌．必重明麗．正致飾盡亨．綴兆舒疾．周旋矩規．然後攷命象以極情性．觀形容以況物宜．故能光明上下．劈措萬類．未有志白賁而謊翰如．

·(九)民國五年於《中國學報》第一期發表《文說》五則
（影自北京圖書館）

文錄　賦類

出峽賦

儀徵劉師培撰

余有行于江漢兮。涉炎夏之恢台。夕解纜于巴歛兮。謌江沱以詠歸。喟河廣之誰航兮。邈長途以逶迤。情慘憒而含欷兮。歊悒憯而无依。中躊躇以周覽兮。觀上世之清暉。壯陽關之重岨兮。仰故枳之嶔巖。懷秦臺之餘淸兮。燿鄧氏之雄風。嚌涪陵之隆崛兮。卽北岩之晝陰。舳艫翼以鱗集兮。建桀檣而成林。俗迫險以工巧兮。襟洪波而阻深。相俶途之多坎兮。又戒險以自箴。歷平都之廖廓兮。出丁溪以回逝。高方平之元軫兮。神陰生之遐軌。攄玄景于八幽兮。洞萬形而通紀。運混元以升降兮。謂千齡之可矢。亮茲美之獨珍兮。譬河淸之難俟。入陽溪之洄澓兮。造臨江之曲潯。背玄淵之重深兮。傍側景之西岑。慍積陽之獨懲兮。樂融風之凱南。雷火煒以南升兮。白日忽以潛陰。鬱玄雲而四塞兮。苦雨播而成淫。將漠海之暫溢兮。

·(十)民國五年於《中國學報》第一期發表《出峽賦》
（影自北京圖書館）

劉師培及其文學研究　目次

自序

書影

第一章　緒論……一

第二章　劉師培的時代背景——舊邦新造……五

第一節　政治劇變……六

第二節　經濟凋弊……七

第三節　報刊勃興……九

第四節　教育革新……一三

第五節　學術風尚……一六

第六節　文學風貌……一八

第三章　劉師培的生平行誼——從異彩到異端……二七

第一節　生　平……二七

第二節　交　遊……四〇
第三節　著　述……六三
第四章　劉師培的文學觀……一〇一
第一節　文學特質論—儷詞韻語……一〇二
第二節　文學進化論—文與時變……一〇八
第三節　文學源流論—以集還子……一一四
第四節　文學地域論—環境影響……一二七
第五章　劉師培的創作論……一四三
第一節　創作基礎……一四四
第二節　創作技巧……一五三
第三節　創作原則……一六八
第六章　劉師培的文體論……一八五
第一節　類聚區分……一八五
第二節　闡釋名義……一九〇
第三節　探尋源流……一九三
第四節　寫作要求……二〇一

第七章　劉師培的文學史研究……二一一
第一節　獨特的文學史觀……二一一
第二節　論作家作品的優劣……二二七
第三節　論各代文學風貌……二三五
第四節　編寫文學史的方法……二四一
第八章　劉師培的韻文作品……二五三
第一節　詩詞賦……二五三
第二節　誄碑頌贊銘箴……二六五
第九章　劉師培的散文作品……二七五
第一節　議論風發的政論文……二七五
第二節　淵懿精美的述學文……二八五
第三節　清新有味的記敍文……二九一
第十章　劉師培的駢文作品……三〇一
第一節　思想內容……三〇一
第二節　藝術特色……三〇四
第十一章　劉師培的白話作品……三一七

第一節　白話文的體類……三一七
第二節　白話文的取材……三二四
第三節　白話文的中心思想……三三〇
第四節　白話文的寫作特色……三五〇
第五節　白話文的評議……三六一
第十二章　結　論……三七三
附錄：劉師培生平年表……三七九
主要參考書目……三九九

第一章 緒論

中國自鴉片戰爭以來，風雷激蕩，爲「萎靡閉塞」的環境帶來三千年最大變局。同時也在山岳暗然，劫灰遍地之際，西方各種文化思想乘虛湧入，在衝突與融合中，形成近代中國紛然雜陳的局面。當此之時，歷史把時代問題擺在一代精英面前，他們搏擊呼號，勇於變革，突出傳統格局，指陳救亡之道，尋找國家感情與時代理性。雖然，他們在政治上屢敗屢戰，在思想上卻成績輝煌，震撼無數心靈，留下眞實而寶貴的記錄，爲可歌可泣的近代中國作見證，因此，公允評價近代開拓者，如何由舊到新，從古代邁向近代的足跡，自有其重要意義和價值，此爲本文研究之首要動機。

世事多變的近代，錢玄同以爲當時有十二位各樹一幟，沾溉來學，堪稱此黎明運動，最爲卓特者（註一），其中又以儀徵劉師培年齒最稚，撰述最富。他天才亮特，吐氣高華，時人或目之爲「天人」，或譽之爲「大師」（註二）。他曾經雄姿英發的成爲革命志士；卻也曾蛻化變節，與端方、袁世凱有著政治上的關聯，前後作爲，判若雲泥。在他身上讓人看到：成敗交替，新舊嬗變，激進消沉，以及雜沓呈現的急遽變化。他一生的變動不居，正反映了劉師培對複雜時代的思考，歷經了一個極端艱難的歷程。對於這樣一位年富著豐，而又生平多變的人物，應如何實事求是的評價其得失？此爲本文研究之次一動機。

劉師培雖然「文名藉甚」（註三），爲文選派大將，但是這些成就往往爲其樸學高才，或政治出處所掩，不但很少有人去深接玩味，更缺乏全面性的探討，是以人多不知其文學造詣的精微及其創作成就，言念及此，豈非憾事？爲此，如何將其潛藏而鮮爲人知的文學成果，加以闡發，使其獲得應有的地位？此爲本文研究之又一動機。

本文旨在論析劉師培其人其文，以闡揚幽隱，補苴罅漏，擘肌分理，剔抉是非，說明其在中國近代文學史上之地位。並經由歷史、演繹的方法，對劉師培所處之時代、家世及生平際遇進行研究；繼而將其著作詳加分析與歸納後，再針對劉師培的文學理論架構、文學創作，作整體性的剖判與瞭解。

本文內容凡分十二章，緒論除外，第二、三章著重說明劉師培之時代背景、生平交遊及著述，以見其思想孕育演變的過程。四至七章，論述劉師培文學觀、創作論、文體論、文學史研究，探原竟委，尋繹其文學見解的指歸。八至十一章分析其實際創作，以見其理論與實際相呼應的創作特色。末章爲結論。

本文寫作時所遇困難，約以言之，大別有三。第一、由於劉師培身處國將不國的大動亂之日，其相關資料，頗不易尋訪，尤其當時的報章雜誌，皆星散於大陸或海外，最是難得，如《中國白話報》、《醒獅》、《衡報》、《復報》等，臺灣雖有此類文獻，但東鱗西爪，難見完璧。其間蒐羅資料，約費兩年又餘，雖未云完備，但於其生平、著述，已大抵可見。第二、劉師培學識淵博，涵蘊眾流，並轡古今，於闡論要旨，揭示隱微時，往往鈎玄提要，濃縮精煉，隻字片語，包含豐富，因此在歸類分析上頗爲困難；同時，他隨文闡發，獨闢蹊徑，但是由於英年早逝，未有後續發展或補充，在部分創見中，往往夾雜偏解，未易愜洽人心。第三、劉師培一生跨越晚清與民國兩個時期，晚期任教北大，與許多著名學者、師弟相往還，他們多曾親聞謦咳，並對其學博識高，尊敬有加（註四）。本文僅就書面資料研究，終與飫聆高論者有主客觀之別。有此三難，是以疏略之處，在所不免。

撰寫之際，深感劉師培雖夭年不永，但得力家學淵源、朋輩交遊以及時代背景等諸多影響，遂使他拔地突起，穎脫而出，在中國近代文學史上具有舉足輕重的地位。但是，長久以來，學界對這樣一位承上啓下的人物，一直未能給予應有的重視，十分可惜！同時，對於近代學者的研究，至今仍寥若晨星。在此東西文化錯綜複雜的時代，我們如何開拓近代學者的研究，探索他們如何爲古代文學作承接，以及進一步展望未來文學發展的方向，這是文學研究者應鄭重思考的問題。

此外，劉師培頡頏群英，學如汪洋千頃，莫測涯涘，其雖專攻經術，鞫讎古籍，旁究子史，講明音義訓詁，議論學術流變，但亦兼善政治、經濟、教育，且見解獨到，造詣深厚，每一項均可作獨立性之研究，本文僅擇其中文學部分加以析論，因其學涉多方，難以全面關照，今後唯有惕厲奮發，期待來日，再展現其學術全貌了。

【附註】

註一　錢玄同云：「清政不綱，喪師蹙地……所謂『天地閉，賢人隱』之時也；於是好學深思之碩彥，慷慨倜儻之奇材，嫉政治之腐敗，痛學術之將淪，皆思出其邃密之舊學，與夫深沈之新知，以啓牖顓蒙，拯救危亡，在此黎明運動中最爲卓特者，以余所論，得十二人，略以其言論著述發表之先後次之，爲南海康君長素（有爲），平陽宋君平子（衡），瀏陽譚君壯飛（嗣同），新會梁君任公（啓超），閩侯嚴君幾道（復），杭縣夏君穗卿（曾佑），先師餘杭章太炎（炳麟），瑞安孫君籀高（詒讓），紹興蔡君孑民（元培），儀徵劉君申叔（光漢），海寧王君靜庵（國維），先師吳興崔公觶甫（適）。」見《劉申叔先生遺書》（以下簡稱《遺書》）錢玄同序，頁三四。

註二　劉師穎跋語云：「蒯公譽爲天人」，另爲汪東序語，均見《遺書》，第四冊，頁二七〇七；及第一冊，頁三二。

註三　馮自由〈記劉光漢變節始末〉，《革命逸史》(二)，頁二二七。

註四　楊亮功云：「當時我們一班同學對於這位國學大師很尊敬，……『他是如此偉大，致使我忘卻了他的短處』。」，見《早期三十年的教學生活》二，頁一八。

第二章　劉師培的時代背景

——舊邦新造

十九世紀以前的中國，是亞洲獨一無二的大帝國，政治安定，經濟自足，素以「文明古國」、「禮儀之邦」著稱於世，直到十八世紀中葉，清朝到了乾嘉後期，卻步入暮年，由盛轉亂，在政治、經濟和文化諸方面已陷入無法擺脫的困境。至鴉片戰爭，經工業革命洗禮的西方列强挾雷霆萬鈞之勢，迫使中國不得不打開貿易與外交的大門，中國從此由穩定靜止轉爲動蕩變革，面臨一個全新的國際形勢。在這段蛻變中，遭遇到前所未有的衝擊，開明之士奔走呼號，倡導改革，他們憂國憂民之終極目的都在使國家富强。

綜劉師培一生，全於國恥世變中渡過，有深刻的時代烙印。因此，爲了客觀準確的評價他的一生言行與思想，首先必須闡述近代中國（註一）的簡況。

第一節　政治劇變

列強以野蠻強悍的力量，迫使中國風雲驟變，走上屈辱的歷程，主權不斷喪失，蒙受史無前例的磨難和危機，把中國一步步推向次殖民地的深淵。使歷代相傳的封建帝制在內亂不已，外寇間之的嚴酷打擊下，「天下愛國之士，莫不焦心竭慮，憂國之將危將亡，思有以挽回補救之策。」（註二）他們驚嘆「莽莽神州，竟爲群矢之的」「雄邦六七，日肆憑陵」（註三）的亡國之禍，而清廷卻對外「舉凡外交政策，莫不先存讓退之心。」（註四）；對內則「自戊戌以還疑我殆甚，洎經漢口之變猜忌益深」（註五）。志士仁人遂各傾肝膽，共謀光復之策。

「百日維新」的曇花一現，使人們清楚看到在封建體制下進行改革，成功希望渺茫，再加上《辛丑條約》的簽訂，列強在中國可以駐紮軍隊、控制交通、開礦築路、爲所欲爲，中國「獨立」已名存實亡。蒿目時艱，有識之士堅持改弦易轍，決心用武力推翻封建制度，於是紛紛倡議「反對清廷割讓國土」及「自行宣告獨立」，革命風潮驟然突起。所以，光緒二十九年到三十年間（一九〇三——一九〇四）國內湧現一批新革命小團體：如湖南有黃興組織的華興會，江浙地區有以蔡元培爲首的光復會，湖北有科學補習會和日知會，安徽有岳王會等等，他們各自號召，發動起義，雖接連敗北，仍時仆時起，萬死不懼。光緒三十一年（一九〇五）八月，孫中山與黃興積極倡導，並於東京組織「中國同盟會」，成爲一個全國性政黨，造成革命勢力迅猛發展，高張革命大旗。武昌起義爆發，多省景從，二千多年來的君主專制政體終告結束。

民國成立，中國從此進入一個嶄新階段。元年，孫中山以國家元首提出臨時政府的任務是：「盡掃專制之流毒，確定共和，以達革命宗旨，完成國民之志願。」（註六）然而，南北議和時，袁世凱擁有雄厚軍事力量，迫使清帝退位，逼得孫中山宣布辭職，袁世凱被舉爲臨時大總統。局面急劇逆轉，辛亥革命的成果很快被袁世凱竊取，稱帝醜劇終於上場。中國人民在迎接黎明之前，仍須經歷一段最黑暗的歲月。

中國近代政治經歷了漫長而痛苦的變革，其演進過程劇烈的震蕩和深遠的回旋，對中國近代社會經濟、思想文化產生巨大影響。

第二節　經濟凋弊

中國在帝國列強的經濟擴張與殖民掠奪下，國勢日蹙，四海困乏。加以清廷窮奢極欲、壓榨勒索，經濟民生陷入空前困頓狼狽，衰貧落後的境地。梁啓超在〈論中國國民生計之危機〉中說道：

中國亡徵萬千，而其病已中於膏肓，且其禍已迫於眉睫者，則國民生計之困窮是已（註一）。

清廷財力的匱乏，根本原因在於帝國列强對中國頻頻發動侵略戰爭所造成。例如：光緒九年（一八八三）底爆發中法戰爭，戰火燃燒到西南邊境，戰事既起，籌餉便成當務之急。僅光緒十年（一八八四）清廷實際用於戰費即達一千五百萬兩（註八）。在籌餉無門的窘況下，不惜大借外債。

事實上，列強侵華，強迫簽訂的不平等條約，從鴉片戰爭到五四運動八十年間共七十一個，所勒索的巨額賠款，包括分期付款在內，每年的利息，總額共十二億八千六百五十萬兩白銀，相當於清廷賠款同期二十一年的財政收入。然而清廷卻把這些賠款，全部轉嫁在全國人民身上（註九）。只此賠款一項就足以說明中國的貧窮衰弱的主要原因，更何況列強在中國沿海、沿江和內地的十六個主要城市，強行設立三十八個租界，在租界擁有行政管理權和土地永租權，甚至更進一步的攫取了中國各個的海關管理權，通過關稅更可以控制清廷的財政收入。

面對陷入絕境的財政不顧，清廷依舊揮霍無度，據《升平署擋案》記載，自光緒九年至宣統三年（一八八三——一九一一年），陸續選入宮廷的戲班演員竟高達一百五十人之多，甚至慈禧太后為了個人享受，不惜挪用海軍經費和修築鐵路的費用，來修建頤和園。此外，還新設雜捐進行搜刮，仍不敷用，便向外商貸款（註一〇）。在中日戰火已起，慈禧太后仍為自己六十壽慶大肆舖張，強令中央與地方文武官員捐獻一百二十餘萬兩，民間「報效」更無計其數。

為扭轉庫儲如洗的困境，清廷對人民進行敲骨吸髓的搜括，以「彌補洋虧」。又從光緒二十七年（一九〇一）起推行「新政」，頒布獎勵設廠、振興實業等經濟政策，但清廷卻無力有效實施，反而更無止境的增添各種捐稅名目，如房捐、水利費、酒稅、厘金、米捐、地捐、國民捐、鹽捐等，苛捐雜稅多如牛毛，造成商賈不行，生計路絀，一事不能做，寸步不能行，荆天棘地，生氣索然，逼使人民起而反抗，遂有接二連三的搶米、抗米、抗租等風潮。

民國成立，依舊戰亂迭起，民生凋弊。袁世凱當政，即因稅捐苛濫，先後爆發抗捐、抗稅風潮。民國二年（一九一三）四月，英、法、德、日、俄五國銀行團和袁世凱簽訂二千五百萬英鎊善後大借款；民國三年（一九一四），接受日本妄圖鯨呑中國的二十一條要求，全國人民感到國亡無日，遂爆發大規模愛國運動，各地學生罷課，工人罷工，各地陷入一片混亂，難以維計的困境。

全國各地連年混亂，政府對外交涉軟弱，對內苛濫剝削，造成政局的不安，社會的動蕩，全民遭受嚴重的破產失業，流離失所，過著飢寒交迫又毫無政治權利的生活，中國人民的貧困和不自由的程度，是世界所罕見的。

第三節　報刊勃興

中國「自滿人入主中原……政綱傾圮，國勢頹靡，揆之革命之程序，自當先以推翻滿清政府爲事……惟二十世紀人類社會癥結所在，不僅政治之改革，而以社會問題爲尤」（註一一）。鑒於社會與民心的保守，有識之士從迫切憂憤中走出來，以爲唯有「藉報紙以啓發之，以拯救之」（註一二），因爲報紙是革命號角，輿論工具，有所謂「無聲之金鼓，誅奸之妙器」（註一三），能廣泛影響群眾，左右輿論，便於將變法革命主張公之於社會，因此「文字收功日，全球革命潮」，是革命志士們的共同期待。然而，報紙得到社會普遍重視，起自梁啓超主辦《中外紀聞》與徐勤主編《强學報》，他們指摘時弊，鼓吹變法，但辦理月餘，謠諑蜂起，二報以「廣結徒眾，妄議朝政」（註一四）被當局封禁。不久又重整旗鼓，於上海發行《時務報》，數月內風靡全國，議論搖動天下，舉國趨之，如飲狂泉。在《時務報》帶動下，各省有識之士群起響應大辦報紙。於是，報紙在中國猶如風起雲湧，初步統計，光緒二十一年至光緒二十四年（一八九五——一八九八），三年之間，全國各地創辦的報紙，有七十多種，其中影響較大者除《時務報》外，還有《蘇報》、《知新報》、《湘學報》、《湘報》、《國聞報》等，他們宣傳新思想，倡導變法，屬政治性較强的報紙。當時報紙種類繁多，內容豐富，各報從不同角度，不同程度上作輿論的鼓吹，促進了當時社會變革，成爲發表救國救民主張的重要陣地。

庚子事變後，亡國滅族危機空前嚴重，清廷顢頇面目暴露無遺，引起社會普遍不滿與反抗，革命勢力不斷增長，政治活動逐漸擴大。光緒二十七年起到光緒三十一年（一九〇一——一九〇五），此時積極宣傳革命思想，力主推翻封建專制的報紙如《國民日日報》、《警鐘日報》、《江蘇》等。在當時革命形勢刺激下，各種報紙競相發刊，僅上海地區就創刊了八十多種。繼革命輿論之高漲，光緒三十二年（一九〇六）革命派以《民報》爲主，立憲派以《新民叢報》爲主，展開空前論戰，造成報紙在數量和思想內容出現前所未有的興旺景象。此後，報紙與革命活動相互呼應，相互配合。由於他們宣傳鼓動作用，改造意識，迎取民心，最終達到政治改革目的，可見推翻滿清，固然需要依賴軍備武力，但人心一致，則需仰靠各報紙鼓吹之力。民國成立後，全國各地出現前所未有的辦報高潮，尤其當時社團眾多，政黨林立，爲了宣傳主張，維護利益，需要利用報紙，製造輿論。

在近代各類報紙中，尤以通俗白話報的創辦獨樹一幟，影響最大。從光緒二十五年到民國七年（一八九九——一九一八），各地創辦的白話報就有一百七十種（註一五）之多，北起哈爾濱，南至廣州，東由上海，西到伊黎，遍布全國近三十個大小城市。在這些白話報中，以《杭州白話報》、《中國白話報》、《安徽俗話報》、《直隸白話報》等最具代表性。白話報紙的發展雖與革命運動有關，但也爲五四白話文運動作了蓄勢準備。

報紙大量發行，衝破了封建統治的愚民政策，也爲人們爭取言論自由，增進各方思想交流，對中國近代政治社會產生了不可估量的影響。

除報紙外，圖書出版也得到空前發展，新型紙張油墨的採用和印刷技術、機器設備的引進，根本上改變了書刊印刷發行的傳統格局，使圖書迅速大量地與民眾見面，讀書不再是少數人的事，圖書的內容也不再限於經、史、子、集。據統計，光緒三十二年（一九〇六）上海租界中的書局已多達七十九家，僅英租界不到兩平方公里的範圍就有六十九家（註一六），其中商務、開明、文明、世界、廣智等書局都出有多套叢書，到了宣統元年（一九〇九），上海有書局五十家，印書局四十一家。而光緒三十一年（一九〇五）一月，僅在《時報》上刊登廣告的各類圖書便有三百多種，其中初中級教科書以及白話文讀物有八十多種。次年一月，在《時報》上刊登廣告的圖書也達二百零五種之多。面對如此眾多的書籍，長期生活在封閉狀態下的民眾來說，簡直視野大開。

圖書出版中，又以譯書最具特色。由於西方文化的傳播，當時「新思想之輸入，如火如荼。」（註一七）甲午戰爭後至庚子年間（一八九五——一九〇〇）譯書之風大熾，各報館翻譯東西文書籍者約三十餘家，其中以上海《時務報》與天津《國聞報》爲著。嚴復所譯《天演論》，即在《國聞報》上先陸續刊載，再經商務書局重印，全國風行，於是「海內繽紛，爭言新學」，從此譯印西方著作蔚爲熱潮。據《東西學書錄》所收鴉片戰爭（一八四〇）以後中國譯書書目共五百六十八種，三十九類；而《譯書經眼錄》收錄光緒二十六年至光緒三十年（一九〇〇——一九〇四）五年之間出版譯著各國書籍共五百三十三種，二十五類，成長十分迅速。此外，從光緒二十二年至宣統三年（一八九六——一九一一），中譯日文書籍共計九百五十八種（註一八），例如翻譯盧梭《民約論》、孟德斯鳩《萬法精理》、約翰穆勒《自由原理》等大量思想啓蒙著作，成爲翻譯界中引進西學的主要力量，對國內知識界產生深遠的影響，梁啓超甚至明確指出：

> 國家欲自強，以多譯西書爲本；學子欲自立，以多讀西書爲功。（註一九）

據他編撰《西學書目表統計》來看，光緒二十二年（一八九六）以前的西學譯著，中國人翻譯的三十八部，中外學者合譯的一百二十三部，外國人翻譯的一百三十九部，多數成於外國人之手。而《譯書經眼錄》中，中國人翻譯的爲四百一十五部，中外學者合譯的三十三部，外國人翻譯三十五部。中國譯者共有約三百名，其身分有學生、教師、編輯、記者、醫生、科學家、政治家、官吏等，遍及各階層。圖書出版的興盛與有識之士的勇於探索，促使西學在中國得到全面的傳播。

第四節　教育革新

在風雲變幻，戰鼓頻催之時，由於傳統教育已無法適應社會需要。戊戌維新時，康有為急切提出：「欲任天下之事，開中國之於世界，莫急於教育」，梁啓超也大聲疾呼：「變法之本，在育人才；人才之興，在開學校；學校之立，在變科舉。」（註二〇）引起光緒皇帝極大重視，施行種種前所未有的改革教育措施。但是庚子事變後，使中國人民蒙受奇恥大辱，認為「此次創痛巨深，實與亡國無異。」（註二一）所以，「吾國自經甲午之難，教育之論始萌蘖焉；庚子再創，一年以來，而教育之聲遍於朝野上下。」（註二二）清廷順應民情，於光緒二十七年（一九〇一）八月下令廢除八股取士和永停武科；九月下令「各省所有書院，於省城均改設大學堂，各府、廳、直隸州均設中學堂，各州縣均改小學堂，並多設蒙養學堂。」（註二三）光緒三十一年（一九〇五）八月，正式詔令自丙午科起，停止一切鄉試歲考（註二四）。於是，新式學堂的設立，達到前所未有的程度：光緒二十九年（一九〇三）全國學堂總數為七百六十九所，宣統元年（一九〇九）為五萬九千一百一十七所，民國元年（一九一二）為八萬七千二百七十二所；學生總數，於光緒二十九年為三萬一千四百二十八人，宣統元年為一百六十三萬九千六百四十一人，民國元年二百九十三萬三千三百八十七人（註二五），發展十分迅速，其中中學程度以上者約一萬餘人，公私立小學程度者約二百四十七萬人（註二六）。在地方上也興起一股辦學熱潮，如上海在開民智思潮的影響下，官民工商各界群起興辦各種夜校、半日學堂、講習所、學社、實業學堂，方便市民入學，甚至連向不為世人所齒的花界妓女、梨園優伶也辦起半日學堂（註二七），可見當時辦學風氣之盛，與民眾向學之情。興學熱潮席捲全國，對封閉社會，因勢利導的形成有力衝擊，對開放社會風氣、改變固有觀念都有重要影響，從前士人家居攻讀，足不出里，隨著學堂的設立，許多學者離鄉背井，赴外地甚至海外求學。國難時，學堂還注重軍事教育，進行體操訓練，並在校內「高談革命，放言無忌」（註二八），或「開會演說，倡言革命，震動全國」（註二九），革命風潮一日千里，加劇社會變革。

新式人才的奇缺，迫使速派留學生出國，以解燃眉之急，光緒年間，令各省督撫廣派留學生，分赴日本、歐美留學，甚至有人提出「惟遊學外洋者，為今日救吾國唯一之方針」（註三〇），由於清廷的號令及地方官和個人的努力，很快出現了留學熱潮。就東遊日本者來看，其趨勢即逐年上升，光緒二十五年（一八九九）約二百人；光緒二十七年（一九〇一）達二百七十四人，並開始有女子赴日留學；光緒二十八年（一九〇二）五百七十四人；光緒二十九年（一九〇三）超過一千人；光緒三十二年（一九〇六）竟達八千餘人（註三一）。除數量空前外，學習科目也已跳出早期以自然學科為主的範疇，而是以政治、法律、軍事為主，留學生大都抱有強烈救國救民之心，在留學期間，大量汲取知識，在政治上極為活躍，這批留學生歸國，便成為推翻滿清的領導力量。

科舉的廢除，學堂的普設，留學的風潮都是清末教育上劃時代的大事，不僅對當時教育帶來巨大變化，同時全國風氣，為之一變。

另外值得一提的，由於教育風潮的興盛，也帶動教科書的改革。格致、算學、歷史、地理及各類專科學校所使用的教材代替四書五經，並且需求量大增，教科書發行的種類和數量雖已無可稽考，但它確是在出版界獨占鰲頭，當時全國最大的出版機構商務印書館「儼然教科書之托辣斯」（註三二），教科書的普及，新知新理得以廣泛傳播。民國建立，對教育事業影響很大，當時南京臨時政府教育部宣布廢除前清頒布的學堂章程，並公布《審定教科圖書暫行章程》和《普通教育暫行辦法》，改稱學堂為學校，各種教科書需合民國的宗旨，不合時宜者逐一更改，甚至教師遇有不適者，也可隨時刪改。原先教科書不足適應新形勢，於是出版界蜂擁而起，競相編印，在質量上大有改進。此外，教科書使用的語言由文言改變為白話，在中國教育發展史上具有重大意義。最早編白話教材教授學童是杭州彪蒙書室印行一套《繪圖四書速成新體白話讀本》；光緒三十二年，商務印書館在編譯各種教科書時，多方嘗試採用白話文體，例如從《廿四史》中節選一部分，編成《五代白話史》、《秦漢白話史》、《兩晉白話史》、《南北朝白話史》等（註三三），淺顯易懂，非常生活化。在提倡白話文方面，教科書起了先鋒作用。

第五節　學術風尚

西方文化的駸駸東來，世界潮流的劇烈震盪，面對政綱解紐，變亂疊起，滄海塵飛，國民弱貧的社會，人們意識到泥古腐儒凋零楚材，實不足以擔當「萬國盟聘，事變日多」的時代重任。强烈的憂患意識和自我責任，學界紛紛抨擊「淺陋之講章，腐敗之時文，祥寂之性理，雜博之考據，浮誕之詞章」(註三四)的學風，群起反對無關世道人心的「餖飣漢學」，提倡「經世匡時」之學，遂帶來晚清學術的轉向，由純學術走向致用。

學風的轉變，首先反映在經學，當時以天下國家爲己任之士已不再滿意於「皓首窮經」的考據，由古文經學走向今文經學，以龔自珍、魏源爲代表，就是這種學術轉向的先聲。他們强調「治經」與「治事」合一，而指斥漢宋學是「書蠹」，揭露二者之弊害：宋學「上不足制國用，外不足靖疆圉，下不足蘇民困」(註三五)，漢學「錮天下聰明智慧，使盡出於無用之一途」(註三六)，是以「以經術爲治術」(註三七)的風氣很快盛行起來，在今文經大纛下譏切時政，詆排專制，通當世之務，倡變法之議。此後，康有爲、梁啓超等隱憂國事，冥思苦索，以今文經理論基礎，將社會進化論與公羊三世說結合，審時度勢，論證當世，提出改制之議。

變法失敗，康有爲逋逃海外，光緒皇帝幽禁瀛台，在內憂外患下，革命思潮日高，主張打破學術蔽塞，「適用學理，融合東西，革舊弊，明新法，造就新世界，以立於天演淘汰之中」(註三八)，遂興起以古文經反擊今文經，慷慨議論天下事，藉之宣揚民族主義，進行排滿革命，並從古事古跡中發揚愛國思想。

除經學外，史學、地學都成爲經世武器，有一番新氣象，如重視西北史的研究，探討邊疆問題，有張穆《蒙古遊牧記》、沈垚《新疆私議》、姚瑩《康輶紀行》、宣樊子《俄土戰記》等；其他有東西洋亡國史，如殷鑒社編《近世亡國史》、梁啓超《越南亡國史》等；教科書如劉師培《中國歷史教科書》、《中國地理教科書》、夏曾佑《最新中學中國歷史教科書》、張相文《最新地質學教科書》、《地文學》等。表現出由「論古」轉向「究新」的新動向，研究方向的轉變，固是當時致用思潮的反映，卻也顯現學術衝破文化封閉狀態，走向世界的趨勢。

學風的轉變，另一顯著表現則是注意經濟問題及重視自然科學等國計民生的實用之學。首開風氣的是龔自珍檢討傳統「重本抑末」的經濟思想，提出「本末皆富」的觀點，作爲「千古治法之宗」和「子孫萬世之計」（註三九）。王韜也反對以農爲本，以工商爲末的觀念，認爲「富强即治之本」（註四〇），編著《光學圖說》、《西洋天學源流》、《華商通商學略》等六種，名曰《西學輯存》，廣泛介紹商務與自然科學。戊戌維新志士創辦《農學報》、《算學報》、《格致新報》等宣傳自然科學，梁啓超曾論述機器的功能，譚嗣同也宣揚「有學之農，獲數十倍於無學之農」，康有爲高度評價科學技術等，這種關注經濟發展，重視自然科學的趨勢，在學界蔚成一股風氣，此期學術趨勢正如史家所述：

述）倡經世以謀富強，講掌故以明國是，崇今文以談變法，究輿地以籌邊防。（註四一）學者將注意力轉移到現實社會，講求經國濟民之術，發揚經世致用的治學精神，這種「厭倦主觀的冥想而傾向於客觀的考察」「排斥理論，提倡實踐」（註四二）的學術新趨勢，在中國學術史上占有重要地位。

第六節　文學風貌

「時運交移，質文代變」，時至晚清，文壇發生一連串空前變化。先覺之士向域外尋求改革救亡眞理。從閉關自守而面向世界的社會變革，必然相應的引起文學變革。具體而言，近代文學的變革，主要表現在內容、文體、語言三個方面。

在內容方面：

帝國列强的侵略，民族危機的加深，封建專制的窳敗，人民生活的痛苦，有識之士，在從事救亡圖存活動的同時，又以文學爲武器，宣傳政治主張。所以，這時期的文學，其基本內容都與近代社會現實息息相關，尤其封建專制的崩潰，正統思想體系也隨之崩潰，尊奉數千年的儒家道統抵擋不住西方文化思想的衝擊，使傳統文學在「道所不存，不可爲文」（註四三）之下，思想內容陷入「無道可載」的窘境。

隨著中西文化交流頻繁，不少作家在傳統文學基礎上，再採擷學習西方文學，促使近代文學吸納西學，面向世界。例如散文令人眼界大開，除介紹新知識、新思想外，世界景物、海外風雲已洒落筆下。詩歌更是突破國界吟詠他國山川風物，英雄豪傑和聲光電化，開拓出「直開前古不到境，筆力縱橫東西球」的新意境。借他國琴弦，彈自己的心聲，寄望「以異國奇人，爲支那圭臬」（註四四），作品中回響著强烈愛國思想，進取奮鬥精神，突破傳統「溫柔敦厚」、「怨而不怒」、「思無邪」的藩離，開「古人未有之物，未闢之境」。當時文學革新者，以西方文學改造中國文學，合中西融爲一片，「以彼新理，助我行文」（註四五），於是文學與時代，文學與人群結合的途徑更爲緊密，這是近代文學一個重要特色。

在文體方面：

許多作家自覺「世界日新」，所以當時一班青年文豪不循成法，創造出不故求高深隱晦，脫卻相習成風的新文體。

當時在「文界革命」號召下，造成文體丕變，打破古文原有格局，爲文壇射進一縷陽光，使人眼界大開。當時文體有梁啓超式「新文體」，紀實的戰記，各類的實錄、演講詞、以及使外的日記和遊記、考察報告等。它們形式活潑多樣，爲文不中律，舒卷自如；句式則駢散雜揉，奇偶並舉，文白夾雜；論證則貫穿古今，籠罩中外，凡此種種，說明中國散文在變革在發展。

清末詩壇一片機械擬古詩風，皆生硬而無味！自「詩界革命」的推動下，先有黃遵憲、蔣智由、夏曾佑等爲首的「新派詩」的興起，他們不僅博采歷代諸家諸派之長，且採取散文伸縮離合之法；不僅採經、史、子、集、官書會典語匯，而且吸取方言俗諺，新詞新典（註四六）；後有柳亞子、陳去病等人爲首的南社詩歌，他們打破五、七言詩律束縛，而以三、五、七、九言等穿插交替，不拘一格（註四七），句勢錯落排比，自由奔放，形成格律解放的詩體，風靡一時。而歌謠體、彈詞和說唱體的風行與詩體的自由化更是最大特色。

晚清小說之繁盛異乎尋常，作家以小說爲武器，關注政治大勢，思變革，盼富强，以爲爲國民計「不可不自撰小說」（註四八），造成小說一體作家雲蒸，作品霞蔚，碩果纍纍，一改昔日以詩文爲正宗，小說戲劇爲附庸的觀念。同時，創作形式與往昔大異其趣，首先，打破傳統章回體結構，如《二十年目睹之怪現狀》用九死一生爲經線貫串全書故事；《孽海花》結構完美，注意心理描寫；《老殘遊記》十分注重細節的靜態描寫，又時時插入作者議論，而《九命奇冤》以倒敘結構手法布局，又著重景物描寫，手法新穎，突破傳統小說模式。另據梁啓超創辦《新小說》、李伯元創辦《繡像小說》、吳趼人創辦《月月小說》、黃摩西創辦《小說林》等雜誌所發表小說作品來看，其中門類繁多，其勢如長江大河，浩浩蕩蕩，奔流不止，爲五四新文學樹立先河。

戲劇更易接近群眾，於是繼小說革命之後也產生連鎖反應，許多革命志士把舞台作爲人生奮鬥武器，以改良社會爲己任，「編新戲，創新聲，變數百年來之裝飾，開梨園一代之風氣」（註四九）其劇類有歷史劇、時事劇、神話寓言劇等。並且爲適應新戲的演出，新穎劇場相繼建立與之配合，演出時，在上下場用鑼鼓，演員可不拘舞台成規，自由開放；同時不用典重崑曲，而採通俗皮簧，甚至在戲中唱外國歌曲，活潑多樣；唱腔上則說白多，唱工少，說白以京白與蘇白爲主，有時也用方言（註五〇）。儘管其中作品良莠不齊，但它們改革的經驗，爲以後的話劇開闢了道路。

在語言方面：

文體的改革，還需與淺顯平易的語言配合，以便於市井鄉僻之不學，才能促進文學的繁盛，所以說「俗語文體之流行，實文學進步之最大關鍵。」（註五一）因此，一時之間「崇白話而廢文言」（註五二）、「言文合一」的呼聲高入雲霄，反映在作品中，文學語言呈現適俗趨勢，不避方言俚語、外國名詞，外國語法，文字語言從艱澀怪僻的文言文中釋放出來，口語化、生活化，形成古典文學過渡到現代文學的先聲。

滄海橫流的社會巨變和顚沛坎坷的變革歷程，使中華民族陷入空前動亂與痛苦的血淚中。然而，在政治浪潮迭湧的局面下，卻窮極生變，化壓力爲動力，改阻力爲張力，由浩劫走向新生，推動思想解放的波瀾。有識之士無不將視野拓展，觀古今，通中外，涵蓋上下，俯仰遠近，打破以中華爲中心的狹隘觀念；突破一成不變的思維模式，由封閉走向開放，由單一變爲多元，以迎接一個繽紛的新世界。劉師培在此萬流競奔，百花齊放的啓迪下，正是最具代表性人物之一。

【附註】

註一　「近代中國」的時間斷限，學界一般多主以鴉片戰爭起，至辛亥革命成功止（一八四〇——一九一九）。而稱「晚清」、「清末」，所論述的年代範圍與「近代中國」大體相合。如陳衍《近代詩鈔》、陳子展《中國近代文學之變遷》、任訪秋《中國近代文學史》、郭延禮《中國近代文學發展史》、周陽山和楊肅獻合編《近代中國思想人物論、晚清思想》、鄭振鐸《晚清文選》、阿英《晚清小說史》、王爾敏《晚清政治思想史論》、小野川秀美《晚清政治思想研究》等書，均以清末最後八十年間爲研究對象。

註二　芙峰〈日本憲法與國會之原動力在於日本國民〉緒論，見《譯書匯編》第二年第十二期。

註三　闕名〈仇一姓不仇一族論〉，見《民報》第十九號。

註四　《星洲晨報》庚戌年八月十三日（一九〇一年九月十六日）。

註五　季子〈革命其可免乎〉，見《江蘇》第四期。

註六　《臨時政府公報》第一號。

註七　《飲冰室文集》四之二十一，頁二十三。

註八　王廷燮《清財政考略》，頁二〇——二一。

註九　劉欽銘〈帝國主義對近代中國的侵略及其危害〉，《內蒙古師大學報》一九九〇年第三期。

註一〇　徐義生編《中國近代外債史統計資料（一八五三——一九二七）》，頁八。

註一一　曼華〈同盟會時代民報始末記〉，《藝文誌》一一〇期。

註一二　錢仲聯《黃公度先生年譜》：「吾民之聾聵如此，又欲以先知先覺爲己任，藉報紙以啓發之，以拯救之。」

，頁六七。

註一三　胡石庵《湖北革命實見記》。

註一四　《汪穰卿先生年譜》卷二。

註一五　蔡樂蘇〈清末民初的一七〇餘種白話報刊〉，見《辛亥革命時期期刊介紹》第五集，頁四九三。

註一六　見《上海華商行名簿冊》。

註一七　梁啓超《清代學術概論》，第二九章，頁七一。

註一八　實藤惠秀監修譚汝謙主編《中國譯日本書綜合目錄》序。

註一九　梁啓超〈西學書目表序例〉。

註二〇　梁啓超〈康有為傳〉，〈變法通議〉。

註二一　劉坤一〈復張之洞書〉，見《劉坤一遺集》，頁二二八九。

註二二　梁啓超〈論教育當定宗旨〉。

註二三　《光緒朝東華錄》，頁總四七九一。

註二四　同上註，頁總五三九二。

註二五　王笛〈清末近代學堂和學生數量〉，《史學月刊》一九八六年第二期。

註二六　《中國近代教育史資料》下，頁三八三。

註二七　《吳趼人研究資料》，頁八一九。

註二八　馮自由《革命逸史》初集，頁一一八。
註二九　《辛亥革命》一，頁四八九。
註三〇　〈勸同鄉父老遣子弟航洋遊學書〉，見《遊學譯編》，第六冊。
註三一　《中國人留學日本史》，頁一。
註三二　蔣維喬〈創辦初期之商務印書館與中華書局〉，見《中國現代出版史料》丁編，頁三九六。
註三三　《時報》光緒三十二年（一九〇六年）一月「廣告」。
註三四　何啓、胡禮垣《勸學篇書後》。
註三五　魏源《默觚下，治篇一》。
註三六　〈武進李申耆先生傳〉，見《魏源集》上冊。
註三七　《默觚》，見《魏源集》上冊。
註三八　《辛亥革命前十年間時論選集》第三卷。
註三九　《安吳四種》卷二六。
註四〇　王韜《文錄之編》卷二，興利。
註四一　齊思和《中國史研究》，頁三一四。
註四二　梁啓超《中國近三百年學術史》。
註四三　魏源《國朝古文類抄》序。

註四四　泣紅〈胭脂血彈詞〉。

註四五　林紓〈洪罕女郎傳跋語〉，見《晚淸文學叢鈔、小說戲曲硏究卷》。

註四六　趙愼修〈舊民主主義革命時期文學思潮的變遷〉，《中國社會科學》一九八四年第一期。

註四七　馬進〈南社詩歌的藝術特色〉，《文藝論叢》第十九期。

註四八　王旡生〈論小說與改良社會之關係〉。

註四九　張次溪〈汪笑儂傳〉，《戲劇月刊》二卷三期。

註五〇　藍凡〈辛亥革命前後的戲曲改良運動〉，《中國近代文學硏究》三期。

註五一　梁啓超語引自楚卿〈論文學上小說之位置〉，《中國歷代文論選》第四冊，頁二三七。

註五二　裘廷梁〈論白話爲維新之本〉，《中國歷代文論選》第四冊，頁一七〇。

第三章　劉師培的生平行誼

——從異彩到異端

劉師培，著名國學大師，江蘇儀徵人。字申叔，改名光漢，化名金少甫；別號韋裔，左盦；別署光漢子、無畏；筆名激烈派之第一人。生於清光緒十年閏五月二日（一八八四年六月二十四日），歿於民國八年（一九一九）十一月二十日。他的一生渡過三十六個春秋，橫跨晚清與民國兩個階段，戲劇性地與著名革命志士和政壇要員頗有關涉，決定了他的出處榮辱和人生價值取向。以下從生平與交遊分述其複雜多變的一生。末概述其著作，以明其思想歸趣。

第一節　生　平

劉師培一生大致可分成三個階段，即年少中舉期，參加革命期，以及韜晦自退期。

一、年少中舉期

這一時期從光緒十年（一八八四）劉師培出生，到光緒二十八年（一九〇二）他得中舉人（一——十九歲），是劉師培接受各種教育和思想形成的探索時期。

有關劉師培早年活動的資料不多，只能從時人或家人零星追述中略知一二。他出身經學世家，他的「曾祖文淇，祖毓崧、世父壽曾，治《左氏春秋》，發名於清道、咸、同、光四朝，列國史儒林傳。」累代傳經，有聲於時，被譽爲「三世一經」。其「父貴曾亦以經術聞鄉里」（註一）母親則是江都小學家李祖望（註二）二次女李汝諼，通曉經史詩文。劉師培承三世之緒，從啓蒙時即飽讀經書，加之讀書勤奮，過目成誦，習爲詩文，有若宿構。劉師培八歲已學得《周易》變卦之法（註三）。十二歲讀畢四書、五經、試帖詩，從此打下「治經」基礎。經術之外，又喜詩賦，曾作〈水仙花賦〉，並於兩日之間作成〈鳳仙花〉詩百首，時人目爲「奇童」（註四）。他少承先業，大量閱讀祖父輩秘而未宣的經史著述，埋頭稽古之學，在家學家風薰陶下，「未冠即耽思著述，服膺漢學，以紹述先學，昌發揚州學派自任」（註五），想通過科舉考試，光宗耀祖。十八歲（光緒二十七年，一九〇一）時，應揚州府試，已顯露才華，一首詠木蘭院律詩，其中「木蘭已老吾猶賤，笑指花枝空自疑」警句，令主考官嘆服，而所作八股詩賦，冠絕全場（註六），試畢揭榜，優異中試，補縣學生員。十九歲（光緒二十八年，一九〇二）時，在堂兄師蒼陪同下，赴南京參加鄉試，再戰告捷，此時意氣風發綻放出不同凡響的異彩。

然而，少年時代的劉師培並不以此爲滿足。雖然，研經習禮的家庭環境，促使他邁向科舉之路，而他從小親身體驗帝國列强的欺凌，封建政體的腐朽，救國愛國情緒在他心中不斷起伏著。他生於中法戰爭（一八八四）之際，十歲時又遭逢中日戰火（一八九四）；十五歲（一八九八）戊戌六君子捐軀，百日維新慘敗；十七歲（一九〇〇）遇庚子事變，萬目時艱，陰霾迭起，面對社會遽變，思想必然隨之而變。尤其，他家世居號稱「江淮繁富，東南名都」的揚州（註七），明末清軍南下，揚州人民英勇抗敵，遭清軍殘酷屠殺，他曾作詩慨嘆：

淮海英靈間世出，鄉邦文獻嘆淪微。一從虜騎南侵後，城郭人民半是非。（註八）

又著有《揚州卻虜錄》，可見揚州人士一向反清排滿的强烈意識給他深刻的影響。此外，他祖父劉毓崧一生用力獨勤地校勘過《王船山遺書》等（註九），使他自幼即飫聞明清大儒學行，因此，他曾多次說：「幼治《春秋》，即嚴夷夏之辨，垂髫以右，日讀薑齋，亭林書，於中外大防尤三致意。」（註一〇）又說：「幼年喜誦明夷錄，會慨餘姚學派沉」、「著〈讀船山叢書劄記〉一卷」、「著〈顏習齋先生學術〉一卷」（註一一）等，可見他並不十分「安分」。據他親友回憶，劉師培幼時還愛看小說戲曲，不時流露出對專制政體的不滿（註一二）。更重要的是，他的友人王先生時常從外地帶來革命書刊，如《浙江潮》等，使他大開眼界，增廣新識（註一三）。這時他雖然開始接觸革命民主思想，但還沒有明確方向，沒有投身實際的革命活動。

這是從光緒二十九年（一九〇三）科舉失敗，到光緒三十三年（一〇九七）再度赴東京（二十歲——二十四歲）。劉師培站在時代思潮的前端，實際參與革命活動，以筆和舌爲推翻滿清封建專制統治而戰，博得喝彩與名聲，可說是他最大貢獻的時期。

二、參加革命期

個人的境遇變遷和時代的急風驟雨，使他思想劇變，由清代舉人陡變爲反清志士，捲入革命浪潮，而改變了他的一生，這是光緒二十九年（一九〇三）開始的。這年春天，他趕赴河南開封參加朝廷會試，未中。面對科場失意，以及父親病逝後的「家貧不能自給」（註一四）的環境，他心情十分抑悶，不得已在南歸途中，託友人王旡生、林少泉安排，來到上海想謀求教職以解決生計，卻從此打破了寧靜生活，截斷了科舉道路。

上海，是鑲嵌在東方世界中的一塊西方世界，正處在拒俄抗法（註一五）的激烈運動以及「蘇報案」（註一六）發生的前夕，大多數報刊言論主張，已由溫和轉向激進，由改良轉爲革命，「放言革命」的讀物很多，如鄒容《革命軍》，章太炎〈駁康有爲論革命書〉等，傳誦一時。整個上海革命氣氛濃郁，愛國熱情高漲，有的見義勇爲，傾家資助革命；有的聞風起義，壯烈犧牲；在在激發了劉師培的愛國熱情和救國思想，客觀環境的推引，他毅然走出科舉陰影「絕意仕進」（註一七），投身於革命隊伍，同時，他結識了由古文經家變爲革命學者的章太炎，從清翰林轉變爲革命家的蔡元培，號稱「革命馬前卒」的留日學生鄒容，以及陳去病、張繼、章士釗、陳獨秀、蘇曼殊等革命志士。鄒容還特地贈予劉師培親筆所書「中國自由神出現」（註一八）」七大字，這些激勵和鼓舞，更帶給滯留上海徘徊不定的劉師培很大啓迪，隨即在《蘇報》上發表〈留別揚州人士書〉決意革命，加入中國教育會。未幾，並改名「光漢」，立誓「攘除清廷，光復漢族」（註一九），當時「黨人咸尊禮之」（註二〇）隨後立即撰著《攘書》，倡言排滿復漢，風靡一時，有人題詩云：「此書即麟經，讀之當奮起」（註二一），並被譽爲「空前傑著」（註二二），有人讀了成爲他的信徒，如高吹萬自署「志攘」，亦號「黃天」，言「吾不薄今吾好古，《攘書》讀罷讀《黃書》」（註二三）；有人讀後思想驟變，如吳樾幡然徹悟道：「乃知前此梁氏之說幾誤我矣。」（註二四），立刻放棄改良而就革命，可見此書成了當時思想上的革命颶風，波振濤湧，八方呼應。接著，他爲《蘇報》、《國民日日報》撰稿，又相繼出版《中國民約精義》、《中國民族志》、《黃帝紀年說》等文，爲民主革命製造輿論。梁啓超曾寫過一篇《紀元公理》爲變法造輿論，劉師培的《黃帝紀年說》則是爲革命而作，此文一出影響極大，辛亥革命前，革命派包括同盟會機關報《民報》多採用黃帝紀年，即受此文影響，後收入《黃帝魂》一書中。《中國民約精義》一書影響也大，並爲他博得「東亞盧騷」（註二五）的雅號，其革命身價之高可見一斑。

不數月，清廷倒行逆施查封《蘇報》和愛國學社，逮捕章太炎、鄒容等人，造成轟動全國的「蘇報案」。同時，帝俄軍隊强行占領奉天（瀋陽），引起全國民眾極大震撼，以爲是列强瓜分中國嚆矢，而日本突然襲擊旅順口的俄國艦隊，日俄戰爭爆發，新的事變，使拒俄運動再次出現高潮。劉師培與蔡元培、葉瀚、陳去病等組織「對俄同志會」（後改名「爭存會」），創辦《俄事警聞》（後更名《警鐘日報》），劉師培爲該報編輯主任，撰文揭發帝俄侵占東北的罪行，因能「針砭時政，闡揚革命，深博社會稱許」（註二六）。每日，報社門口擠滿觀看新聞的群眾，人人義憤塡膺，涕泗交流。值此國權盡隳，國土已失，大局將去之時，劉師培企望通過言論激起同胞的愛國熱忱，爲中國重放光彩而奮鬥。

驚人事件，相繼發生；革命勢力，潛滋暗長，有一發不可遏之勢，劉師培慨嘆瓜分慘禍迫在眉睫，更在光緒三十年（一九〇四）正月挺身以「光漢」署名，給當時湖北巡撫署湖廣總督端方一封措詞激烈的勸降書，全文如下：

端帥鑒：孔子有言，裔不謀夏，夷不亂華。而華夷之防，百世垂爲定則，想亦爾之所悉聞也。自滿洲肇亂，中原陸沉；衣冠化爲塗炭，群邑蕩爲邱墟；呻吟虐政之中，屈服毡腥之壤，蓋二百六十年於茲矣。而玄燁、弘厲諸酋尤爲失德，誅亡之慘，淫暴之禍，誠所謂折南山之竹書罪無窮，罄東海之波流惡難盡矣。光漢幼治《春秋》，即嚴夷夏之辨，垂髫以右，日讀薑齋、亭林書，於中外大防尤三致意。竊念天下興亡，匹夫有責；《春秋》大義，九世復仇。值此諸夏無君之時，仿言論自由之例，故近年以來，撰《黃帝紀年說》、撰《中國民族志》、撰《攘書》，垂攘狄之經，寓保種之義，排滿之志，夫固非伊朝夕矣。今者俄日戰爭，宣布中立；瓜分慘禍，懸於眉睫，漢族光復，此其時矣。觀於廣西會黨，蔓延西南；浦東鹽匪起義；江浙漢族之民又孰不興我義旗，以恢復神州之土哉？俟光復功成，固當援冉閔戮胡之例，殲爾賤夷，俾無遺育。爾等當此之時，幸則爲王保保之竄邊陲；不幸則爲台哈布哈之戰斃，欲求一日之安寧，豈可得哉？故爲爾輩計，莫若舉西湖之疆，歸順漢族。我漢族之民，亦可援明封火保赤之例，赦爾前愆，任職授官，封圻坐擁，豈不善哉？夫爾既伺身虜族，奚屑與爾交言？其所以致書與爾者，將欲爾之捨逆從順耳。時哉！時哉！不可失矣！爾其圖之。劉光漢白。（註二七）

內容激越明快，壯語盤空，裂石穿雲，膽識過人。這份史料的重新發現，使我們更易了解劉師培此時衝破傳統禁錮的恢宏奇志，甘冒風雷打擊封建勢力的無畏精神，縱橫揮洒，生氣盎然。

就在這一年六月，劉師培回鄉與何家輅妹何震匆促結婚，立即返回上海，何震則入愛國女校就讀。從此，他風塵僕僕奔走於各種革命團體，如軍國民教育會、暗殺團、光復會、國學保存會等；相繼爲《中國白話報》、《覺民》、《醒獅》、《國粹學報》等報刊撰稿，以筆爲武器，滿懷義憤，雄談高唱，謦欬風雷。這其中，值得重視的是：他在《中國白話報》以大量白話形式向一般民眾宣傳革命思想，文章內容豐富充實，切中時弊，生氣勃勃，清新好懂，深受社會各界歡迎，例如吳樾就說，看了《中國白話報》等刊物，決定走向革命道路，並在保定辦《直隸白話報》（註二八）。他走在當時各種報刊體的前列，對清末白話文運動的發展產生積極作用。另外，他更驚世駭俗地參與策劃謀刺廣西巡撫王之春的暗殺活動（註二九），書生報國，勇赴國難，名副其實的成爲「激烈派之第一人」（註三〇），足見他思想行爲激進之一斑。

光緒三十一年（一九〇五），《警鐘日報》因揭載德人經營山東密謀，以及清廷外交無能，措詞犀利，適中其忌，而遭當局查封，劉師培事先得知消息，避往浙江平湖，在光復會聯絡地點嘉興溫台處會館工作，從事將近半年祕密革命活動。次年（一九〇六），又經鎭江再倉遑赴蕪湖，化名「金少甫」（註三一），擔任歷史與倫理課程，與陳獨秀、陶成章、蘇曼殊、柏文蔚等人先後到安徽公學、皖江中學任教，並發行《白話報》。他們把課堂當作鼓吹革命的場所，暢說民族民主革命，其中「影響最大的，首推劉師培的種族革命，省內外思想進步的知識青年，咸慕名而來。」（註三二）由於反清排滿的言論十分露骨，引起清廷東南疆吏的側目。

光緒三十三年（一九〇七），終因「東南鈎黨甚急」，爲免株連，劉師培攜妻母、姻親汪公權以及友人蘇曼殊，亡命東瀛，跨出他以後發展方向另一里程碑。二月中旬，抵馬關謁見孫中山，正式加入同盟會，參與《民報》編輯工作，以「韋裔」署名，撰有〈普告漢人〉、〈利害平等論〉、〈悲佃篇〉、〈辨滿人非中國之臣民〉、〈清儒得失論〉等文，參與《新民叢報》論戰，「極爲海內外傳誦」（註三三），尤其〈辨滿人非中國之臣民〉一文，「博引史冊，駁斥梁啓超《滿洲爲建州衞論》文，曾博得章太炎稱贊：

申叔此作，雖康聖人亦不敢著一詞，況梁卓如、徐弗蘇輩乎？（註三四）

所以劉師培此文一出，令當時許多黨人企佩不已。

劉師培剛來日本，日本正瀰漫無政府主義思想，此時日本社會黨分裂為軟硬兩派，其中硬派主張否定議會道路，宣揚無政府主義，堅持採直接行動「總同盟罷工」手段為革命途徑，代表人物有幸德秋水，堺利彥、山川均、大杉榮等。張繼、章太炎經北一輝結識幸德秋水，深受影響（註三五）。同時，同盟會內部卻發生嚴重分裂，首先是因革命軍國旗圖式爭執的風波，導致黃興、宋教仁對孫中山的不滿（註三六）；其次，孫中山接受日本政府與日本股票商人的贈金（註三七），引起日人平山周、北一輝、和田三郎以及劉師培、章太炎、張繼、譚人鳳、田桐等人的誤會，同聲要求罷免孫中山同盟會總理職務。喧鬧沸揚之時，又傳來黃岡、七女湖、欽州、廉州等連串舉兵失敗消息，反孫浪潮更甚囂塵上，人心離異，同盟會幾近癱瘓，以致「民報社各人互相噬嗞，團體全散」（註三八）革命陷入困境。不久，劉師培推荐北一輝、和田三郎任同盟會總部幹事，並提議改組同盟會，以培植自己在同盟會的權勢，但均遭劉揆一拒絕，心懷不滿，「漸有異志」（註三九），而與同盟會、孫中山等隔閡愈深。而恰在此時，經張繼介紹，結識日本社會黨硬派人士，意氣相投，為無政府主義所吸引，以為較同盟會革命綱領更激進有成效，足以達成革命，於是倡「顛覆人治」，以與同盟會主張相抗衡，迅速成為無政府主義狂熱信徒，造成思想上一大轉折。六月，劉師培妻子何震即組織「女子復權會」，並發行《天義報》，鼓吹無政府主義，聲稱「破壞固有之社會，顛覆現今一切之政府，抵抗一切之強權，以實行人類完全之平等」，於提倡女界革命外，兼提倡種族、政治、經濟革命（註四〇），這是我國「發刊社會主義機關報之嚆失」（註四一）。同月，又與張繼、章太炎、陶成章、汪公權、喬義生、何震等發起組織「社會主義講習會」，宣稱「吾輩之宗旨，不僅以實行社會主義爲止，乃以無政府爲目的」（註四二）。爲追求「破除國界、種界，實行世界主義及抵抗世界一切强權」（註四三）的信念，當時流亡日本的中、印、安南等革命人士組織成「亞洲和親會」（註四四），中國方面參加者有：章太炎、張繼、劉師培、何震、陳獨秀、蘇曼殊等人，其中以劉師培表現最爲積極活躍。（註四五）

劉師培的無政府主張，除了種因於日本社會主義運動及同盟會內部人事分岐的外在因素，卻也是他經過深思所撰擇的，並非全然是意氣用事：

到了明治四十年（一九〇七）張繼，劉光漢（當時都在二十四、五歲左右）等優秀青年才受到社會思想的刺激，因而改變了過去指望通過「大陸浪人」，取得日本朝野較著聲望的政治家們，對中國革命提供援助的那種想法，轉而希望自己去掌握科學的、哲學的，條理清楚的革命原理，用以喚起人民大眾的覺醒。……他們正是爲了實現這個目的才開始面向社會主義，換言之，不依靠外力而要自力更生的這種願望，促使他們開始了社會主義的研究，而恰恰在這一點上，恐怕正是孫文和章炳麟及其他青年革命黨員之間發生裂痕的原因所在。（註四六）

從此他與同盟會分道揚鑣，並撰著大量作品宣揚無政府主義，如：〈亞洲現勢論〉、〈無政府主義之平等觀〉、〈論中國田主之罪惡〉、〈廢兵廢財論〉、〈論種族革命與無政府革命之得失〉、〈異哉中國婦人會〉、〈人類均力說〉等文，除力主「女子解放」，更抨擊帝國主義與封建專制，他宣稱：「實行無政府革命，則滿洲政府必先顚覆，滿洲政府既覆，則無政府之目的可達，即排滿之目的亦可達。」（註四七）這與革命民主、反清革命的目標一致，所以劉師培以筆代舌的作品，仍然吸引許多有識青年，魯迅就曾鼓勵周作人向《天義報》投稿（註四八）。當他在光緒三十三年（一九〇七）與三十四年（一九〇八）年底，由日本返回上海，都受到革命黨人歡迎。

劉師培這一時期對民主政治、理論的宣傳都有重大發展，是他思想成果最多、貢獻最大的時期。但是，他個人的思想往往隨時代的風雲變幻，時而趨新，時而激烈，時而極端，呈現出起伏不定的多變情況，這些不僅削弱了他的影響力，而且埋下日後趨向守舊的一個伏筆。

三、韜晦自退期

這個時期從光緒三十四年（一九〇八）他政治立場的改變，到民國八年（一九一九）他逝世止（二十五歲——三十六歲），是他政治、思想、學術的循舊時期。

在劉師培醉心倡議無政府主義的同時，清廷曾於光緒三十三年十一月派貝勒溥倫赴日伺察革命黨（註四九），並配合軟硬兼施的策略以分化革命勢力。其後肅親王善耆，練兵大臣鐵良、兩江總督端方等人隨行，並「各自設法向黨人施展金錢政策，使爲己用」，其中端方「授意敗類學生多人從中作祟，或伺隙離間，或用金錢買收……光漢之婦何震及其姻弟汪公權。」（註五〇）汪公權平日生活放蕩糜爛，劉妻何震頗有艷名，爲人好修飾、好交際（註五一），端方以爲有機可乘，經汪公權穿針引線，將何震收買，再脅迫劉師培鋌而走險爲端方偵探黨人消息。年底，由東京返上海，曾向端方獻「弭亂之策」（註五二），不過，表面上仍宣傳無政府主義，暗中已變節賣友，從此難以回頭，這一變化，也是他一生的轉折點。

光緒三十四年（一九〇八）一月，張繼因參加幸德派金曜演講會，遭日警追捕，逃往法國（註五三）。四月，章太炎與劉師培夫婦及汪公權三人「以事不睦，乃至絕交」（註五四）。而汪公權在領得清駐日公使館五千元偵探費後，在《民報》社暗中施放毒藥，想毒死章太炎等人，事發，東京學人嘩然，牽連疑及劉師培，使得他們在日本「備受黨人冷落」（註五五）。在此期間，劉師培又與陶成章不和（註五六），情況十分孤立，被迫返回上海，《天義報》、《衡報》先後停刊，「社會主義講習會」草草收場。

劉師培回到上海，亟欲向端方「立功自見」（註五七），首先挑撥離間，製造同盟會內部混擾不安，將章太炎曾託他們夫婦和端方聯繫的五封信影印，寄給黃興等人（註五八），挑起吳稚暉等人誣指章太炎和《民報》受清廷收買，挑撥孫中山與章太炎間的閒隙，益形水火不容。引發連串軒然大波，同盟會幾致瓦解，不利革命團結。他平時仍照往例去革命黨人聯絡處列席開會以取得情報，年底，光緒皇帝與慈禧太后相繼去逝，浙江革命志士至上海集議乘機大舉起義，張恭也自日返國與議，時陳其美接辦上海天寶棧。光緒三十五年（一九〇九）夏，「一日，先生（指陳其美）約同志於某處，會師培亦在，密告端方，於是天寶棧之機關破，張恭捕。」（註五九），事發後，王金發「怒挾槍訪之，責其變節賣友」（註六〇），劉師培跪地求饒，並以一己性命保全張恭，得免於死。劉師培自此公開投入端方幕中，端方延為兩江督轅文案，兼三江師範教習，不再涉足上海，絕口不談無政府主義，一心一意從事「振興國學」（註六一）的工作，並上端方書，建議設立「兩江存古學堂」，以培訓「國學教員」（註六二）。由於現實的刺激，他又返回孔孟之學，求救國之道，從非孔到尊孔，從要求反省傳統到倡揚傳統，這時的劉師培既否定他人，也否定自身。八月，端方調任直隸，劉師培隨後也趕赴天津，任直隸督轅文案和學部諮議官等職。宣統三年（一九一一），以參議官身份，隨端方入蜀，鎮壓保路運動，「行抵資州，武昌已宣布起義，端方為所統兵士所殺，劉師培亦被資州軍政分府拘留」（註六三）幸得章太炎不計前嫌，發表保釋《宣言》，又與蔡元培聯名登載《求劉申叔通信》，他始得獲釋，隻身前往四川，經老友謝旡量介紹至四川國學院講學，與廖平論議今古文異同，為《四川國學雜誌》撰稿，也曾和吳虞來往。民國成立後，杜絕一切交往，閉門校讀群經，自此幾乎從政壇消失。民國二年，至太原，任閻錫山高等顧問，創辦《國故鉤沉》，民國三年，經閻錫山推荐，至北京，任袁世凱公府諮議。但是民國四年八月，楊度發起「籌安會」為袁世凱復辟帝制事宜籌劃，劉師培竟答應附驥並擔任理事，還寫了〈君政復古論〉、〈告同盟會諸同志〉、〈國情論〉等文，以明勸進之旨，益為士論所不齒。十月，袁世凱明令劉師培署理參政院參政；十一月，授予上大夫。歷經八十三天的洪憲風雨，在舉國共憤聲討中，袁世凱取消帝制後羞憤而死。劉師培成了帝制犯，逃至天津避難，經李經義的疏通，取消通緝，既往不究。民國六年，蔡元培任北大校長，聘他到北大任教，他「是時病瘵已深，不能高聲講演，然所編講義，元元本本，甚爲學生所歡迎。」（註六四）民國八年一月二十六日俞士鎮、薛祥綏、楊湜生，張煊慨然於「國學淪夷，欲發起學報以圖挽救」，（註六五），於劉師培家中成立「國故月刊社」，以「昌明中國固有學術」爲宗旨，出版《國故月刊》，爲當時新文化運動人士目爲「異端」（註六六）。劉師培夙有肺疾，體羸迷茫，至是日益深重，病勢危殆之際以「一生當論學而不宜問政」（註六七）悔恨以終，死時十一月二十日。

第二節　交　遊

劉師培一生交遊極廣，其中不乏知名人士，且情誼深篤，形同莫逆。觀其與革命同道彼此或聲氣相通，或情義相得，或貞定爲學旨趣，往還懇切，猶存古人直諒之義！然而，他以一介「儒林之秀」發名當時，亦因「文人名士」爲政壇要員爭相羅致，卻又在命如懸絲之際，因「讀書種子」而死裡逃生，幸與不幸，實難論定！在劉師培這種特殊際遇下，陪他走完短暫而又曲折的人生歷程的是他朝夕相從，思想先進的妻子——何震。他們曾情投意合走上革命道路，又不惜貶抑聲價，變節賣友，爲時代留下豐富寫照和縮影。終劉師培一生，何震成爲其生命中的核心人物，在他身上打下不可磨滅的烙印。

何震（生卒年不詳），原名班，改名震，爲示男女平等，將姓氏改爲父母兩姓，自署何殷震，筆名志劍，法名小器，江蘇儀徵人。

光緒三十年（一九〇四）與劉師培結婚，即入上海愛國女校就讀，成爲革命夫妻，當時林宗素曾祝賀他二人說：

> 何女士爲劉申叔先生夫人，結婚才逾月。先生於吾國學界爲有數之人物，其夫人學問宗旨，足以稱之，吾爲劉先生賀。（註六八）

男才女貌爲人稱羨。光緒三十三年（一九〇七）冬天，還博得南社柳亞子的稱譽，其詩云：

> 慷慨蘇菲亞，艱難布魯東。佳人眞絕世，余子亦英雄。憂患平生事，文章感慨中。相逢拚一醉，莫放酒樽空。

> 雲間二妙不可見（原註：高天梅，張聘齋里居未出），一客山陰正獨遊。（原註：陳巢南時客紹興）別有懷人千里外，羅蘭瑪利海東頭（原註：謂劉申叔，何志劍伉儷）。（註六九）

說他倆是布魯東和蘇菲亞，又說是法國大革命時代的羅蘭先生和瑪利儂夫人，評價十分高。不過，何震允文允詩，「頗有艷名」（註七〇）且與汪公權「形同夫婦，宣言公夫婦不諱」（註七一），後脅迫劉師培變節，劉師培再入「籌安會」，上表列名勸進，實則劉師培兩次身敗名裂，均導因於何震脅持，無怪乎胡漢民曾慨嘆：「生活環境足以致人墮落如此者。」（註七二）縱然蔡元培不念舊惡，羅致講學，「但申叔內心痛苦，終於鬱鬱而死」（註七三）。劉師培死後，「志劍神經病發作，曾在北大校門外伏地痛哭，後來削髮爲尼，法名小器。」（註七四）遂不知下落。他們夫婦一生未能看破名利，在時代風雲裏翻騰，在歷史浪濤中浮沉，驚世駭俗，令人無限低迴，無限嘆惋！

然而劉師培當他入於坎陷之際，救患分災，扶危拯困，賴友人之功；當他危殆病逝之時，紀理歸喪，千里會葬，亦以友生之力爲多。終其一生，得友人之助，不可勝記！今擇其最著者，分爲革命同道、宦海之交及其他三類述之。

一、革命同道

1.王旡生（一八八〇——一九一四）

名鍾麒，字毓仁，一作郁仁，號旡生，別號天僇生，安徽歙縣人，寄居江蘇揚州，爲南社社員。曾任上海《神州日報》主筆，長於駢散文及詩詞小說，著有《揚州飢民慘狀記》、《蒙古救亡論》、《西藏大勢論》；又於《月月小說》先後發表〈中國歷代小說史論〉、〈論小說與社會之關係〉、〈劇場之教育〉、〈中國三大小說家論贊〉等論文。

王旡生與劉師培有同鄉之誼，早在劉師培中舉前就經常回鄉給他帶來海內外各種革命書刊，據劉師培外甥回憶：

我記得十歲左右時，舅氏携我至城外香影廊吃茶，就有王旡生一同逛史公祠。他是一個清瘦有神的人，手携《浙江潮》一本，坐在梅花嶺石頭上，與舅氏談到天黑方歸。王旡生每日必來。因他與福建黨人林少泉成為密友，少泉就是林白水。（註七五）會試失敗，「乃從友人江都王鍾麒旡生遊上海」（註七六），可見王旡生是促成劉師培一生改變的關鍵性人物。

2.林白水（一八七三——一九二六）

原名獬，又名萬里，字少泉，號宣樊，別署宣樊子，白話道人，中年自號白水，福建閩侯人。愛好古文，擅長寫作。曾任《杭州白話報》主筆，倡導以白話文寫社論和中外新聞。由於與當局意見不合，赴日留學，從事反清革命活動。歸國後，與蔡元培等在上海創辦《俄事警聞》，又創辦《中國白話報》。辛亥革命後任國會眾議院議員，又為袁世凱聘為總統府秘書。袁世凱取消帝制，則專心從事新聞工作，但所辦《社會日報》因觸時忌，民國十五年（一九二六）為軍閥張宗昌逮捕，在北京遭殺害。著有《林白水先生遺集》。

劉師培早年未到上海，即與他為密友。來到上海，即參加「影響最大，發刊時間最長」（註七七）的《中國白話報》撰搞工作，林白水特別附識云：

余既從事《中國白話報》，乃徵歌謠於劉子申叔，申叔為撰〈崑崙吟〉，起草凡二小時而罷，是一部二十二史，是一部民族志，其富於歷史知識，種族之思想，字字有根據，而復寓論斷於敘事中，吾恐大索吾國中求一如劉子者不可得矣！淺學小生妄逞口說，翻檢一二束籍，三數報紙，靦然談種族、論改革，以劉子之眼，視之殆野馬塵埃矣！（註七八）

於其學養，推崇備至。其後萬福華暗殺未遂案件，萬遭逮捕，林白水、蔡元培、劉師培等奔走營救，並延請律師爲萬福華出庭辯護，卻遭清廷監視，爲避清廷耳目，以致遠走日本。劉師培曾作詩遠懷其人：

著書不作鄭思肖，拭劍偶慕吳要離，紛紛蛾眉工謠諑，蜩鳩安識鯤鵬奇？（註七九）

辛亥後，袁世凱陰謀帝制，劉師培爲籌安會發起人之一，友人薛大可，粱鴻志等亦曾爲帝制奔走，林白水隨之同聲附和劉等，撰表勸進，袁世凱曾委任爲參政院參政。凡此，除見二人交誼深篤外，其出處亦相似。

3.**章太炎（一八六九——一九三六）**

初名學乘，因慕顧炎武爲人，改名絳，又名炳麟，字枚叔，號太炎，浙江餘杭人。從俞樾學，又問學於黃以周。二十七歲時欽慕康有爲等「公車上書」，加入「强學會」，曾任《時務報》撰述，參加維新運動，遭清廷通緝，流亡日本，結識孫中山，自是倡言革命排滿，不遺餘力。民國成立參加討袁，爲袁氏拘禁。五四運動後反對新文化運動，宣揚讀經復古。晚年以講學爲業，設立「國學講習會」，民國二五年（一九三六）病逝於蘇州。著述有《章氏叢書》、《章氏叢書續編》、《章氏叢書三編》等。

光緒二十九年（一九〇三）章太炎由日返滬，在「愛國學社」任教，爲《蘇報》撰稿。劉師培此時「滯留上海，晤章炳麟，及其他愛國學社諸同志，遂贊成革命」（註八〇），章太炎亦因「《春秋左傳》之故，與申叔臭味翕合」（註八一）。並致書劉師培說：

申叔我兄志士……上海市井叢雜，文學猥鄙，數歲居此，不見經生，每念疇昔，心輒悵惘。仁君家世舊傳賈服之學，亦有雅言微旨，匡我不逮者乎。……學術萬端，不如說經之樂，心所繫著，已成染相，不得不爲君子道之。……（註八二）

定交之初，一見傾心，引爲知己。二人商兌國學，議論時政，交流學問，時相往來，並以「宣揚國粹，鼓吹革命」爲己任，當時知識界受其影響甚鉅。章太炎因「蘇報案」下獄，劉師培曾作詩懷章太炎：

枚叔說經王戴倫，海濱絕學孤無鄰。薑齋無靈晚村死，中原徧地多胡塵。（註八三）

可見二人交誼之篤。

章太炎西牢期滿出獄，東京《民報》社迎爲總編輯，假東京錦輝館舉行歡迎大會，劉師培應章太炎之邀同至東京，並爲《民報》撰稿，二人文稿海內外傳誦，「當世有二叔之目」（註八四）。「社會主義講習會」成立後，章太炎搬出《民報》社，移住劉師培所居小石川久堅町二十七番地宅邸，可謂「情好無間」（註八五）。光緒三十四年（一九〇八），章太炎因發現何震與汪公權祕密，悉告劉師培，反使雙方情感破裂（註八六），章太炎搬回《民報》社。並致書孫詒讓，請他出面調停：

儀徵劉生，江淮之令，素治古文《春秋》，與麟同術，情好無間。獨苦年少氣盛，喜受浸潤之譖。自今歲（一九〇八）三月後，讒人交構，莫能自主，時吐謠詠，棄好崇仇。一二交遊，為之講解，終勿能濟。先生於彼，則父執也，幸被一函，勸其弗爭意氣，勉治經術，以啓後生，與麟戮力支持殘局，度劉生必能如命。（註八七）

但為時已晚，劉師培受何震脅迫向端方投誠，變節失志。當劉師培姻親汪公權遭王金發擊斃後，章太炎又致函劉師培勸其幡然悔悟：

申叔足下：與君學術素同，蓋乃千載一遇，中以小釁，翦為仇讎，豈君本懷，慮亦為人詿誤。兼以草澤諸豪，素昧問學，夸大自高，陵懱達士，人之踐忿，古今所同，鋌而走險，非獨君之過也。王羑其衷，公權隕命，君以權首，眾所屬目，進無摶擊強禦之用，退乏山林獨善之地。彼帥（指端方）外示寬弘，内懷猜賊，閑之游徼之門，致諸干掫之域，臧穀扈養，由之任使，賃舂執爨，莫非其人，猜防積中，菹醢在後，悲夫！悲夫！斯誠明哲君子所為嗟悼者也。（註八八）

而劉師培為資州軍政府所拘執時，宣統三年（一九一一），章太炎發表保釋劉師培〈宣言〉：

昔姚少師語（明）成祖云：「城下之日，弗殺方孝孺，殺孝孺，讀書種子絕矣。」今者文化陵遲，宿學凋喪，一二通博之材如劉光漢輩，雖負小疵，不應深論，若拘執黨見，思復前仇，殺一人無益於中國，而文學自此掃地，使禹域淪為夷裔者，誰之責耶？（註八九）

然劉師培羞愧不已，竟不能報。民國元年（一九一二）一月十一日，又與蔡元培聯名刊出〈求劉申叔通信〉：

劉申叔學問淵深，通知今古，前爲宵人所誤，陷入範籠。今者，民國維新，所望國學深湛之士提倡素風，任持絕學。而申叔消息杳然，死生難測。如身在地方，尚望先一通信於國粹學報館，以慰同人眷念。（註九〇）

章、劉二人「初以說經而交密，晚以政治而途分」（註九一），然以章太炎「高視群倫，獨於師培拳拳加厚，降意如此，非無故也。」（註九二）實因章太炎與劉師培學術類多相似，交往獨深，故於劉師培變節失志之際，仍勤勤示意，無所厭悔，憐才之心，盎然言表。

4. **蔡元培（一八六八——一九四〇）**

字鶴卿，號孑民，浙江紹興人。光緒年進士官翰林院編修。與章太炎發起中國教育會、創辦愛國學社，愛國女校，宣傳民主排滿革命思想。又與陶成章等組織光復會，任會長，不久，參加同盟會，並與何海樵等組織暗殺團，試製炸彈。光緒三十三年留學德國，武昌起義後回國，曾任南京臨時政府教育總長，北京大學校長，中央研究院院長，著有《蔡元培選集》。

劉師培與蔡元培上海結識，友情匪淺。劉師培參加光復會（註九三），加入暗殺團（註九四），都是經由蔡元培推荐入會。至其遠赴國外留學，劉師培曾有詩懷其人云：

神州陸沉古人歎，屹然一士當頹瀾，夔海牙曠久不作，茫茫四海知音難。（註九五）

辛亥革命，民國成立，劉師培幸賴蔡元培與章太炎聯名刊登尋人啓事，並電請南京臨時政府營救，得以脫險。劉師培成爲「帝制餘孽」時，蔡元培正掌北京大學校政，以「囊括大典，網羅眾家」爲辦校原則，又念舊情誼，聘「國學大師」劉師培爲北京大學中國文學門教授。劉死後，更經紀其喪，無怪劉師培叔父感動說：「其雲天高誼，方之古人蔑以加焉。」（註九六）

5.**蘇曼殊（一八八四——一九一八）**

原名蘇戩，又名玄瑛，字子谷，法號曼殊，廣東香山人（生於日本）。父傑生，旅日僑商，母日本人。中日甲午戰爭後，隨父返廣東，因家道中落，重回日本。先後入東京早稻田大學、振武學校，並參加革命活動。回國後，至上海，交結革命志士，奔走於蘇州、長沙、蕪湖、南京各地，擔任學校教職，爲南社社員。民國成立後，發表宣言，反對袁世凱稱帝。民國七年因患腸胃病，病逝於上海廣慈醫院。遺著友人柳亞子輯爲《蘇曼殊全集》。

蘇曼殊與劉師培爲同年生，又於光緒二十九年先後到上海，相與往還，過從甚契。劉師培曾與蘇曼殊同赴蕪湖皖江中學任教。光緒三十三年二月劉師培、何震與蘇曼殊到達馬關，劉與蘇同在《民報》工作；六月，蘇曼殊搬入小石川區久堅町《天義》報社，與劉師培夫婦同住，參加《天義》報宣傳工作，在《天義》報上先後著文，一起加入「亞洲和親會」，交往親密。蘇曼殊曾編《梵文典》，何震爲其題偈，劉師培作序云：

支那天竺，古稱名邦，而漢民東遷以前，則相依若唇齒。……漢土語言，多導源梵語。（註九七）

曼殊精於繪事，何震曾拜他爲師，號爲「女弟子」。何震曾集《曼殊畫譜》一冊，準備刊行，並請曼殊、曼殊母親河合仙及章太炎爲序。何震於《畫譜》後序：

> 古人謂境能役心，而不知心能造境，境由心而生，心之用無窮，則所造之境亦無極。如繪畫一端，古代皆以寫象爲工，後世始有白描山水，以傳神擅長。其所以易寫象爲傳神者，則寫象屬於唯物，而傳神近於唯心。畫而出於白描，此即境由心造之證也。吾師（曼殊）於唯心之旨，既窺其深，析理之餘，並精繪事，而所作之畫，則大抵以心造境，於神韻尤長。……彼畫中之景，特意識所構之景，見之縑素者耳。（註九八）

不過，何震所輯《畫譜》因故終未出版，後來書稿亦不知落於何所。劉師培夫婦與章太炎交惡，波及蘇曼殊，曼殊曾寫信給友人提到：

> 近日心緒亂甚。太少兩公（太指章太炎，少指劉師培，劉曾化名金少甫）又有齟齬之事，而少公舉家遷怒於余。余現已（從師培家）遷出，飄泊無以爲計。（註九九）

劉師培與章太炎的爭吵給他很深的刺激，後劉師培夫婦變節，入端方幕府，有人疑及蘇曼殊。章太炎特別發表《書蘇玄瑛事》，爲他申辯。光緒三十四年（一九〇八）秋，劉師培曾到杭州西湖附近韜光庵，不意中見剃髮出家的曼殊，二人卻無言以對，此後未再見面，令人不勝唏噓！

6.**張繼（一八八二——一九四七）**

原名溥，字溥泉，外號三將軍，河北滄縣人。曾留日學習政治經濟，因與鄒容等剪監督姚文甫髮辮被逐歸國，任《蘇報》參議。後與章士釗創《國民日日報》，旋因萬福華刺王之春案牽連，與黃興、章士釗等被捕。獲釋後，二次赴日本，遂成爲無政府主義信徒。民國成立後，曾任議院議長、監察委員、國史館館長等職。有《張溥泉先生全集》及《補編》。

張繼與章太炎、鄒容四人意氣相投，結成金蘭，和劉師培是摯友，二人曾一起參加暗殺團（註一〇〇）。後因萬福華刺殺事件，遠避日本從事革命活動，劉師培有懷其人詩云：

荆卿不作漸離死，易水蕭蕭白日寒，言念漁陽豪俠士，四方多故薄儒冠。（註一〇一）

其後劉師培赴日加入同盟會不久，即因孫文「受賄」事件心輕之，支持張繼、章太炎等要求罷免孫中山，改選黃興爲總理。同時，「透過張繼而熱中於無政府主義」（註一〇二）。張繼曾譯幸德秋水的《無政府主義》及羅拉的《總同盟罷工論》，「前書附以丁未（一九〇七）十二月章炳麟序，後書附劉師培序文而出版」（註一〇三），二人又共同發起「社會主義講習會」積極宣揚無政府思想。可見，張繼是促成劉師培思想改變的另一關鍵性人物。

7.**章士釗（一八八一——一九七三）**

字行嚴，別號孤桐、秋桐，湖南長沙人。早年至武昌寄讀兩湖書院，到南京，入陸師學堂學軍事。拒俄運動時率先退學加入蔡元培等人所組軍國民教育會，擔任軍事教習。後以黃中黃筆名編譯《大革命家孫逸仙》，又出版《蘇報紀事》，《沈藎》等革命刊物。辛亥革命後，曾任總統府顧問，後任參議院議員，文史館館長等職，晚年從事文史研究工作，曾在大學講授「柳文」。著有《甲寅雜誌存稿》、《長沙章氏叢書》、《邏輯指要》、《柳文指要》。

劉師培初至上海，最先與章士釗等人熟識。章氏曾有詩記云：

> 梅福里門中半開，科頭短褐乍歸來。小年卓犖書蟲篆，知是人間絕異才。（癸卯春，吾與陳獨秀、張溥泉、謝无量輩，在滬寓梅福里閑話。有客蒼黃啓門，狀甚狼狽，衣履不完。據云有躡者在後，吾等極力慰藉，爲備食宿，此即申叔由揚州初到上海情狀也。）（註一〇四）

後他們一起爲《蘇報》、《國民日日報》撰稿，並加入暗殺團。因萬福華謀刺事件，章氏被偵探跟蹤，結果華興會在餘慶里的機關遭破壞，章士釗等人被捕。光緒三十三年（一九〇七）章士釗編纂《初等國文典》在上海出版，序例有云：

> 吾友儀徵劉子，其文學當今所稀聞也。特其持論，以教國文必首小學，分析字類次之（見《中國文學教科書》）余則以爲先後適得其反。吾之是書，即先劉子之所後也。世之讀劉子書者，合吾書觀之，以自審其後先之序焉可矣。（註一〇五）

於學各有持見。雖然，章士釗十分推崇劉師培才華，有詩云：

> 劉氏傳經歆向先，左庵文筆本天然。申公兩事嫌難擬，第一專門次大年。

自光緒三十三年後，章氏以稿費作川資赴英留學，二人甚少聯繫，至民國六年，二人受北京大學之聘，任教授又爲同事，在劉氏逝後，作詩悼念：

> 鏗鏗入蜀繼王翁，滄海橫流似未同。無命玄暉沾溉遠，未聞李白出山東。（註一〇六）

8. 陳獨秀（一八八〇——一九四二）

原名乾生，字仲甫，別號由已、實庵，筆名有三愛、頑石等，安徽懷寧人，曾與章士釗、蘇曼殊等創辦《國民日日報》，任蕪湖公學教員和岳王會會員，又創辦《安徽俗話報》，以宣揚反清革命思想。民國成立後，提倡文學革命，是五四新文化運動的主要領導人之一。著有《實庵自傳》、《獨秀文存》等。

劉師培與陳獨秀共同創辦《國民日日報》，其後還一起參加暗殺團。光緒三十一年（一九〇五）二人同受李光炯之聘，任安徽公學教員，並發行《白話報》。劉師培曾向蔡元培稱贊陳獨秀的革命精神與毅力：

有一種在蕪湖發行之白話報，發起的若干人，都因困苦及危險而散去了，陳仲甫一個人支持了好幾個月。（註一〇七）

光緒三十四年，又同時參加反對帝國主義侵略，爭取民族獨主的革命團體——「亞洲和親會」，與日本社會主義者及無政府主義者接觸。民國六年，雖同爲北京大學教授，卻分途發展。陳獨秀積極宣揚新文化，提倡新文學，以《新青年》爲思想武器；劉師培則堅守保存國粹，發揚古學奧蘊立場，而遭俗論譏爲「封建復古派」或「守舊派」。

9. **鄧實（一八七七——?），黃節（一八七三——一九三五）**

鄧實，字秋枚，筆名枚子，雞鳴風雨樓主等，廣東順德人。先後主編《政藝通報》、《國粹學報》。與繆荃蓀合編《古學匯刊》。

黃節，原名純熙，字晦聞，別號晦翁，別署佩文、蒹葭樓主等，南社社員，廣東順德人。著有《蒹葭樓詩》、《漢魏樂府風箋》、《曹子建詩注》、《謝康樂詩注》、《阮步兵詠懷詩注》等。

光緒三十一年（一九〇五）年初，在上海虹口鐵馬路北愛而邁路，劉師培與鄧實、黃節等共同組織「國學保存會」，工作內容有：發行《國粹學報》，以「研究國學，保存國粹」爲宗旨。設立藏書樓，編輯國學教科書，刊行《國粹叢書》等。原本擬籌辦國粹學堂，終因經濟無著而失敗。會裏有「雞鳴風雨樓」，對外開辦「國學講習會」，每月講習一次，由劉師培擔任正講師，編有五種講義（註一〇八）。後人將他們目之爲「國粹派」，不過，他們「雖重舊學，而實寓種族革命思想。」（註一〇九）。

當劉師培附和帝制，成爲「籌安會」一員時，黃節曾痛惜萬分，寫了《與劉師培書》給昔日志同道合的老友，令人不勝感慨。

10.謝旡量（一八八四——一九六四）

原名蒙，又名謝忱，號無量，四川樂至人。與馬浮、馬君武主編《世界月刊》著有《詩學入門》、《詞學指南》、《中國大文學史》等。

謝旡量在政治上同情革命，與黨人相交甚相得。劉師培在《警鐘日報》工作時，即與他時相往來，曾作詩遙念他：

瓊裾玉佩美無度，少年奇氣干將橫，眼前腐儒不稱意，從君共入寥天行。（註一一〇）

又贈詩云：

狂歌當哭不稱意，嬉笑怒罵皆文章，李白蘇坡皆蜀產，惟君有才相頡頏。（註一一一）

當端方爲軍人所殺，劉師培窮途末路隻身逃往四川成都時，謝旡量適伸出援手，介紹他到四川國學院講學，可見二人知遇之深也。

11.**陳去病**（一八七四——一九三三）

原名慶林，後改名去病，字佩忍，別號巢南，江蘇吳江人。早年即從事愛國活動，後加入中國教育會，拒俄義勇隊等，曾先後擔任《警鐘日報》、《江蘇》、《二十世紀大舞台》、《國粹學報》等編輯，並爲南社創始人之一，提倡戲劇改革。辛亥革命後，任博物館館長，東南大學教授等職。輯有《清祕史》，著有《浩歌堂詩鈔》、《百尺樓脞錄》等。

陳去病與劉師培交誼深厚，二人都喜好戲劇，曾邀約觀賞汪笑儂桃花扇新戲（註一一二）。並共同撰著篇章宣傳革命思想，因此「陳去病搜輯明末殉難史料，且把清廷列爲禁書的逐期登載，和師培所著的《攘書》、《中國民族志》都是當年傳誦一時的傑作」（註一一三）。劉師培還曾介紹他入光復會（註一一四）。劉師培有懷其人詩：

六朝撷艷文派古，雠書哦詩百不堪，滿眼衙官誰屈宋，天留詞筆大江南。（註一一五）

12.**馬君武**（一八八一——一九三九）

原名道凝，一名同，字厚山，一字貴公、君武，廣西桂林人。留日時與章太炎發起「支那亡國二百四十二年紀念會」，宣傳革命。後加入同盟會，創辦中國公學。後因端方追緝，赴德入工業大學。歷任參議員、廣西大學校長等職。早年以舊詩格律譯拜倫、歌德、席勒等人詩篇，傳誦一時。有《馬君武詩稿》。

劉師培極稱誦其才，有詩云：

蹈海歸來一握手，穎慧傑出無其儔，西土光明照震旦，期君才筆橫九秋。（註一一六）

又有贈君武詩：

蹈海歸來再握手，穎慧傑出仍無儔，文豪不幸逢亡國，黨獄於今多僞流。醉酒無端生痛哭，著書不就爲窮愁，西風黃葉申江上，姑作平原十日留。（註一一七）

二人相與往還，時相聚飲，促膝交談，議論風生。

二、宦海之交

1. **端方（一八六一——一九一一）**

字午橋，號匋齋，滿洲正白旗人。庚子事變，端方擔任護駕太后西狩，拱衛周備，深得寵信，擢升湖北巡撫，署湖廣總督。曾與載澤等出國考察政治，上《歐美政治要義》，建議預備立憲，以抵制革命運動，後任命爲兩江總督，再調爲直隸總督。川路風潮，端方復被起用，領兵入川鎮壓，死於鄂軍之手。著有《端忠敏公奏稿》、《匋齋吉金錄》等。

端方雖爲滿人，但思想開通，主張維新變法，與梁啓超、張謇、袁世凱等關係良好，「性通侻，不拘小節，篤嗜金石書畫，尤好客，建節江鄂，燕集無虛日」（註一一八），在朝廷頗具影響力，尤其自戊戌政變以來，甚得慈禧太后寵信，屢次力言立憲變法，故有五大臣出洋考察之舉。光緒三十年正月，劉師培以光漢爲名，上書給湖廣總督端方，勸其投降。

端方出洋考察政治時，有見革命活動橫行，人心惶擾，他除力圖平漢滿畛域外，更極力扶植立憲勢力，「以弭少數鼓動排滿之亂黨」（註一一九），甚至「頻派幹探至東京收買黨人，許以種種權利」（註一二〇），在革命黨中掀起分化風浪。而端方本人「附庸風雅，推重文士，凡流寓寧滬及蘇省江南北知名之學者詩人，爲其邀請或延納幕中，談詩論文，鑑賞金石。端素重師培之名，欲羅致幕中，爲其所用。」（註一二一）光緒三十三年，由於何震與汪公權爲重利所誘，劉師培在「外恨黨人，內懼艷妻」（註一二二）下，投端方幕下，再獻「上弭亂之策」（註一二三）。端方家中素多金石、善本書，劉師培「相從入都，所見益富，校讎益廣」（註一二四），並「爲方考訂金石」，稱端方爲「匋齋師」（註一二五），三上端方書，力言「正人心息邪說」「必自振興國學始」（註一二六），後端方死於四川途中。劉師培淪落西蜀，縱跡隔絕。

2.**閻錫山**（一八八三——一九六〇）

字百川，號龍池，山西五台人。早年入武備學堂習軍事。赴日本留學時，結識孫中山，參加革命活動，並加入同盟會。日本士官學校畢業，積極擴充在山西勢力，辛亥革命時任山西都督，長期盤踞山西，與皖、直、奉三系交往不惡。民國後，曾任行政院院長。今人編有《閻錫山早年回憶錄》。

劉師培應謝旡量之邀主講四川國學院，後「因與閻錫山部屬南桂馨有舊，因由川入晉，前往依南」（註一二七），「閻錫山聘爲軍署顧問，隨後又向袁世凱保舉，袁任之爲公府諮議」（註一二八），何震此時亦在閻氏家任家庭教師。

3.**袁世凱（一八五九——一九一六）**

字慰亭，號容庵，人稱袁項城、袁宮保，河南項城人。戊戌變法期間，表面贊成維新運動，暗地卻向榮祿出賣維新人士，深得慈禧寵信。武昌起義時，憑藉北洋勢力和帝國列強的支持，出任內閣總理大臣，逼迫孫中山讓位，挾制清帝退位，順利登上臨時大總統職位。取得五國善後大借款，解散國會後，撕毀《中華民國臨時約法》，接受日本二十一條件，並實行爲期八十五天帝制，在全國聲討中羞憤而死。

民國二年，袁世凱正式選爲大總統後，氣燄囂張，不可一世，妄圖扭轉歷史潮流，實行帝制。民國四年，梁士詒、楊度等爲迎合意旨，擬羅致革命黨人及學者名流上書勸進，造成輿論，以影響全國視聽。因遣人向劉師培遊說，劉師培初未爲所動，「梁楊知何震貪鄙，遂以重金賄何，何受賄後，脅迫師培」（註一二九），於是「籌安會」成立，成爲六君子之一，爲士論所不齒。

4.**楊度（一八七四——一九三一）**

原名承瓚，字晳子，號虎禪，湖南湘潭人，王闓運得意門生。兩次赴日留學，曾與楊篤生創刊《

遊學譯編》，並爲出洋五大臣起草報告，後創辦《中國新報》鼓吹君主立憲。辛亥革命後，和汪精衛發起「國事共濟會」，組設「籌安會」，爲袁世凱策劃恢復帝制。袁死後思想驟變，投向孫中山爲民主革命奔走，今人輯有《楊度集》。

在留學界改良派中，楊度與梁啓超堪稱伯仲。梁啓超筆鋒常帶感情，楊度下筆一瀉千里，旁證博引，辯慧誘人。楊度的〈金鐵主義說〉洋洋灑灑，暢銷一時。劉師培適在東京，乃著論〈辨滿人非中國之臣民〉駁斥之，「詳考滿族之起源，如數家珍，……楊度更不能反駁。」（註一三〇）

民國四年，袁世凱陰謀帝制，楊度「承極峰之旨」，先撰〈君憲救國論〉，後組「籌安會」，因劉師培有文名，極力羅致。成員有嚴復、孫毓筠、劉師培、李燮和、胡瑛等組成，認爲共和國體，不適中國國情，通電各省軍政長官及商會代表到京請願，改變國體，爲袁稱帝大肆鼓吹。時人諷稱楊度等爲「洪憲六君子」，名聲大壞，劉師培始終不爲人所諒解。

三、其他

1.南桂馨（生卒年不詳）

山西人。曾參加「社會主義講習會」，回國後，投效閻錫山推行反清革命活動，後創辦《振興派報》。

劉師培與南桂馨相交甚早，據南桂馨說：「交申叔於弱冠之年」（註一三一）。自光緒三十四年張繼被逐，逃至法國，章太炎與劉師培因事絕交，此後「社會主義講習會」主要由劉師培、南桂馨等維持。劉師培到太原，即住南桂馨家，也因南桂馨之請，閻錫山推荐給袁世凱，任參政院參政。同時，閻錫山一直扮演支持袁氏的角色，當「籌安會」成立，以學術團體名義，大肆鼓吹君主立憲擁袁稱帝時，閻錫山也致電「籌安會」：

> 貴會討論國家安危根本問題，卓識偉論，無任紉佩，已遵囑派代表崔廷獻、南桂馨赴會討論，乞賜接洽，時盼教言。

南桂馨等人一面與孫毓筠、胡瑛等策劃帝制，一面找劉師培向袁氏表白「閻錫山也是贊成帝制的」（註一三二）由此可見，劉師培加入「籌安會」，除何震的脅持外，可能也與老友南桂馨及閻錫山不無關係。劉師培與南桂馨交誼「情意繾綣，垂十五載，不可謂知之不深」（註一三三），所以劉師培以身後之事託付南桂馨，是以其《遺書》之出版幸得告成。

2.廖平（一八五二——一九三二）

原名登廷，字旭陔，又字勗齊，後改名平，字季平，四川井研人。早年入尊經書院，師事王闓運，一生致力於宋學、漢學和今文經的研究，其學善變，著述豐富，計有一百五十餘種，收入《六譯館叢書》、《四益館叢書》等。

劉師培從光緒三十年到三十三年，倡議種族革命，主張排滿復漢，力攻今文學之說：

> 於學術合於今文者，莫不穿鑿其詞，曲說附會，於學術異於今文者，莫不巧加詆毀，以誣前儒

，甚至顛倒群經，以伸己見。（註一三四）

曾先後撰〈漢代古文學辨誣〉、〈論孔子無改制之事〉、〈非古虛篇〉等，以駁廖平之《今古學考》

與康有爲《孔子改制考》、《新學僞經考》，堅決反對古文經傳爲僞造及孔子改制之說。民國成立後，劉師培至四川國學院講學，與廖平過從甚密。劉師培入蜀前，强調今古文學「其所以區別之由，均以文字之殊異」（註一三五）的觀念，入蜀後受廖平以「禮制」分今古文之說影響，認爲其「善說禮制，洞徹漢師經例，魏晉以來未之有也」。（註一三六）著〈西漢周官師說〉，以古文經學爲西周之制，今文《王制》爲東周之制。又著〈明堂考〉以爲周代明堂之制，有鎬、洛之不同。廖平弟子蒙文通曾說：

左庵四世傳左氏之學，及既入蜀，朝夕共廖氏討較，專心於《白虎通義》、《五經異義》之書。北遊燕趙統成《周官古注集疏》、《禮經舊説考略》，曰：「二書之成，古學庶有根柢，不可動搖也」。（註一三七）

可知，劉師培晚成《周官古注集疏》、《禮經舊說考略》即發揚廖平以禮制分今古文學之論，所以人稱「海內能知廖氏學者，宜莫過於左庵。」（註一三八）然而，尊孔宗經爲廖平平生學術核心，所著《孔經哲學發微》以爲孔學貫通天人，無所不包，以孔統佛，認爲佛教屬於天學，統歸《詩》、《易》，劉師培則於〈與廖季平論天人書〉中駁斥：佛孔本爲二途，勉强牽合，既毀孔學眞象，亦達不到尊孔目的。可見二人商榷經義，切磋問學，均平心以求是，創獲甚多。

3.**黃侃**（一八八六——一九三五）

字季剛，自號量守居士，湖北蘄春人。章太炎弟子，擅長音韻訓詁，工古文字。曾任北京大學、金陵大學等教授。著有《爾雅略說》、《文心雕龍札記》等。

民國二年，黃侃講學北大，與劉師培結爲至交，過從甚密，唱和不絕。黃侃與劉師培「年齡相若，名望相並，自以經術不及，聞劉君病革，乃退而北面師事之」（註一三九），傳爲文壇佳話。其時黃侃「正壯年氣盛，譏評人物，不妄許可，並世宿儒多憚服之，而終身獨於劉君睠懷不已，盛讚其學」（註一四〇），劉師培逝後周年，曾撰「先師劉君小祥會奠文」盡禮盡哀，知遇之深可見一斑。

4.**錢玄同**（一八八七——一九三九）

原名夏，字中季，號德潛，浙江吳興人。曾任《新青年》雜誌編輯，並加入「國語研究會」，是早年國語運動的重要推動者之一。他重視中國文字改革問題，曾擬定《國語羅馬字拼音法式》草案，又從事增修《國音字典》，編纂《國音常用字匯》。民國時化名王敬軒，與劉半農合作唱「雙簧」，以反對文言文，引起文學革命論戰。其後，曾廢姓用「疑古玄同」名，既反對泥古，又反對蔑古，成爲《古史辨》派代表人物之一。著有《重論經今古文學問題》、《文字學音篇》等文。

光緒三十年（一九〇四），因讀了章太炎《訄書》、劉師培的《攘書》等革命書刊，漸生排滿思想，遂剪去髮辮，以示「義不帝清」（註一四一）。錢氏早年十分企慕劉師培，曾盡讀其作，自云：

劉君年甫踰冠，略長于余，且與余有世誼（劉君之伯父恭甫先生與先父笣仙公爲友，恭甫先生

之子張侯君又爲先父之弟子）故願與訂交之心甚熾。（註一四二）

至光緒三十二年（一九〇六）其兄錢恂任留日學生監督，錢玄同隨兄赴日，入早稻田大學習師範，往謁章太炎，加入同盟會。因章太炎於《民報》社辦「國學講習會」，錢與魯迅、黃侃等從章治聲韻訓詁之學，此時，並

于章公座上始識劉君，緣章公與劉君彼時皆以黨禍避地日本也，自爾恆與劉君談論，獲益甚多。（註一四三）

自此二人常相往還，情深誼厚。後二人又同爲北大教授。民國二十六年蘆溝橋事變之際，北平淪陷，錢因患高血壓未能遷往西安，於病中編校完成《劉申叔先生遺書》。

除上述諸人之外，尚有南社社員如柳亞子、林之夏、高旭、程善之等，都曾與劉師培交善，林之夏有〈哀儀徵〉長歌，講其本事甚詳。他的學生羅常培曾將其授課內容，筆述整理有《漢魏六朝專家文》、〈左庵文論——文心雕龍頌贊篇〉、〈文心雕龍誄碑篇口義〉等。觀其往還，交情實非泛泛。

在繁星麗天，百花競艷的近代中國，劉師培一生不像康有爲、孫中山、宋敎仁等人具有堅定政治信念，因此對於他的多變，常令人聯想到他本人或「好異矜奇，狷急近利」（註一四四），或「少年氣盛，思欲有以自見」，故難免「不能忘情爵秩，時時爲僉壬牽引」（註一四五），以致陷入遊移不定，依違兩可的尷尬窘境。然而，近代中國穢濁棼亂的政治現實，許多有識之士往往以救國爲目的，爲了救國，可以變更自己的信仰。在迅速發展的環境中，種種學說從新鮮到陳舊，從進步到後退的變

遷，僅在轉瞬之間。處在思潮迅速改變的時代，不滿於現實的有識者，往往一本書、一篇文章、一次演說、一個小刺激都會成爲轉變的契機，劉師培就是這個巨浪滔滔時代的眞實紀錄者。他的一生由經生儒士而革命志士而無政府主義鬥士而籌安會君子而學者，經歷許多重大轉折，並在轉折的歷史上鐫刻下自己響亮的名字。

近代變幻的政治風雲既有力地影響他，鑄造他多變的性格，他也在這腥風血雨又激動人心的時代，留下了自己奮力衝擊的痕跡，引人深刻地遐思……！

第三節　著　述

劉師培學問賅博，冠冕一時，自經、史、子、下至文章詞曲，靡不精通，撰述勤劬，且他「教澤遍中國，清季主講安徽公學，兩江優級師範，四川國學院……，民國以來主講北京大學，女子高等師範。」（註一四六）講學授徒，以著述爲己任，終年筆耕不輟，至其身歿，著述之盛，貢獻之富，未有如劉師培者。然而這許多著作，劉師培生前並未全部刊行，死後復因身後蕭條，十五年來未能付之刊印，遺稿頗多散失，幸得摯友南桂馨廣斥鉅資，肆力搜購發現遺文，閱三年而工訖，始成《劉申叔先生遺書》，刊行於世，所「編定者都七十有四種」（註一四七），並有友人錢玄同撰序，予以宣揚，方得以傳播於世，使後人賴以睹其丰采。但是，由於劉師培身處近代，正唯其「近」，許多作品，或刊載於各種報刊，或分散於私人友朋，或庋藏於各圖書館，未被發現，未收入其《遺書》者尚多。爲補其闕，以下就可知者加以輯錄，分已收、未收、散佚三類說明之。

㈠已收的著述

劉師培的著作，經由：

其弟子陳鍾凡，劉文典諸君所搜輯，其友錢玄同所整理，南君桂馨聘鄭君裕孚所校印者，凡關於論群經及小學二十二種，論學術及文辭者十三種，群書校釋二十四種，詩文集四種，讀書記五種，學校教本六種。（註一四八）

可謂卷帙浩繁。他一生認眞讀書，埋頭鑽研，吸取眾書之長，別出心裁，完成七十餘種著作，絕非偶然。其後民國六十四年台灣華世出版社會裒集成四冊，翻印傳世。茲依此書前附錢玄同〈左盦著述繫年〉及其編輯作意，按照年代，附列其已刊行之著述如下：

光緒二十九年（一九〇三）癸卯

中國民約精義三卷

攘書（十六篇）

光緒三十一年（一九〇五）乙巳

讀左劄記（未完）

群經大義相通論

小學發微補
理學字義通釋
國學發微
周末學術史序
兩漢學術發微論（未完）
漢宋學術異同論
南北學派不同論
中國民族志
古政原論
古政原始論
文說
論文雜記
讀書隨筆
倫理教科書二冊
經學教科書二冊
中國文學教科書一冊

中國歷史教科書二冊
中國地理教科書二冊

光緒三十三年（一九〇七）丁未

荀子詞例舉要
古書疑義舉例補
爾雅蟲名今釋（未完）
晏子春秋補釋
法言補釋
周書王會篇補釋

光緒三十四年（一九〇八）戊申

荀子補釋
琴操補釋

宣統元年（一九〇九）己酉

穆天子傳
左盦集八卷（此爲劉師培最早自訂之文集，將其平昔說經及考訂子史之作編輯而成）

宣統二年（一九一〇）庚戌

春秋左氏傳時月日古例考
古曆管窺二卷
白虎通德論補釋
白虎通義源流考
白虎通義斠補二卷　附白虎通義闕文補訂
讀道藏記（未完）
敦煌新出唐寫本提要

宣統三年（一九一一）辛亥

周書補正六卷
周書略說
管子斠補
楚辭考異

民國元年（一九一二）壬子

春秋左氏傳答問
春秋左氏傳古例詮微
莊子斠補

春秋繁露斠補三卷

民國二年（一九一三）癸丑

西漢周官師說考二卷

春秋左氏傳傳例解略

白虎通義定本（存三卷）

民國五年（一九一六）丙辰

春秋左氏傳例略

民國六年（一九一七）丁巳

中國中古文學史講義

民國八年（一九一九）己未

毛詩詞例舉要略本

寫作時間不詳者（多爲民國成立以後作品）

尙書源流考

毛詩札記

禮經舊說　十七卷又補遺一卷

逸禮考

周禮古註集疏（存十三卷）

春秋古經義（存三卷）附春秋古經舊註疏證零稿

春秋左氏傳傳註例略

毛詩詞例舉要詳本

晏子春秋斠補二卷　附晏子春秋佚文輯補，晏子春秋黃之寀本校記

晏子春秋斠補定本

老子斠補

墨子拾補二卷

荀子斠補四卷

賈子新書斠補二卷　附賈子新書佚文輯補，群書治要引賈子新書校文

揚子法言斠補　附法言佚文

韓非子斠補

讀書續筆

纂集各年者（綜合劉師培一生詩文及其他作品）

左盦外集（文三百二十七篇，凡二十卷，其撰著時代起民元前十年壬寅（一九〇二），迄民國八年己未（一九一九）亙十有八年，卷一至卷五論群經緯學；卷六及卷七論小學；卷八

及卷九論古今學術思想；卷十論政治及官制；卷十一論曆法及地理；卷十二論圖書及金石；卷十三論藝術及文學；卷十四及十五，爲關於劉師培思想前後變遷諸作；卷十六書札、呈及議附焉；卷十七序跋；卷十八傳狀；卷十九碑誌；卷二十哀祭、壽序、辭賦及雜記）

左盦詩錄（四卷，凡詩二百六十一首。卷一名「匪風集」；卷二名「左盦詩」；卷三名「左盦詩續錄」；卷四名「左盦詩別錄」）

左盦詞錄（僅十七首，曾於光緒三十一年（一九〇五）刊載《國粹學報》）

左盦題跋（係劉師培於前人遺文之跋語，從《國粹學報》之「撰錄」門錄印，凡三十三首）

(二)未收的著述

錢玄同評論劉師培光緒二十九年至三十四年（一九〇三——一九〇八）的思想時曾說：

> 劉君識見之新穎，與夫思想之超卓，不獨爲其個人之歷史中宜表彰之一事，即在民國紀元以前二十餘年間，有新思想之國學諸產中，亦有甚高之地位（註一四九）。

這話指出劉師培著述風格從革命到復古的巨大轉變，應以光緒三十四年爲界；尤其根據劉師培〈甲辰年自述詩〉（註一五〇）中曾詳細介紹他早年著述，可惜《遺書》收入者，並未全面輯錄，這是基於《遺書》所蒐集報紙及雜誌「或全份，或零冊、或零篇」（註一五一），缺漏尚多。今戮力搜尋，陸續輯得劉師培若干未收之著述，計得詩文一百二十七篇。以下依其文稿，別其來源爲：一《蘇報》之撰文，二《江蘇》之撰文，三《警鐘日報》之撰文，四《中國白話報》之撰文，五《醒獅》之撰文；六《民報》之撰文，七《天義報》之撰文，八歷史檔案，九口述資料等九種來源，列述其名稱，以示信而有徵。

一、《蘇報》之撰文

光緒二十九年（西一九〇三）劉師培至上海不久，決意投入革命活動，即於《蘇報》上撰文，展現論辯長才，筆調老辣犀利，條析縷分的作品，計有三篇：

〈留別揚州人士書〉，光緒二十九年二月十二、十三日

〈創設師範學會章程〉，光緒二十九年六月十二日

〈論留學生之非叛逆〉，光緒二十九年六月二十二日

二、《江蘇》之撰文

〈亭林先生佚詩二首〉，第四期，光緒二十九年五月一日

〈井中心史歌〉，第四期，光緒二十九年五月一日

〈揚州二百六十年之紀念〉，第七期，光緒二十九年九月一日

〈書顧亭林先生墨跡後〉，第七期，光緒二十九年九月一日

〈詠晚村先生事〉，第七期，光緒二十九年九月一日
〈德人干涉留學生〉，第九、十期，光緒三十年二月一日

三、《警鐘日報》之撰文

光緒三十年（一九〇四），他加入《警鐘日報》擔任主筆，積極投入愛國救亡運動，論說時評，剴切陳言，熱情呼籲，警醒民眾，發表多篇辭氣慷慨的文章，計有三十八篇：

〈論中國人思想之矛盾〉，光緒三十年三月十一日
〈論華兵不競之故〉，光緒三十年三月十九日
〈公德篇〉，光緒三十年四月十、十一日
〈論中國家族壓制之原因〉，光緒三十年四月十三——十五日
〈水調歌頭．書王船山先生龍舟會雜劇後〉，光緒三十年四月廿五日
〈壺中天慢．春夜望日〉，光緒三十年四月廿五日
〈論白話報與中國前途之關係〉，光緒三十年四月廿五、廿六日
〈質文篇〉，光緒三十年五月一、二日
〈論中國階級制度〉，光緒三十年五月十一、十二日
〈三月十九日俗傳太陽生辰乃明懷宗殉國之日而中國亡國之一大紀念也作詩一章〉，光緒三十年

五月十三日
〈論中國古代教育之秩序〉，光緒三十年五月十八、十九日
〈教育普及議〉，光緒三十年六月三、四日
〈觀物篇〉，光緒三十年六月五日
〈論中國人民依賴性之起源〉，光緒三十年六月十三日
〈說倚賴心〉，光緒三十年六月十四——十八日
〈論中國對外思想之變遷〉，光緒三十年六月二十、二十一日
〈論善惡之名無定〉，光緒三十年六月二十八、二十九日
〈思祖國篇〉，光緒三十年七月十五——二十日
〈雜詠〉，光緒三十年七月二十日
〈新史篇〉，光緒三十年八月二日
〈中國立憲問題〉，光緒三十年八月六——十二日
〈題佩忍與林宗素孫濟扶女士論文絕句後〉，光緒三十年八月十八日
〈論中國改革刑法〉，光緒三十年八月二十三、二十七日
〈論漢族不振之由〉，光緒三十年八月二十九日
〈甲辰年自述詩〉，光緒三十年九月七——十二日

〈題陳右銘先生西江墨瀋〉，光緒三十年九月十五日
〈明代揚州三賢詠〉，光緒三十年九月十六、十七日
〈春深〉，光緒三十年九月十九日
〈弔何梅士〉，光緒三十年九月十九日
〈歲暮懷人〉，光緒三十年十月二十四日
〈黃鑪歌呈彥復穗卿〉，光緒三十年十月廿九日
〈論中國人重視儒家之觀念〉，光緒三十年十一月五日
〈論大同平等之說不適用於今日之中國〉，光緒三十年十一月六日
〈論國文之教授法〉，光緒三十年十一月六、七日
〈論中國古代經濟學〉，光緒三十年十二月七日
〈舍舊謀新之問題〉，光緒三十年十二月十四日
〈和孟厂作〉，光緒三十一年正月六日
〈光漢室詩話〉，光緒三十一年正月十七日

四、《中國白話報》之撰文

與《警鐘日報》同時，他又應好友林獬之邀參加《中國白話報》撰稿工作，以白話文啓迪民心，

力挽頹風，所撰文章多集中於歷史、地理、學術、傳紀、論說、歌謠等專欄，計有四十五篇：

〈滿江紅〉，第三期，光緒三十年一月十七日

〈崑崙吟〉，第四期，光緒三十年一月三十一日

〈長江遊〉，第五期，光緒三十年二月十六日

〈中國理學大家顏習齋先生的學說〉，第五期，光緒三十年二月十六日

〈黃黎洲先生的學說〉，第六期，光緒三十年三月一日

〈論激烈的好處〉，第六期，光緒三十年三月一日

〈王船山先生的學說〉，第七期，光緒三十年三月十七日

〈西江遊〉，第八期，光緒三十年三月三十一日

〈元旦述懷〉，第八期，光緒三十年三月三十一日

〈劉練江先生的學術〉，第九期，光緒三十年四月十六日

〈論中國地理的形勢〉，第十期，光緒三十年四月三十日

〈論責任〉，第十期，光緒三十年四月三十日

〈軍國民的教育〉，第十期，光緒三十年四月三十日

〈孔子傳〉，第十期，光緒三十年四月三十日

〈論法律〉，第十一期，光緒三十年五月十五日

〈兵制〉，第十一期，光緒三十年五月十五日
〈說君禍〉，第十一期，光緒三十年五月十五日
〈板蕩集詩餘〉，第十二期，光緒三十年五月二十九日
〈孔子傳〉（續），第十三期，光緒三十年六月二十三日
〈講教育普及的法子〉，第十三期，光緒三十年六月二十三日
〈宗教〉，第十四期，光緒三十年七月三日
〈論山脈〉（中幹），第十四期，光緒三十年七月三日
〈孔子傳〉（續），第十四期，光緒三十年七月三日
〈講教授國文的法子〉，第十四期，光緒三十年七月三日
〈教育〉，第十五期，光緒三十年七月十二日
〈論山脈〉（南幹），第十五期，光緒三十年七月十二日
〈講民族〉，第十五期，光緒三十年七月十二日
〈講地理的大略〉，第十六期，光緒三十年七月二十二日
〈中國革命家陳涉傳〉，第十六期，光緒三十年七月二十二日
〈中國革命家陳涉傳〉（續），第十七期，光緒三十年八月一日
〈泰州學派開創家王心齋先生學術〉，第十七期，光緒三十年八月一日

〈板蕩集〉，第十七期，光緒三十年八月一日

〈中國思想大家陸子靜先生學說〉，第十八期，光緒三十年八月十日

〈論北幹山脈〉，第十八期，光緒三十年八月十日

〈中國革命家陳涉傳〉（續），第十九期，光緒三十年八月二十日

〈中國歷史大略〉，第十九期，光緒三十年八月二十日

〈中國排外大英雄鄭成功傳〉，第二十期，光緒三十年八月三十日

〈民勞集〉，第二十期，光緒三十年八月三十日

〈論列强在中國的勢力〉，第二十一二三四期，光緒三十年八月三十日

〈上古期〉，第二十一二三四期，光緒三十年八月三十日

〈論亞洲北幹山脈〉，第二十一二三四期，光緒三十年八月三十日

〈論中國沿海的形勢〉，第二十一二三四期，光緒三十年八月三十日

〈中國排外大英雄鄭成功傳〉，第二十一二三四期，光緒三十年八月三十日

〈攘夷實行家曾襄閔公傳〉（未完），第二十一二三四期，光緒三十年八月三十日

〈西漢大儒董仲舒先生學術〉，第二十一二三四期，光緒三十年八月三十日

〈說立志〉，第二十一二三四期，光緒三十年八月三十日

他所發表的白話文有些與《警鐘日報》上的部分文章相同，其差別在於一是文言，一是白話。如

：〈講教育普及的法子〉是〈教育普及議〉的翻譯；〈講教授國文的法子〉是〈論國文教授法〉的譯文；〈孔子傳〉則是〈論孔學不能無弊〉、〈論孔教與政治無涉〉等的合譯；〈兵制〉是〈論華兵不競之故〉的譯文；〈劉練江先生的學術〉，〈泰州學派開創家王心齋先生學術〉、〈攘夷實行家曾襄閔公傳〉則是〈明代揚州三賢像〉的衍繹。其白話文清新有致，眞切有味，讀之有如親挹其言論風采，其感情用心，宛若浮現在眼前，其喜怒哀樂常引起共鳴。

錢玄同曾評論劉師培白話文的主張說：

甚爲切要，近二十年來均次第著手進行，劉君於三十年前已能見到，可謂先知先覺矣。（註一五二）

實在推崇備至。然而，更彌足珍視的在劉師培是確有白話文理論及作品的作者，對研究劉師培此期思想及文學，提供了嶄新的資料，晚淸白話文學，劉師培自應居有一席之地。

五、《醒獅》之撰文

此後，他又爲《醒獅》撰稿，計有一篇：

〈醒後之中國〉，第一期，光緒三十一年九月

綜觀他此時著述，正如他的好友張繼所稱「以光復漢族爲職志，孕育磅礴，振聾發聵，其勇氣尤大，有過人者」（註一五三）確乎信矣！

六、《民報》之撰文

光緒三十三年劉師培等來到東京，加入同盟會，為《民報》撰稿，參與與改良派論戰行列，「《民報》中擯斥東胡之文字亦多出其手」（註一五四）但除《遺書》中已收篇章外，另得一篇：

〈辨滿人非中國之臣民〉，第十四、十五、十八號，光緒三十三年六月八日，七月五日，十二月二十一日

七、《天義報》《衡報》之撰文

此後，因受無政府主義影響，以反現存政府為宗旨，先後創辦《天義報》《衡報》，發表系列文章，計有二十七篇：

〈廢兵廢財論〉，第二冊，光緒三十三年六月二十五日

〈人類均力說〉，第三冊，光緒三十三年七月十日

〈保滿與排滿〉，第三冊，光緒三十三年七月十日

〈西漢社會主義學發達考〉，第五冊，光緒三十三年八月十日

〈女子勞動問題〉，第五冊，光緒三十三年八月十日

〈無政府主義之平等觀〉，第四、五、七冊，光緒三十三年七月二十五日、八月十日、九月五日

〈論種族革命與無政府主義革命之得失〉，第六冊，光緒三十三年九月一日
〈歐洲社會主義無政府主義異同考〉，第六冊，光緒三十三年九月一日
〈中國民生問題論〉，第八、九、十冊，光緒三十三年十月三十日
〈非六子論〉，第八、九、十冊，光緒三十三年十月三十日
〈窮民俗諺錄〉，第八、九、十冊，光緒三十三年十月三十日
〈平民唱歌集〉，第八、九、十冊，光緒三十三年十月三十日
〈總同盟罷工論序〉，第八、九、十冊，光緒三十三年十月三十日
〈活地獄序〉，第八、九、十冊，光緒三十三年十月三十日
〈論新政爲病民之根〉，第八、九、十冊，光緒三十三年十月三十日
〈亞洲現勢論〉，第十一、十二冊，光緒三十三年十一月三十日
〈苦魯巴特金學術述略〉，第十一、十二冊，光緒三十三年十一月三十日
〈貧民俗諺錄〉，第十一、十二冊，光緒三十三年十一月三十日
〈讀書雜記〉，第十一、十二冊，光緒三十三年十一月三十日
〈未來社會之生產方法及手段〉，第十六——十九冊，光緒三十四年一——三月
〈貧民俗諺錄〉，第十六——十九冊，光緒三十四年一——三月
〈選舉罪惡史〉，第十六——十九冊，光緒三十四年一——三月

〈麵包略奪〉，第十六——十九冊，光緒三十四年一——三月

〈貧民唱歌集〉，第十六——十九冊，光緒三十四年一——三月

〈共產黨宣言序〉，第十六——十九冊，光緒三十四年一——三月

〈Esperanto，詞例通釋〉，第十六——十九冊，光緒三十四年一——三月

〈論中國資產階級之發達〉《衡報》第五期，光緒三十四年六月

他除接受無政府主義思想外，又在中國古今史冊典籍中找根據，以「復興古學」，發揚國粹，形成他的無政府主義既有外國無政府主義學理，更融有中國歷史上的虛無主義，所謂逸民、隱士、高僧者，從許行，老莊到鮑敬言等的思想，以及從黃巢，李闖王到太平天國的農民平均思想，形成他此期獨特思想特色。

這時的他，對於「社會主義無政府主義新說皆馳騖焉，劬學每至夜分不輟，精氣疲瘵。」（註一五五）可見他熱衷的程度，同時也爲無政府主義學說研究奠定基礎。所以從中國近代思想史和無政府主義學說史來看，劉師培是值得研究的人物。

八、歷史檔案

這些篇章的發掘，更易了解劉師培「早主革命」的情況，及其「初年充塞報章文字，伸紙疾書，但以飽滿暢達爲貴」（註一五六）的特色。

除上述篇章外，近來又有劉師培篇章的新發現，一是民國二十三年（一九三四）從端方宅中流出的〈上端方信〉（註一五七）；一是從中國第一歷史檔館所藏《端方全宗檔案》中發現劉師培早年〈上端方信〉新史料（註一五八）劉師培一生，加上《遺書》所錄〈上端方書〉，共計三篇〈上端方書〉，由此可以窺見其生平前後轉變之一斑。而他另一名學生楊亮功則保留了他〈就參政院參政奏稿〉及〈辭參政院參政奏稿〉（註一五九）。

九、口述資料

當他至北京大學任教時，羅常培從他研究文學，「記錄口義，以備遺忘，遇有闕漏，則從亡友天津董子如（咸）兄鈔補，日積月累，遂亦裒然成帙」（註一六〇）陸續刊布者有《漢魏六朝專家文研究》及〈左盦文論——文心雕龍頌贊篇〉上下，〈文心雕龍誄碑篇口義〉（註一六一）為研究其文論重要資料。

(三)散佚者

照上述所舉篇章來看，劉師培著述甚為豐富，但很不幸，在劉師培逝世後，其遺稿散佚甚多，據近人章士釗《孤桐雜記》載，在梁眾異處，見劉申叔師培遺札數通，附所著書目一紙，計三十餘種，可謂富已，其中已刻者十不逮一。孤桐持示其高足弟子紀湘濤元且雲，多為門徒所未及見。（註一六二）可惜這些遺稿均已散佚不行於後世。尚有一部份遺稿散落在友人門生手中，如黃侃「得之於申叔先生之遺稿多種，均博賅無比」，黃氏「甚葆愛之，藏諸篋中，絕不輕易示人」（註一六三）汪辟疆曾見「季剛……出床下鐵箱，皆申叔稿，以竹紙訂小本，如《呂覽鴻烈斠注補》《古曆一卷》等（註一六四）而其中《古曆一卷》不愼遺失，黃氏曾慨嘆道：「見《六秝通考》因憶先師劉君《古秝管窺》寫定本昔存侃處，寘一篋中，今經喪亂遷徙，不知寘何所……」然而，劉成禺說：「季剛歿，久經抗戰，在渝問季剛次子念田……且曰劉申叔全稿，亦多散失！」（註一六五）可知上述所舉已收入與未收入的篇名，僅是劉師培學術成就之一部份。

以下根據劉師培本人〈甲辰年自述詩〉所注和趙萬里〈劉申叔先生著述目錄〉（註一六六），錢玄同《遺書》序，陶菊隱《籌安會六君子傳》以及經盛鴻〈論劉師培的無政府主義思想〉（註一六七），吳雁南〈劉師培的無政府主義〉（註一六八）等，未見之篇章但錄其所存之目以備參考：

一、〈甲辰年自述詩〉所見存目：

〈大學〉

〈正名篇〉

〈中國文字流弊論〉

〈國文問答〉

〈國文教課書〉

〈小學發微〉

〈小學釋例〉
〈駁龔定安太誓答問卷〉
〈左傳一地二名〉
〈墨子短評〉
〈讀管商莊老雜記〉
〈中國古代學術史〉
〈國學溯源〉
〈讀學案新記二卷〉
〈明儒淵源表一卷〉
〈溯姓篇〉
〈瀆姓篇〉
〈辨性篇〉
〈揚民卻虜錄〉
〈王學發微一卷〉
〈讀船山叢書劄記一卷〉
〈顏習齋先生學術一卷〉

〈元史西北地附錄補釋二卷〉
〈西遊記釋地一卷〉
〈元祕史注正誤一卷〉
〈契刁考〉
〈齊刀考〉
〈南宋古磚考釋〉
〈楚詞類對賦一卷〉
〈讀釋典剳記一卷〉

二、趙萬里〈劉申叔先生著述目錄〉所見存目：

〈劉瓛周易注補釋〉
〈王弼易略例明象篇補釋〉
〈劉兆公穀注補輯〉
〈劉熙孟子注補輯〉
〈字詮〉
〈周書王官三監王服濮路月令等考〉
〈國語賈注補輯一卷〉

〈史記述左傳考若干卷〉

〈莊子□□〉

〈呂氏春秋斠補〉

〈呂氏春秋高注校義〉

〈獨斷補釋〉

〈列仙傳斠補一卷〉

三、錢玄同《遺書》序所見存目：

〈國文典問答〉

〈賈子新書補釋〉

〈江寧江蘇安徽三省之鄉土歷史及地理教科書附參考書〉

四、陶菊隱《籌安會六君子傳》所見存目：

〈國情論〉

〈勸告舊同盟會諸同志〉

五、經盛鴻〈論劉師培的無政府主義思想〉所見存目：

〈破壞社會論〉，《天義報》第一冊

〈異哉中國婦人會〉，《天義報》第二冊

六、吳雁南〈劉師培的無政府主義思想〉所見存目：

〈論國家之利與人民之利成一相反之比例〉，《衡報》第一期

〈議會之弊〉，《衡報》未載卷期

〈共和之病〉，《衡報》未載卷期

【附註】

註 一 尹炎武〈劉師培外傳〉，見《劉申叔先遺書》（以下簡稱《遺書》）序第一冊，頁二一。

註 二 李祖望（一八一四——一八八一），字賓嵎，清江都人，從梅植之學《楚辭》、《文選》、又與同邑劉毓崧等人遊。著有《說文統系表》、《古韻旁證》等。事見《碑傳集補》卷四十一。

註 三 光漢〈甲辰年自述詩〉，見《警鐘日報》光緒三十年（一九〇四）九月七日。

註 四 劉富曾〈亡侄師培墓志銘〉，見《遺書》序，第一冊，頁二一。

註 五 同註一。

註 六 劉成禺〈劉申叔新詩獲知己〉，見《世載堂雜憶》，頁一三九。

註 七 梅鉽《青溪舊屋儀徵劉氏五氏小紀》云：「先世本居溧水，繼遷金陵，後僑在居揚州」，爲應科舉考試列籍儀徵。梅鉽，江蘇江都人，劉師培的外甥。此外，汪東〈劉師培傳〉亦云：「先世自溧水遷揚州，遂爲儀徵人」，見《汪旭初先生遺集》，頁三八四。

註　八　同註三。

註　九　張舜徽《清代揚州學記》第七章，頁一六七。

註一〇　劉師培〈與端方書〉，《大公報史地周刊》民國二十三年十一月二日。

註一一　同註三。

註一二　同註七，記其一次從堂兄師蒼處看到《儒林外史》，愛不釋手，深受影響，和堂兄常談熟人中，某人像書中何人，以為笑樂。

註一三　同上註。

註一四　同註一。

註一五　清光緒二十六年（一九〇〇）帝俄參加八國聯軍入侵中國後，以保護鐵路為由，占領東北地區。至光緒二十九年（一九〇三）四月，帝俄拒絕履行撤兵協定，且向清廷提出七項要求，企圖將其控制和侵略東北合法化，激起全國義憤，留日學生組織「拒俄義勇隊」。同時，上海與江蘇等十八省愛國志士在張園集會，共商拒俄大計，而以拒俄愛國為主的團體「四民總會」、「中國學生同盟會」等先後成立，這是一次空前的愛國運動。

光緒二十九年，反清思想蓬勃發展，尤其在廣西，各族起義反清風起雲湧，由於聲勢浩大，廣西巡撫王之春竟主張將廣西礦權讓與法國，妄圖「借法款、法兵，平匪亂」，四月下旬，日本報紙揭發「王之春借法兵平內亂」消息，群情激憤，在一片反對聲中，清廷免王之春職，以息眾怒。參閱郭廷以《近代中國史綱

》。

註一六　光緒二十九年，《蘇報》聘愛國學社的章士釗擔任主筆，章太炎、蔡元培等為撰稿人，公開宣揚反滿革命及殺人主義，成為極端激進的報紙。由於六月，刊布章炳麟〈革命軍序〉、〈駁革命駁議〉以及〈康有為與覺羅君之關係〉指：「載湉（光緒皇帝）小丑未辨菽麥」，清廷為「野雞政府」等，面對如此「猖狂悖謬」的異端邪說，清廷不能容忍，於六月底，與上海公金租界工部局逮捕章太炎等，鄒容激於義憤，自動投案。七月《蘇報》被封，參閱章士釗《蘇報案紀事》。

註一七　陶成章〈劉光漢之內叛〉，《浙案紀略》上卷第四章，頁四八。

註一八　《左盦詩錄》卷四〈聞某君卒於獄作詩哭之〉，見《遺書》，第三冊，頁二一八七。

註一九　錢玄同語，見《遺書》序，第一冊，頁八。

註二〇　同註一七。

註二一　黃天〈題攘書〉：「華夷有大防，載筆昔秋裹。族類宜保守，不然神不祀。漢土我舊物，愛情悪能已。蠻種苟憑陵，黃民須戰死。此書即麟經，讀之當奮起。」，見《警鐘日報》光緒三十年（一九〇四）九月一日。

註二二　見《警鐘日報》光緒三十年（一九〇四）四月十四月廣告。

註二三　柳亞子〈我和南社的關係〉，見《南社紀略》，頁七三。

註二四　吳樾《暗殺時代》序，見張玉法編《晚清革命文學》。

註二五　棣臣〈題國粹學報上劉光漢同志諸子〉：「劉生今健者，東亞一盧騷。赤手鋤非種，黃魂賦大招。人權光舊物，佛力怖群妖。倒挽天瓢水，回傾學海潮」，見《國粹學報》十六期。

註二六　馮自由〈劉光漢事略補述〉，見《革命逸史》第三集，頁一九〇。

註二七　王凌〈有關劉師培一則早期反清史料〉，《歷史擋案》一九八八年第三期。

註二八　馮自由《革命逸史》第三集。

註二九　金沖及、胡繩武〈革命力量的集結〉云：「萬福華又與劉光漢、林獬共議在上海謀刺『主聯俄』的前廣西巡撫王之春。萬福華沒有手搶，劉光漢將張繼的手搶借給他……」，見《辛亥革命史稿》第一卷，頁三三六。

註三〇　劉師培的筆名，見《中國白話報》第六期。

註三一　柏文蔚《五十年大事記》：「（安徽公學）是時延請教授，有精於漢學之劉光漢君，改名爲金少甫，組織黃氏學校，是專門從事暗殺者。」

註三二　沈寂〈辛亥革命時期的岳王會〉，《歷史研究》一九七九年第十期。

註三三　同註二六。

註三四　《文教簡報資料》一九八五年第三期。

註三五　小野川秀美〈劉師培與無政府主義〉，見《晚清政治思想研究》第九章，頁三八〇。

註三六　宋教仁《我之歷史》第六。

註三七　劉揆一《黃興傳記》。

註三八　梁啓超〈與南海夫子大人書〉，《梁任公先生年譜稿》上。

註三九　馮自由〈記劉光漢變節始末〉，《革命逸史》第二集，頁二二八。

註四〇　《天義報》簡章，第八、九十卷合冊。

註四一　同註三九。

註四二　〈社會主義講習會第一次開會記事〉，《天義報》第六冊。

註四三　《天義報》廣告，《天義報》第三冊。

註四四　亞洲和親會是一九〇七年四月「由中、印兩國革命志士」在日本東京發起組織的，入會的中國人有章太炎、張繼、劉師培、何震、蘇曼殊、陶成章、陳獨秀等，印度人鉢邏罕、保什、帶君也參與其事，會長是章太炎。此會由處於殖民地、半殖民地位的被侵略國家所組成，因此，凡屬遭受帝國主義侵略的亞洲各國，如越南、緬甸、朝鮮等均可入會。參閱湯志鈞〈關於亞洲和親會〉，見《辛亥革命史叢刊》第一輯。

註四五　陶菊隱〈劉師培和黃侃〉，《籌安會六君小傳》第十三章，頁一二四。

註四六　此是日人竹內善朔的回憶，他是幸德秋水派金曜講演會成員，他的說法應是第一手資料，見日本評論社〈明治末期中日革命運動的交流〉，《中國研究》五。

註四七　〈論種族革命與無政府革命之得失〉，《天義報》第六、七冊。

註四八　周作人〈北京大學感舊錄〉二；另見楊天石〈魯迅早期的幾篇作品和天義報上署名獨應的文章〉，《魯迅研究資料》第五輯。

註四九　寄生〈記清貝勒溥倫來東後事〉，《民報》第十八號。

註五〇　同註三九。

註五一　同註四五。

註五二　同註一〇。

註五三　楊天石編〈社會主義講習會資料〉，《中國哲學》第一輯。

註五四　曼華〈同盟會時代民報始末記〉，《藝文誌》第一一〇期。

註五五　同上註。

註五六　陶成章云：「光漢平日欲運動成章，使爲己用，以高其名，成章鄙其行爲之不禮，光漢恨之」，見《浙案紀略》上卷第四章，頁四八。

註五七　同註三九。

註五八　同註五四。

註五九　何仲簫《陳英士先生年譜》。

註六〇　同註三九。

註六一　〈上端方書〉，見《遺書・左庵外集》卷十六，第三冊，頁一九七五——六。

註六二　同上註。

註六三　同註四五。

註六四　蔡元培〈劉君申叔事略〉，見《遺書》序，以及張繼序，第一冊，頁二二、三二。

註六五　《國故月刊》第一期本社記事錄。

註六六　魯迅致函錢玄同：「中國國粹，雖然等於放屁，而一群壞種，要刊叢編，卻也毫不足怪。該壞種等，不過還想吃人，而竟奉賣過人肉的偵心探龍做祭酒，大有自覺之意、」見《魯迅書信集》上卷。

註六七　高拜石〈劉申叔近利自誤〉，《古春風樓瑣記》㈠，頁一八八。

註六八　《警鐘日報》光緒三十年（一九〇四年）七月六日。

註六九　同註二二。

註七〇　同註三九。

註七一　同註三九，此外何震與蘇曼殊之間，似亦有傳聞，如周作人《北京大學感舊錄》云：「關於劉申叔及其夫人何震，最初因為蘇曼殊寄居他們的家裡，所以傳有許多佚事，由龔未生轉述給我們聽，民國以後則由錢玄同所講；及申叔死後，復由弟子叔雅講了些，但叔雅口多微詞，似乎不好據為典要。」，頁一四七。

註七二　胡漢民〈對楊度與劉光漢之批評〉，《胡漢民自傳》十四，頁二七。當時袁世凱任以參政授予「上大夫」，「所居衖衕，樓館壯麗，軍士數人槍環守之。師培每歸，車抵衖口，軍士舉搶呼劉參政歸，自衖口及於大門聲相接，婦何震乃憑欄逆之，日以為常」，見劉成禺《洪憲紀事詩本事簿注》卷一，頁三六。

註七三　同註二二。

註七四　同上註。

註七五　同註七。

註七六　同註一。

註七七　阿英〈辛亥革命文談〉㈢《人民日報》民國五十年十月十六日。

註七八　劉師培〈崑崙吟〉後附記，《中國白話報》第四期。

註七九　光漢〈歲暮懷人〉，《警鐘日報》光緒三十年(一九〇四年)十月二四日。

註八〇　同註六四。

註八一　南桂馨序，見《遺書》第一冊，頁三九。

註八二　章炳麟〈與劉光漢書一〉，見《遺書》序，第一冊，頁二五。

註八三　同註七九。

註八四　同註二六。

註八五　章炳麟〈與孫仲容書〉，《遺書》序，第一冊，頁二九。

註八六　汪東〈同盟會和民報片斷回憶〉。

註八七　同註八五。

註八八　章炳麟〈與劉光漢書七〉，《遺書》序，第一冊，頁二九。

註八九　章太炎〈宣言〉，《民國報》宣統三年十二月一日。

註九〇　《大共和日報》民國元年元月十一日。

註九一　同註八一。

註九二　李漁叔〈劉師培別記〉，《魚千里齋隨筆》卷一，頁二三。

註九三　沈瓞民〈記光復會二三事〉，《辛亥革命回憶錄》第四輯。

註九四　孟峴〈蔡元培與軍國民教育會及光復會〉，《復旦學報》一九八一年第六期。

註九五　同註七九。

註九六　同註四。

註九七　〈梵文典序〉，《遺書・左盦外集》卷十七，第三冊，頁二〇一八。

註九八　〈曼殊畫譜序〉，《天義報》第五冊。

註九九　李蔚《蘇曼殊評傳》，頁一八二。

註一〇〇　張繼〈遊瑞士日記〉、〈回憶錄〉，《張溥泉先全集》。

註一〇一　同註七九。

註一〇二　同註三五。

註一〇三　同上註。

註一〇四　章士釗〈論近代詩家絕句〉，《江海學刊》一九八五年三期。

註一〇五　王森然〈劉師培先生評傳〉，《近代二十家評傳》。

註一〇六　同註一〇四。

註一〇七　蔡元培《蔡元培選集》。

註一〇八　《國粹學報》第二十四期，五種講義是：《倫理教科書》、《經學教科書》、《中國文學教科書》、《中國歷史教科書》、《中國地理教科書》。

註一〇九　戈公振《中國報學史》。

註一一〇　同註七九。

註一一一　〈光漢室詩話〉，《警鐘日報》光緒三十一年（一九〇五）一月十七日。

註一一二　《警鐘日報》光緒三十年（一九〇四）八月三十日。

註一一三　同註六七。

註一一四　同註二三。

註一一五　同註七九。

註一一六　同註七九。

註一一七　同註一一一。

註一一八　〈端方傳〉，《清史稿》列傳二百六十五。

註一一九　〈請定皇室典範摺〉，《端忠敏公奏稿》卷八。

註一二〇　同註二六。

註一二一　醒蠻〈記劉光漢〉，《暢流》第三十五卷第十二期。

註一二二　同註三九。

註一二三　同註一〇。

註一二四　汪東〈劉師培傳〉，《汪旭初先生遺集》，頁三八五。

註一二五　同上，另見劉師培〈漢土圭考〉云：「匋齋師所藏東漢土圭計三行十四字……。」《遺書．左盦集》卷六，第三冊，頁一四。

註一二六　同註六一。

註一二七　同註一二一。

註一二八　同註五二。

註一二九　同註一二一。

註一三〇　同註七二。

註一三一　同註八一。

註一三二　《辛亥革命回憶錄》第五集。

註一三三　同註八一。

註一三四　〈近代漢學變遷論〉，《遺書．左盦外集》卷九，第三冊，頁一七八四。

註一三五　〈漢代古文學辨誣〉，《遺書．左盦外集》卷四，第三冊，頁一六一八。

註一三六　蒙文通〈廖季平先生與清代漢學〉，《國風》第四期。
註一三七　蒙文通《經學抉原、議蜀學》。
註一三八　同上註。
註一三九　虎思〈博通經史的黃季剛〉，《中央日報》民國四十八年十一月二十九日。
註一四〇　同上註。
註一四一　錢玄同〈三十年來我對於滿清的態度底變遷〉，《語絲》第八期。
註一四二　錢玄同序，《遺書》第一冊，頁三七。
註一四三　同上註。
註一四四　同註四。
註一四五　陳鐘凡〈劉先生行述〉，《遺書》第一冊，頁二十。
註一四六　陳鍾凡〈劉先生行述〉，《遺書》，第一冊，頁九。
註一四七　張繼序，《遺書》，第一冊，頁三二
註一四八　蔡元培〈劉君申叔事略〉，《遺書》，第一冊，頁一二三。
註一四九　錢玄同序，《遺書總目》，第一冊，頁八。
註一五〇　《警鐘日報》光緒三十年九月七——十二日。
註一五一　錢玄同語，《遺書・左盦外集目錄》，第三冊，頁一五三七。

註一五二　錢玄同序，《遺書》，第二冊，頁三五。
註一五三　同註一四七。
註一五四　胡漢民〈對楊度與劉光漢之批評〉，《胡漢民自傳》十四。
註一五五　汪東〈劉師培傳〉《汪旭初先生遺集》，頁三八四。
註一五六　南桂馨序，《遺書》，第一冊，頁三九。
註一五七　楊天石、王學庄〈章太炎與端方關係考析〉，《南開大學學報》一九七八年六期。
註一五八　王淩〈有關劉師培一則早期反清史料〉，《歷史檔案》一九八八年三期。
註一五九　楊亮功《早期三十年的教學生活》二，頁十七、十八。
註一六〇　〈左盦文論〉羅氏附記，見《國文月刊》一卷九期。
註一六一　《國文月刊》一卷九、十期；三十六期。
註一六二　《甲寅》第一卷三七號，轉引自王森然〈劉師培先生評傳〉，《近代二十家評傳》頁二九二。
註一六三　劉成禺〈巾箱留珍本柳下說書〉，《世載堂雜憶》，轉引自柯淑齡《黃季剛先生之生平及其學術》（上）第一章。
註一六四　同上註。
註一六五　黨史會〈黃侃同志事略〉。
註一六六　見《北平北海圖書館月刊》第一卷第六期。

註一六七　見《南京大學學報》一九八六年第三期。

註一六八　見《貴州社會科學》一九八一年第五期。

第四章　劉師培的文學觀

劉師培一生主要精力用在治學和從政上，自己聲稱「予於社會學研究最深」（註一），但是，這並不足以忽視他的文學成就，他學問精深博大，把做學問與作文章結合起來，為文「雄麗可誦」（註二）所以，其友南桂馨曾說：「清三百年駢文莫高於汪容甫，六朝文筆之辨則以阮文達為最堅……申叔承汪、阮風流，刻意駢儷，嘗語人曰：『天下文章在吾揚州耳』，後世當自有公論，非吾私其鄉人也。」（註三）他著作等身，除了以〈春秋左氏傳例略〉等為代表的堪稱經史兼優的幾十種著作外，在其〈左盦集〉、〈左盦外集〉等保存了論、議、書、序、記、傳、碑、誄、祭文、詩、詞等數量可觀的作品，因此近人鄭振鐸即說過：「劉師培……善作古拙之文，其古學亦甚為人所稱」（註四）。至於他的文學論述發表過不少精闢見解，但以往研究其政治得失者多，論其文學少，以至在許多文學史專著中沒有劉師培的席位。以下就其文學觀加以討論，大別為四節。

第一節　文學特質論——儷詞韻語

劉師培本身既是經學家，又是小學家，他用研究樸學的精神來看文學，所以議論不無偏執，但也有獨到見解，他認爲：

不通小學不能讀古書，不讀古書奚能工文？（註六）

又指出：

積字成句，積句成文，欲溯文章之緣起，先窮造字之源起。（註七）

所以，他首先正本清源的從語原上釐清語言、文字、文章三者的概念及關係。在中國文化史上，文學產生於文字出現以前，文字出現以前，已經出現了口頭文學，如：謠、諺等。他說：

上古未有文字，先有語言，物各一名，言各一義，或循天籟，或效物音，或因形定聲，或因聲見義，故心同此理，即同此音。……太古之文，有音無字，謠諺一體起源最先。謠訓徒歌，諺訓傳言，蓋言出於口，聲音以成，是爲有韻之文，咸合自然之節，則古人之文，以音爲主。（註八）

對於原始形態的文學，劉師培認爲「大抵皆爲韻語」（註九），所以他强調：

上古之世崇尚文言，故韻語之文，莫不起源於古昔。（註一〇）

但是，由於人類思慮日益深長，社會生活逐漸廣闊，是以

言語流傳難期久遠，乃結繩爲號，以輔言語之窮，及黃帝代興，乃易結繩爲書契，而文字之用以興。……言與字分，以字爲文。（註一一）

因此，由語言而文字，造成「文與語分」的必然趨勢。同時，他還指出「直言者謂之言，論難者謂之語，修詞者謂之文」，說明「不獨言與文分，亦且言與語分」的發展過程。而「言」又有「文言」、「質言」之分，言之質者爲俗語，以之爲文，「其文必不工」（註一二），因此，「質言」與「語」由於不加修飾，均成爲實用性較强的普通文章，而只有講究文辭修飾，能體現一定藝術修養，經過「文飾」的潤色才能稱爲「文言」或「文章」。因此，根據語言、文字發展演變來看，他認爲：

文章一體與直語殊。（註一三）

不過「文」，由於「三代之時一字數用」，以至於

道之發現於外者爲文，事之條理秩然者爲文，而言詞之有緣飾者，亦莫不稱之爲文，古人言文合一，故借爲文章之文，後世以文章之文，遂足該文字之界說，失之甚矣。

循本追源他認爲：

文字之訓既專屬於文章，則循名責實，惟韻語儷詞之作，稍與緣飾之訓相符。（註一四）

可見，他以「文章」即「彣彰」，也就是所謂的「文采」，作爲衡量文學與非文學的標準，他說：

以文爲文章之文者，（即後世文苑文人之文也。）……蓋文訓爲飾，乃英華發外，秩然有章之謂也。（註一五）

並指出：

文章取義於藻繪，言有組織而後成文也。（註一六）

他長於歸納分類，廣徵博引，進行考訂，並從《廣雅》、《玉篇》、《釋名》、《廣韻》等資料得出結論，「文當訓爲飾」、「以藻繪成章爲本訓」（註一七）由訓詁考證來發掘文學語言之美的獨具性，即是舉凡具有辭采和聲律之美，始可稱之爲「文學」，故云：「惟偶語韻詞，體與文合」。因爲，文學語言不能質直無飾，必須重視文學的藝術性。如：聲韻是語言的聲音美，訴諸聽覺，駢偶儷藻是語言的色彩美，訴諸視覺，這種看法是合理的。

他一再强調「由訓詁以求義理」（註一八），本著實事求是精神，不作無根據臆測，並重視文學語言的獨特性，他堅決主張：

自古詞章導源小學。蓋文章之體，奇偶相參，則侔色揣稱，研句鍊詞，使非析字之精，奚得立言之旨，故訓詁名物，乃文字之始基也。

並說：

言貴有序，詞貴立誠：……今欲文質相宣，出言不紊，惟衷爾雅以辨言，師許君之解字，心知其意，解釋分明，庶立言咸有淵源，而出詞遠於鄙倍矣！若夫未解析詞，徒矜凝鍊，是則無根

之未，無源之水耳，烏足以言文學哉？（註一九）

歷代文家莫不重視遣字造句，精確達意，這並非是刻意雕琢，而是爲了求每個字的準確性，摹擬物態恰如其分，分析事理能夠透闢，「小學」就是教人懂得用字精確的方法，教人如何駕馭文字，在意義上能精準達意，明顯易曉；在音節上能抑揚頓挫，傳達語氣，所以他極力主張爲文必須要有小學訓詁基礎，也就是要求爲文能辨義達情，能言諧成誦，才能夠通往文學之路。不過，文章成詞固未有能外於小學文字，但也不能因此走極端，消極地爲字詞章句的瑣碎含義所迷惑，陷入歧途，過分講究辭采，難免華而不實，刻意追求古奧，必然詰屈聱牙，也將貽人「務華不實」「由麗入淫」（註二〇）的譏誚，像「江氏（淹）必欲反其詞，以自矜險語……杜氏（甫）必欲倒其詞，以自矜研鍊」（註二一）即是其例，因此應該充分發揮「由志通詞，由詞通道」的效用，他說：

翦采爲花，色香自別，惟白受采，眞宰有存，故史尚浮誇之體，聲擬輕重之和，實爲文章之正鵠，豈擬小技於雕蟲？（註二二）

這裏他鄙棄過分的人工雕琢，可見對於文學作品，他認爲一方面要注重「駢偶韻語」，另一方面也強調「眞宰有存」，才能成爲「文質相宣」的上品。同時，由他論述古代文學作品，更可看出他對「文」的要求，他指出：

唐宋以降，凡考經訂史之作……誠以言之無文，未可伺於文學之列也。

語錄，注疏就絕不可目爲「文」，因爲：

語錄爲文，而詞多鄙倍，以注疏爲文，而文無性靈，夫以語錄爲文，可宣於口，而不可筆之於書，以其多方言（俗語）俚語也；以注疏爲文，可筆於書而不可宣於口，以其無抗墜抑揚也。（註二三）

綜此二者，咸不具「文」的特色。不過，方言俚語有時卻也能在文學作品中出現。如：

秦觀品令之用箇字，柳永迎春樂之用⿰口⿱敝灬字，蔣捷秋雨袒之用⿰扌絕字，皆其證也。而黃山谷在戎州時所作樂府，以瀘戎之間，讀笛爲讀，遂以笛韻叶竹字，亦方言俚語可入詞曲之徵也。（註二四）

這是因爲「口舌相調，苟能含自然之音律，則雖方言俚語亦可入調」（註二五）由此可知，他所謂的「文」，即是「修詞貴工，無直情徑行之語」（註二六）且要「抒寫性靈」者（註二七）。從他一再强調說：

文質得中，乃文之上乘。（註二八）

文章之美，全由性情（註二九）

可見他並非片面誇大「偶詞韻語」的作用，他的看法，自然值得我們深思。

他這一文學觀點，有其一脈相承的淵源，即上承蕭統，下接阮元。他曾說：

阮元《揅經室集》列〈文言說〉，以儷詞韻語爲文言，又徵引六朝文筆之分，以成其說，……而《昭明文選》亦以沉思翰藻爲文也。……故略伸其說，以證文章之必以彣彰爲主焉。（註三

○)

又說：

漢魏六朝之世悉以有韻偶行者爲文，而昭明編輯《文選》，亦以沉思翰藻者爲文，文章之界至此而大明矣。惟儀徵阮芸台先生編輯《揅經室集》，言集不言文，析爲經、史、子、集四種，謂非窺古人學術之流別者乎？（註三一）

服膺其說，溢於言表。實際上，劉師培以「昌洋揚州學派」自任，借此爲他的文學特質論立本，所以劉師培更繼阮元之後重提文筆之說，推崇駢偶及有韻之文，明言「駢文之一體，實爲文類之正宗」（註三二）由此，他認爲凡文章用駢文寫成的，均爲該體之正宗。如：

《三都》、《兩京》、《甘泉》、《籍田》金聲玉潤，綉錯綺交，賦體之正宗也；宣公輿元之詔，文饒會昌之集，文瞻義精，句奇語重，制敕之正宗也；劉琨勸進，庾讓辭官，婉轉以陳詞，雍容以敘致，書表之正宗也；中郎太邱之碑，魏公李密之誌，流鬱以運氣，俊偉以佐才，碑志之正宗也；元晏揚太沖之文，彥昇述文憲之作，以及曲水流觴之敘，落霞孤鶩之文，序文之正宗也；趙至入關之作，鮑照大雷之篇，叔庠擢秀於桐廬，士龍吐奇於鄮縣，遊記之正宗也……。

如此等等，其目的則是爲了與古文家相互抗衡。其實，駢文實不乏內容豐富，感情眞摯之佳品，曾獨闢蹊徑，大放異采，彌補散體表現之不足，確應還其應有之歷史地位，不可籠統抹殺；不過，由於近代社會事日繁雜，生活節奏加快，頗費功夫的駢體文，已不宜直接移植，廣經提倡，以作繭自縛，對於這點可以這樣的角度來說：「於駢儷文體，過而廢之可也；若駢語儷詞，雖欲廢之，烏得而廢哉？」（註三三）同時亦可作爲對劉師培的主張最恰當的評價。

劉師培素具有紮實的漢學基礎，加上歷史與地緣（註三四）的淵源，所以，他繼阮元之說後，也以《文選》來闡發自己文學觀點，把《文選》和現實論爭結合起來，其間不免穿鑿偏執，但以「文辭」或「文言」爲文學作品，大致不錯，也給學界帶來不同思考的角度。

第二節　文學進化論——文與時變

中國近代文學所呈現的過渡與轉折性質，在語言的通俗化上最鮮明。梁啓超曾指出：「文學之進化有一大關鍵，即由古語之文學變爲俗語之文學是也。」（註三五）因此，「苟欲思想之普及，則此體非徒小說界當採用而已，凡百文章莫不有然。」（註三六）可見，文學語言的通俗化，是近代社會變革的需要，是大勢所趨，是不可能抗拒的。

尤其在開通民智的思潮下，帶來「國民」的社會價值提昇。國民教育的途徑有二：一則以介紹新知爲主，使國民面向世界，了解新事物、新文明。一則以普及教育爲主，引導國民爭取政權，反帝國列强，反君主專政。在這種需求下，傳統的文言文不適展鋒逞謀，反成爲教育障礙。於是，改良語文的芻議日益月深，連古文大家也無法再固守藩籬，桐城派大家吳汝綸也疾呼：「中國非廢漢文無以普及教育，蓋漢文過於艱深，人自幼學之，非經數十寒暑，不能斐然可觀，而人已垂老無用，吾國學問不及東西洋之進步者此也。」（註三七）時代在呼喚斧藻艱深的古文非變革不可，而維新變法時，梁啓超、嚴復、黃遵憲等都曾大力宣導，以口語爲主的作品，極富時代精神。從當時戰爭不斷，社會動蕩的情況來看，整治創傷，唯有創造另一種形式——白話文，爲其製造輿論，因此，呼籲變革，喚醒民眾的白話政論文、時務文，遂應運而生，文學語言的通俗化，也逐步爲人們注意。

劉師培在歷史大變動時刻，站在民主革命的陣線上，以新的眼光審視俗語。首先，他從文學語言發展史入手，反映出他文學研究的縱深程度。他說：

> 以單行易排偶，由深趨淺，由簡入繁，由駢儷相偶之詞易爲長短相生之體……乃事物進化之公例，亦文體必經之階級也。（註三八）

可見，文學語言的由深趨淺，由簡入繁的通俗化，是時代嬗進的大勢所趨，是不可抗拒的。所以，他指出：

> 文雖小道，實與時代而遷變。故東京之文，殊於西京；魏代之文復殊東漢，文章之體，在前人不能強同……。（註三九）

可見，一時代有一時代的文學，這是自然之勢，非人力所致，一味捨今就古，以古奧文俚淺，反遭人詬病，亦違逆大勢。他從中國語言文字文體演變的歷史規律，論述今後文學語言發展方向，應該順應時代潮流，變更語言文體，以期通行適用。

其次，由於晚清外敵入侵，清廷衰微，使他認識到在教育上要提高全民素養，以達革新政治的理想，必須提倡社會民眾熟悉的白話文。他深刻體認到語言必須從文到白，從雅到俗的變化。他指出：

> 觀中國文學，則上古之書印刷未明，竹帛繁重，故力求簡質，崇用文言。降及東周文字漸繁，故小說之體即由是而興，而《水滸傳》、《三國演義》諸書，已開俗語入文之漸，陋儒不察，以此為文字之日下也。然天演之例，莫不由簡趨繁，何獨於文學而不然，故世之討論古今文字者，以為有淺深文質之殊，豈知此正進化之公理哉！故就文字之進化之公理言之，則中國自近代以來，必經俗語入文之一級……蓋文言合一則識字者日益多，以通俗之文推行書報，凡世之稍識字者，皆可家置一編以助覺民之用，此誠近今中國之急務也。

他提倡用「俗語文體」寫作，並從中國文學的特點，分析了古代言文分離的原因。同時，特別指出：

> 方言俗語，非不可以入文字矣，特後儒以淺俗斥之耳。（註四一）

反覆提醒人們對「俗語入文」保持客觀和公允的看法，大聲疾呼廣著俗語，可以推動社會改革，達到振末俗、開民智、强國家、救危亡的目的。他甚至批評道：

> 中國所習之文以典雅為主，而世俗之語，直以淺陋斥之，此中國文字致弊之第一原因也。（註四二）

其說可謂一針見血。他十分具有時代眼光，提出白話主張：

近歲以來，中國之熱心教育者，漸知言文不合一之弊，及創爲白話報之體，以啓發愚蒙。……中國自古代以來言文不能合一，……欲救其弊非用白話末由。（註四三）

因此，在學校國文教學時，應重視以白話來教學，他舉例說：

如今日講歷史秦始皇事，即令兒童將此事演成數句，而演事之詞，又以用白話爲最便，如演秦始皇焚書事則云：『秦始皇聽李斯的話，說書是無用的，遂將世上的書燒去了。』如是云云，在生徒既易於領悟，在教者亦易於引掖，由俗語翻成文理直易事耳。蓋學者之作文，與其文理不通而託爲艱深，何如文理既通而出之淺易。而世人每以淺易爲作文之大戒，此誠大惑不解者矣。（註四四）

在社會上教育民眾，則有賴白話報的推行，他主張多創白話報，以爲：

白話報者，文明普及之本也。……白話之勢力與中國文化相隨而發達。

這是因爲白話報具備：

一曰救文字之窮也。……吾觀鄉里愚民無不嗜閱小說，而白話報體適與小說相符，則其受國民之歡迎又可知矣。……此則俗語感人之效也……二曰救演說之窮也。……若白話報之設，雖與演說差殊，然收效則一。……上至卿士，下至齊民，凡世之稍識字者，皆可以家置一編，而覺世之力愈廣矣。

還有，白話報在語言統一上可發揮作用

> 欲統一全國語言……不可無教科書，今即以白話報爲教科書，而以省會之人爲教師，求材甚易，責效不難，因以統一一省之語言而後又進，而去其各省會微異之音，以馴致全國語言之統一。……文言之書而講解之 補入無數語言始易了解，事同翻譯，故非盡人可能，演爲白話則識字者皆能之矣，曲之於詞，小說之於古文，孰爲適用，可推而知也。（註四五）

所以，白話報的刊行，實可達教育普及的目的。對此主張，他早已見諸行動，他加入《中國白話報》撰寫白話作品，凡所撰述，悉以白話行之，農夫野人均可了解。他一面重視儷詞韻語之文，但同時，又是白話文的倡導者、實踐者。因此，他順應了那股剛湧現的新文學潮流，提出周全的看法：

> 一修俗語，以啓瀹齊民；一用古文，以保存國學。（註四六）

這使得他所提倡的白話文有很大的特色：第一，他提倡白話文，同時不反對文言文，尤其並不主張以白話文替代文言文，反而主張以文言文保存發揚國粹。第二，他認爲白話文是寫給大眾看的，是爲了開民智。

至於，他倡導通俗淺易的文章，應如何撰作？他說：

> 宜仿《杭州白話報》之例，詞取達意而止，使文體平易近人，智愚悉解。（註四七）

白話文到了他手中，寫來無不清新活潑，平易通俗。正是因爲他是一位考據、訓詁的漢學家，能高倡自然平實的白話文，才更顯得難能可貴。

由於「語言與文字合則識字者多，語言與文字分則識字者少」（註四八），爲救中國自古以來「

言文不能合一」的弊端，他進一步大膽主張改用標音文字，統一語言，他說：

居今日之中國，捨形字而用音字，勢也。廢各地之方言，用統一之官話，亦勢之所必趨也。（註四九）

並指出：

今環球諸國皆利用音標文字，而我國猶株守象形文字，其不便利為海內外人所共知，故我國之造新字母，亦亟亟矣。（註五〇）

可以說他是中國近代提出國語統一的先聲。不過，自從他投效端方後，曾著有〈古本字考〉、〈答四川國學學校諸生問說文書〉等，他已反對造新字、新詞，而主張墨守《說文》；寫〈論中土文字有益於世界〉、〈中國文字問題序〉等，則反對改用音標文字之說，其說前後立說有明顯不同。

不過，有論者以為他一修俗語以啓瀹齊民，一用古文以保存國學，是二元論主張，且說明劉師培扮演革命思想家，與國粹運動家身份云云（註五一）。事實上，所謂革命家，國粹家是後人的引伸，主要是他認為文言、白話各有所長，各有所短，不能偏廢。在當時來講，白話文初具規模，往往不加修飾，照抄口頭語言，直率使用，其特點是通俗明白，易於為民眾理解；姑不論文言不可廢，即使可廢，在當時廢文言亦困難重重，並非一蹴而就，所以，文言、白話應同時使用，發揮各自所長，並相互補苴罅漏，不可偏廢，無所謂一元二元。他的這種觀點，可以說是那個時代的人所能夠達到的最先進的思想。這就是為什麼他的「俗語」之作，只用來警醒世人，不用來作輝煌的傳世鉅製，因此，他雖寫過白話文，但是寫起《中古文學史講義》等，仍要駢四儷六，這和五四時期新文化運動徹底反對文言文，提倡白話文絕大不同（註五二）。所以，白話文運動在當時雖成爲一股潮流，但是，使之進入文學領域，這一任務是到五四新文化運動時期才完成。

第三節　文學源流論——以集還子

劉師培非常重視學術源流，因此在探討文學變遷時，都以追本窮源的歷史眼光，著重從縱的方面考察文學本末關係，分析出作家在歷史上所受到的傳承發展，以及彼此間的淵源嬗變，使他的文學觀頗具特色。他說：

六朝以前文集之名未立，及屬文之士日多，後之君子欲觀其體勢，以見性靈，乃彙萃成編，顏曰文集。且古人學術，各有專門，故發爲文章，亦復旨無旁出，成一家言，與諸子同。（註五三）

後世文集雖大盛，但辨其源委，挹其旨趣，求其所自，莫不本於諸子，因爲爲學貴乎專門，著述貴有宗旨，則博而能約，自足成家。他這「以集還子」的觀點，錢基博指出：

其論文章流別，同於諸子……出於章學誠也。（註五四）

章學誠於《章氏遺書·雜說》中指出：

> 諸子不難其文，而難於宗旨有其不可滅。故諸子僅工文辭，即後文集之濫觴。（註五五）

又於〈陳東浦方伯詩序〉中說：

> 六經教衰，諸子爭鳴……。至諸子衰而爲文集……。（註五六）

此外，俞樾也有類似說法，他在《賓盟集自序》曾說：

> 文集始於諸子，古之君子既沒，而其徒撰次其行事，與其文詞，以傳於後。後世人各有集，而不知其原出於諸子，於是集日以多，而文日以卑矣。（註五七）

劉師培應是本二家之言推論引發，他曾以歷代詩文而條其流別。以下分別據〈論文雜記〉、〈文章學史序〉列表以明之：

△源　流	唐宋古文作家	特　色
儒家之文	韓（愈）、李（翺）	正誼明道，排斥異端。
	歐（陽修）、曾（鞏）	以文載道。

名家之文	子厚（柳宗元）	善言事物之情，出以形容之詞，而知人論世，復能探原立論，核覈刻深。
兵家之文	明允（蘇洵）	最喜論兵，謀深慮遠，排兀雄奇。
縱橫家之文	子瞻（蘇軾）	以粲花之舌，運捭闔之詞，往復卷舒，一如意中所欲出，而屬詞比事翻空易奇。
法家之文	介甫（王安石）	侈言法制，因時制宜，而文辭奇峭，推闡入深。

△源流	近世古文作家	特色
儒家之支派	望溪（方苞） 姬傳（姚鼐）	文祖韓歐，闡明義理，趨步宋儒。

名家之支派	愼修（江永）	綜核禮制，章疑別微。
	輔之（金榜）	
	若膺（段玉裁）	考訂六書，正名辨物。
	伯申（王引之）	
兵家之支派	叔子（魏禧）	洞明兵法，推論古今之成敗，疊陳九土之險夷，落筆千言，縱橫奔肆。
	崑繩（王源）	
法家之支派	子居（惲敬）	取法半山。
	安吳（包世臣）	洞陳時弊，兵農刑政，酌古準今，不韙功利之談，爰立後王之法。

縱橫家之支派	朝宗（侯方域） 簡齋（袁枚）	詞源橫溢。 逞博矜奇，若決江河一瀉千里。
陰陽家之支派	雍齋（沈濤） 于庭（宋翔鳳）	雜糅讖緯，靡麗瑰奇。
道家之支派	大紳（江緡） 臺山（羅有高）	妙善玄言，析理精微。
小說家之支派	維崧（陳維崧） 甌北（趙翼）	體雜俳優，涉筆成趣。
△源　流	魏晉詩家	特　　色
近於儒家	子建（曹植）	溫柔敦厚。

近於道家	淵明（陶潛）	澹雅沖泊。
近於名家	康樂（謝靈運）	琢磨研鍊。
近於縱橫家	太沖（左思）	雄健英奇。

△源　流	唐宋詩家	特　色
儒家之詩	少陵（杜甫）	惓懷君父，希心稷契。
縱橫家之詩	太白（李白）	超然飛騰，不愧仙才。
道家之詩	襄陽（孟浩然）	逸韻天成。

	子瞻（蘇軾）	清言霏屑。
農家之詩	儲（光羲）	備陳穡事，追擬豳風。
	王（維）	
法家之詩	山谷（黃庭堅）	峻厲倔强，爲西江之冠。

△源流	時代	特色
陰陽家言	西漢	治學之士，侈言災異五行。
法家言	漢魏	東漢之末，法學盛昌。
道家言	六朝	崇尚老莊。

小說家言	唐	隋唐以來，以詩賦爲取士之具。
儒家言	宋	宋代之儒，以講學相矜。
縱橫家言	明末	明末之時，學士大夫多抱雄才偉略。
名家言	近代	近代之儒，溺於箋注訓故之學。
△源　流	**宋詞作家**	**特　色**
儒家之詞	少游（秦觀）	寄慨身世，一往情深，而怨悱不亂，悄乎得小雅之遺。
	向子諲 劉克莊	眷戀舊君，傷時念亂，例以古詩，亦子建、少陵之亞。

道家之詞	劍南（陸游）	屏除纖艷，清眞絕俗，逋峭沉鬱，而出以平淡之詞，例以古詩，亦元亮、右丞之匹。
名家之詞	耆卿（柳永）	密處能疏，奡處能平，狀難狀之景，達難達之情，例以古詩，間符康樂。
縱橫家之詞	東坡（蘇軾） 龍川（陳亮） 稼軒（辛稼軒）	慨當以慷，間鄰豪放。 感憤淋漓，睠懷君國。 才思橫溢，悲壯蒼涼。 例之古詩，遠法太沖，近師太白。

△源　流	文學正傳	特　　色
清廟之守	墨家	工於禱祈。尙質，以明道闡理爲主。

行人之官	縱橫家	工於辭令。尚華，以論事騁辭爲主。

在文學發展過程中，前代影響後代，後代師承前代，是常見的。在文學史上著重探討作品繼承關係者，最早見於六朝，鍾嶸《詩品》，其後有明呂天成《曲品》和祁彪佳《遠山堂曲劇品》，仿照《詩品》的體例評論劇曲。劉師培正是循著這個所謂「欲知源流清濁之處，則循其上下而省之；欲知風化芳臭氣澤之所及，則旁行而觀之。」（註五八）的線索，進行歸納、比較和綜合，從內容上，如論韓、李、歐、曾之文等；風格上，如論曹植之詩等；藝術技巧上，如論柳永之詞等；學術思潮上，如論西漢之學等，以索求作家或時代源流所自。例如：論柳宗元是屬名家一派的作品，他主要按藝術技巧和思想內容上找出他們之間一脈相承之處。《漢書・藝文志諸子略》稱名家云：

> 古者「名位不同，禮亦異數」。孔子曰：「必也正名乎！名不正，則言不順；言不順，則事不成。」此其所長也。（註五九）

可知，名家一派善於求眞、邏輯分析、思想推類。而柳宗元之文，他指出：

> 如永州、柳州諸遊記咸能類萬物之情，窮形盡相，而形容宛肖，無異寫眞。（註六〇）

試觀柳宗元〈永州崔中丞萬石亭記〉詳寫怪石之狀云：

> 大石林立，渙若奔雲，錯若置棋，怒者虎鬥，企者鳥厲。抉其穴則鼻口相呀，搜其根則蹄股交峙。環行卒愕，疑若博噬。（註六一）

石之多，已不可數；石之狀，則突怒偃蹇，給人峭硬之感。再如〈鈷鉧潭記〉寫激流：

> 鈷鉧潭在西山西，其始蓋冉水自南奔注，抵山石，屈折東流，其顛委勢峻，蕩擊益暴，嚙其涯，故旁廣而中深，畢至石乃止。流沫成輪，然後徐行，其清而平者且十餘畝。（註六二）

水雖清洌，但更爲暴怒，林紓評「顛委勢峻」云：「勢者，水勢也；委者，潭勢也。水至而下迸，注其全力，趨涯如矢，中深者爲水力所射。」（註六三）峻急峭厲的水勢歷然在目。劉師培對柳子厚這類「窮形盡相」、「形容宛肖」的高超技巧非常欣賞，稱其爲「無異寫眞」，這種寫法即是繼承了名家「求眞」精神，所以，作者寫來別開生面，十分眞切。接著他再指出柳文，

> 如桐葉封弟辯，晉趙盾許世子義，晉命趙衰守原論諸作皆翻案之文也，宋儒論史多誅心之論，皆原於此。

他以爲柳子厚作品，均長於邏輯分析與思想推類，與名家之旨趣相同。譬如〈桐葉封弟辯〉一篇中，「桐葉封弟」是周末以來流傳的故事，一直未被人討論過。文章開頭就說「古之傳者有言」、「傳者」即表示未可輕信之意。對此種說法，柳宗元首先用「吾意不然」，表示懷疑，以此句駁倒上文，並明確指出，當封應「以時言」，「戲」而不當封則不該賀，僅數句就道出了因桐葉之戲封弟於唐的荒謬性。但作者又再進一層論辯：「設有不幸，王以桐葉戲婦寺，亦將舉而從之乎？」假設推論極爲有

力，不僅深刻揭示周公促使成王以戲封弟的不可信，更加顯出「天子不可戲」之言的不合理。接著，作者正面提出主張，以爲君主之言「要於其當」，如若未當「雖十易之不爲病」。於是，論說再進一層，除申明「若戲而必行之，是周公教王遂過」外，並强調即使非戲言，不當亦宜易之的觀點，對君無戲言，君威神聖不可犯的否定，增强了文章思想性、周密性，眞所謂一環緊扣一環，毫不鬆散。最後，作者以推測語氣道：「吾意周公輔成王，宜以道……必不逢其失而爲之辭」，釜底抽薪地推翻前述的傳說。柳宗元文章富於邏輯性，此文每一段以不同的理由來論辯，周公不可能讓成王以戲言封弟的觀點，綜覽全篇，確如《藝概》所云「奇峰異嶂，層見迭出」（註六五）的特色，辨析逐段深入，論述極其透徹，無堅不破，無懈可擊。劉師培對作家溯源流別的分析精微，由此已能窺見一斑。

此外，劉師培以爲陶淵明詩風近於道家。這是因爲陶詩「文體省淨，殆無長語。篤意眞古，辭興婉愜。每觀其文，想其人德。……至如『歡言酌春酒』、『日暮天無雲』，風華清靡，豈直爲田家語耶！古今隱逸詩人之宗也。」（註六六）其詩平淡質樸，其人性情與田園景物溝通契合，比較來看，陶詩所表現的風格，主要來自道家。不過，劉師培又深入指出陶詩「多出於楚辭」。《楚辭》的特點是什麼？劉勰《文心雕龍·辨騷》中論《楚辭》說「朗麗以哀志」、「艷耀而采華」、「驚采絕艷」、「自鑄偉詞」。而陶詩所反映出的正是「其文章不群，詞采精拔，跌宕昭彰，獨超眾類，抑揚爽朗，莫之與京」（註六七），並且「其詩質而實綺，癯而實腴」（註六八），就是說表面上陶詩樸素平淡，但實際上卻深藏詩人匠心，詞采精拔，而且淳厚有味，雖然貌似枯瘠，卻瑰麗深華。如〈贈羊長史〉

詩，是淵明隱居後，聽到官軍收復失地的消息，書贈羊松齡長史的，詩中欣悅之情，說明淵明並未忘記關心國家政治情勢。又像他在〈述酒詩〉：「神州獻嘉粟，四靈為我馴；諸梁董師旅，華勝喪其身，山陽歸下國，成名猶不勤」（註六九）曲折隱晦指責劉裕廢帝篡晉的惡行。可見，陶詩創作精神與文采華美上，都和《楚辭》相通，其說是有見地的。凡此種種，足證他的追源溯流，是思深而意遠，既博觀又正確。章學誠曾說過：

論詩論文而知溯流別，則可以探源經籍，而進窺天地之純，古人之大體矣。（註七〇）

說的雖是《詩品》，對劉師培評價亦可如是。不過，劉師培雖折衷情文，裁量事代，可謂允當，但其中部分，亦恐未盡然。如論陸游之詞為道家之詞。陸游的風格兼有豪放與婉約多種特點，劉克莊評陸游詞就說過：「放翁長短句……其激昂感慨者，稼軒不能過；飄逸高妙者，與陳簡齋、朱希眞相頡頏，流麗綿密者，欲出晏叔原、賀方回之上。」（註七一）但陸游關心的是國家民族的命運，因此，愛國情緒是陸詞中最鮮明的主題，如〈蝶戀花〉、〈漢宮春〉、〈夜遊宮〉、〈訴衷情〉等詞（註七二）都寫報國無門、壯志未酬、悲憤悵惘之情，這些特點上，很難找出他有繼承道家的痕跡。另外，論儲、王二人詩為農家之詩。但是「儲光羲受儒家思想影響較深，儘管他常懷獨善之志，又好長生之說，積極入世仍是他的主導思想」，而且「王維寫田家生活，以旁觀居多，因而意趣較為超逸。」（註七三）因此，二人之詩無論在思想、風格或技巧上都與重視「民、食」的農家相去甚遠。可見他說儲、王之詩為農家，亦不免溯源從心，推論失實。雖然，其中瑕瑜互見，但他給人們提供的精義極為豐富，極具啓發性。

總而言之，劉師培是以經學家的辨章學術流別之旨，轉而論文學，集子並列，以圖提高文學的地位。他說：

雖集部之書不克與子書齊列，然因集部之目錄，以推論其派別源流，知集部出於子部，則後儒有作，必有反集爲子者，是亦區別學術之一助也。（註七四）

他指出這些文學「立言不朽」、「在心爲志……諷詠篇章，可察前人之志」（註七五），在思想上與經、史、子同樣的居於正統地位。足使文學振起，是有其意義的。

第四節　文學地域論——環境影響

中國文化發展有兩大系統：一是以黃河流域爲中心的北方文化，一是以長江流域爲中心的南方文化（註七六）。由於地理、氣候等自然條件的不同，以及交通的不發達，不同區域的發展形成各自的體系，使得中國文化表現出南北兩大系統，在哲學、宗教、文學、社會風俗等方都有不同表現。所以，劉師培即此說明環境對人民性格的影響：

中國群山發源蔥嶺，蜿蜒而東趨，黃河以北爲北幹，江河之間爲中幹，大江以南爲南幹。蓋兩山之間必有川，則兩川之間亦必有山。中國古代舟車之利甫興，而交通未廣，故人民輕去鄉

，狂狂榛榛或老死不相往來。禮記王制篇有云：廣谷大川民生其間者異俗，蓋五方地氣有寒

暑燥溼之不齊，故民群之尚悉隨其風土爲轉移。

他認爲人民的風俗習慣，乃至性格氣質都和其所處的自然環境有密切關係，所以，

山國之地，地土撓瘠，阻於交通，故民之生其間者，崇尚實際，修身力行，有堅忍不拔之風；

澤國之地，土壤膏腴，便於交通，故民之生其間者，崇尚虛無，活潑進取，有遺世特立之風

。（註七七）

北方的風土孕育出北方民族現實的思潮，南方的風土孕育了南方民族浪漫的精神。不同的精神，也帶來不同文學風貌，所以，他進一步說：

敷理舉統，探原於山川之位置，推本乎民族之融合，以見南北風俗之有異，古今趨向之不同。

（註七八）

從自然地理入手推衍文學與地域之關係。

首先，他指出南北語言的不同，即是受其地理條件的制約，以爲

南音之始，起於淮、漢之間；北聲之始，起於河、渭之間，故神州語言，雖隨境而已，而考厥

指歸，皆析分南北爲二種。……故北音謂之夏聲……南音謂之楚音。

而不同的語言，配合上南北地域各自的水土風習，則形成不同風貌的文學。

北方之地，土厚水深，民生其間，多尚實際。南方之地，水勢浩洋，民生其際，多尚虛無。民

崇實際，故所著之文，不外記事、析理二端。民尚虛無，故所著之文，或爲言志、抒情之體。（註七九）

文學作品由於受「水土」「地氣」的感召與陶染，於是「皆象其氣，皆應其類」，呈現出與地理風貌相應或相似的色彩，或實際（現實）、或虛無（浪漫）。無怪乎劉勰曾感嘆說：「若乃山林皋壤，實文思之奧府，略語則闕，詳說則繁。然屈平所以能洞監風騷之情者，抑亦江山之助乎！」（註八○）《楚辭》浪漫之風的形成，與荊楚其地山川糾繆，風物靈秀，江山光怪之氣有密切關係，可知，地貌、物候、山川、風土等自然因素或顯或隱，或直接或間接地影響著作家，進而影響作品的不同風貌。

他更結合自然地理、風俗習性等來考察作品，從此中尋繹作品各別差異。他十分肯定「莊列」之文：

其旨遠，其義隱；其爲文也，縱而後反，寓實於虛，肆以荒唐譎怪之詞，淵乎其有思，茫乎其不可測矣。

對於屈平之文，具浪漫色彩更是稱揚有加，對其人志行評價甚高：

音涉哀思，矢耿介，慕靈修，芳草美人，託詞喻物，志潔行芳，符於二南之比興；而敘事紀遊，遺塵超物，荒唐譎怪，復與莊、列相同。（註八一）

在我國文學史上，《莊子》常與《離騷》並列，以其瑰麗奇偉的藝術技巧，與汪洋恣肆的文章風格，對歷代作者發生特殊影響。劉師培認爲他們的特色是由於地域的哺育所致，「土生其間」，加上「習爲背實擊虛之法」，遂形成「莊、列、屈、宋之荒唐譎怪」的作品。王國維曾指出莊子、屈原等文章比喻巧妙，想像豐富，是得自地域滋養，與劉師培的觀點不謀而合，他說：

> 然南方文學中，又非無詩歌的原質也。南人想像力之偉大豐富，勝於北人遠甚。彼等巧於比類，而善於滑稽：故言大則有若北溟之魚，語小則有若蝸角之國，語久則大椿冥靈，語短則蟪蛄朝菌；至於襄城之野，七聖皆迷；汾水之陽，四子獨往；此種想像，絕不能於北方文學中發現之。故《莊》《列》書中之某些成分，即謂之散文詩，無不可也。（註八二）

但劉師培的看法，卻與班固評屈原「多稱崑崙冥婚宓妃虛無之語，皆非法度之政，經義所載。」（註八三）朱熹認爲屈子「不知學於北方，以求周公、仲尼之道，而獨馳騁於變風、變雅之末流」（註八四），全然不同，大相逕庭。

同時，他注意到作家所處地域的變遷，往往不僅意味著生活的改變，例如有些作家由於身處異地，其文風亦發生了變化。他指出：

> 子厚與昌黎齊名，然棲身湘、粵，偶有所作，咸則莊、騷，謂非土地使然與。（註八五）

柳宗元此時之作大體抒寫貶謫生活和對湘、粵山水的欣賞，時時流露出憤懣不平的情緒，與屈原作品的精神相通，遊歷生活擴大作家的生活面，大自然的壯色改造了文風。

除了地理外，他也觀察到物產的影響。他指出：

由於材美，材美視乎土宜，故美術以地爲區分。（註八六）地域物產的不同，使美術、文學也就相應的產生差異。例如：

曲分南北，自昔然矣。然南劇之調多本於詞，而北劇之調鮮本於詞，其故何哉？昔唐人祖孝孫有言，梁陳舊樂用吳楚之音，周齊舊樂涉胡戎之技，樂分南北，分析昭然。所謂音雜胡戎者，皆北方之樂也，自是以後胡角之音漸輸中國，而隋煬之世復有涼州、伊州、甘州、渭州四曲，由西域輸華，而四夷之樂析爲九部，播爲聲歌，夷樂之興自此始矣。隋唐以降，北方之樂，胡漢雜淆，惟南方之地，古樂稍存；唐宋之詞雖失古音，然源出樂府鮮雜夷樂之音。宋元以降，南劇起於南方，南方爲古樂僅存之地，以調之出於古樂府也，故其調亦多出於詞；北劇起於北方，北方爲胡樂盛行之地，故音雜胡樂，而其調鮮出於詞。（註八七）

反覆申論南北劇曲差異，各擅勝場，實與土宜物阜相關。

此外，人文地理亦對文學產生巨大影響，他以爲：

俗字從人，由於在下者之嗜欲也；風字訓教，由於在上者之教化也。（註八八）

他指出「俗」是人的本性受自然地理的影響而形成的特徵，而「風」則是人文地理的反映，所以，各地政治、文化、學術等不同對文風藝術等都產生影響。在文風上，

東漢文人，咸生北土，且當此之時，士崇儒術，縱橫之學，屏絕不觀；騷經之文，治者亦鮮，故所作之文，偏於記事析理，而騁辭抒情之作，嗣響無人。（註八九）

東漢之時，「自光武中年以後，干戈稍戢，專事經學，自是其風世篤焉。其服儒術，稱先生，遊庠序，聚黌塾者，蓋布之於邦域矣」（註九〇），正是在這種政教基礎上，民風崇尚儒術，其文學風貌也就與以往大異其趣。是以程千帆曾指出：

文學中方與色彩，細析之，猶有先天後天之異。所謂先天者，……原乎自然地理者也。所謂後天者，……原乎人文地理者也。前者為其根本，後者尤多蕃變，蓋雖山川風氣為其大齊，而政教俗時有薰染；山川經古若是，而政教與日俱新也。凡劉君（劉師培）所論文學南北之異，執此以繩，無不可解。（註九一）

在藝術上，南北差異十分明顯。如書法，南派多逞姿媚「以圓為貴」；北派筆力勁直「以方為貴」。這是因為：

南人簡曠標清遠之風，北學拘墟守莊嚴之度，以言乎書法，則南人長於書帖，北人長於書碑。南派疏放妍妙，行草之體盛行……北派直質謹嚴，筆多波磔……故筆法勁正，圓寓於方。（註九二）

從這種「北直南媚」、「北方南圓」的不同神韻中，不難看出南北方文化不同，對書法藝術的影響，正是在這影響下，書法史上出現「南帖北碑」的現象。藝術如此，文學亦莫不然，如「悲哀剛勁，洵乎北方之音……，南文……采摘豔辭，纖冶傷雅」（註九三）即是其例。

後來，隨著南北民族的融合，經濟、文化等的發展與交流，逐漸突破地理的阻隔，社會呈現更為豐富複雜，多彩多姿的面貌，也導致了文學多元化、綜合性的發展。所以，程千帆曾評劉師培文學地域論道：

劉君此論，重在闡明南北之始即有異，而未暇陳說其終則漸同，古則異多同少，異中見同；今則同多異少，同中見異。此其今古之殊，亦論吾華文學發展之地理因素所不可忽者也。（註九四）

雖然劉師培也曾看到「由北趨南」、「折衷南體北體之間」的現象，但在〈南北文學不同論〉中有些劃分仍嫌專決。至劉師培任教北大，在《漢魏六朝專家文研究》中說：

若必謂南北不同，則亦只六朝時代爲然。

又說：

周隋之際，南北又趨混一，準是以言，則南北固非判若鴻溝耳。（註九五）

這種補充，當可彌縫《南北文學不同論》中的不足。

中國文學或隱或顯地體現出地域特色，劉師培能從文學地域角度，探究中國文學豐富的內容、淵源及演變，在文學理論史上有其特殊意義。

綜上所述，劉師培的文學觀點，主要表現在駢儷爲文之正軌上，劉師培身處於五四運動前夕，這時新文化運動正在醞釀，白話文代替古文的趨勢已不可抗拒，他在這種形勢下還想恢復駢文的地位，當然是不自量力。但是，他又進步地倡議白話文，自覺地撰寫白話文，他的主張又正與當時思潮相諧，在當時所起的作用，自是不能低估。而他的文學觀中新穎創發與議論開闊之處，在於注重文學形式，特別是文學語言要求經過加工美飾；同時，在文學內容上，强調文學思想性。此外，在考察分析歷代作家、作品時，從時代、地域兩方面來闡述，窮源溯本，討論其所以然，在比較中找出他們對前人成果的繼承與發展，指出他們的歷史淵源，從其理論上來看，具有很高的參考價值；從其方法運用上來看，頗具科學性、整體性，對研究文學理論具有開拓性。

【附註】

註一　〈甲辰年自述詩〉，《警鐘日報》光緒三十年九月七日

註二　錢基博《現代中國文學史》上編古文學，頁一〇二。

註三　南桂馨序，見《遺書》第一冊，頁三九。

註四　鄭振鐸〈新世紀的文學〉，見《文學大綱》下第四十六章，頁二四〇。

註五　同註二。

註六　〈中國文學教科書〉第一冊序例，《遺書》第四冊，頁二四〇一。

註七　〈文章原始〉，《遺書・左盦外集》卷十三，第三冊，頁一八八九。

註八　〈文說〉和聲篇第三，《遺書》第二冊，頁八三九。

註九　〈論文雜記〉，《遺書》第二冊，頁八五一。

註一〇　同上註。

註一一　同註七。

註一二　〈論美術與徵實之學不同〉，《遺書・左盦外集》卷十三，第二冊，頁一八七八。

註一三　〈文說〉耀采篇第四，《遺書》第二冊，頁八四三。

註一四　同註九，頁八五四。

註一五　同上註。

註一六　同註七，頁一八九〇。

註一七　〈廣阮氏文言說〉，《遺書・左盦集》卷八，第三冊，頁一五一九。

註一八　同註六。

註一九　〈文說〉析字篇第一，《遺書》第二冊，頁八三七。

註二〇　同上註，耀采篇第四，頁八四三。

註二一　同註九，頁八六三。

註二二　同註二〇。

註二三　〈論近世文學之變遷〉，《遺書・左盦外集》卷十三，第三冊，頁一八九二。

註二四　同註九，頁八六〇—一。

註二五　同上註。

註二六　同註二三。

註二七　同上註。

註二八　〈文質與顯晦〉，《漢魏六朝專家文研究》十三，頁四一。

註二九　〈神似與形似〉，《漢魏六朝專家文研究》十二，頁四〇。

註三〇　〈廣阮氏文言說〉，《遺書・左盦集》卷八，第三冊，頁一五一九。

註三一　〈論文雜記〉，《遺書》第二冊，頁八五三。

註三二　〈文說〉耀采篇，《遺書》第二冊，頁八四三。

註三三　錢鍾書語，《管錐篇》第四冊，頁一四七五。

註三四　蕭統編成《文選》後，至隋代蕭統侄子蕭該著《文選音義》，訓注家先後繼起，逐漸形成一種專門學問——「文選學」。《文選》的研究從隋代開始一直以揚州為研究重鎮，曹憲在此講學並建「文選樓」。他所著《文選音義》受時人推重，他是最早以《文選》為教本者，從他學《文選》的學生，如許淹、李善、公孫羅、魏模、模之子景倩等著名學者，均為揚州人士。清代乾隆二十二年，明定鄉會試中增五言八韻詩一首，於是天下嚮風藝林，駢文復興，「文選學」發展鼎盛，尤以阮元對「文選學」推動不遺餘力，曾以其家廟西地建「隋文選樓」，以祀曹憲等七人，並主持選編《文選樓叢書》，共收書三十餘種，以與桐城派爭「文統」。阮氏主持風會數十年，在揚州倡行《文選》，貢獻深遠。焦循說：「揚州文學如曹李之於《文選》，二徐之於《說文》，此二書為萬古之精華，而揚州曳之為天下學者之性命」（見薛傳均《文選古字通證序》引）做為揚州學派殿軍的劉師培，一向注重表彰鄉邦前賢，以教育後人，這是他文學觀的歷史與地緣淵源。

註三五　楚卿〈論文學上小說之立置〉，《中國歷代文論選》第四冊，頁二三七。
註三六　梁啓超《小說叢話》，據阿英《晚清文學叢鈔小說戲曲研究卷》。
註三七　轉引自司馬長風《中國新文學史》第一章，頁十七。
註三八　同註七，頁一八九一。
註三九　同註九，頁八五四。
註四〇　同註九，頁八五一。
註四一　〈論白話報與中國前途之關係〉，《警鐘日報》光緒三十年四月五日。
註四二　〈中國文字流弊論〉，《遺書・左盦外集》卷六，第三冊，一六八四。
註四三　同註四一。
註四四　〈國文雜記〉，《遺書・左盦外集》卷十三，第三冊，頁一〇九四。
註四五　同註四一。
註四六　同註九，頁八五一。
註四七　同註四一。
註四八　同註四一。
註四九　〈音韻反切近於字母〉，《遺書・讀書隨筆》第四冊，頁二二〇六。

註五〇　〈論國文之教授法〉，《警鐘日報》光緒三十年十一月七日。

註五一　李瑞騰《晚清文學思想之研究》，頁九一。

註五二　胡適〈文學改良芻議〉說：「白話文學之爲中國文學之正宗，又爲將來文學必用之利器。」，《新青年》二卷五號。陳獨秀〈文學革命論〉說：「曰，推倒雕琢的、阿諛的貴族文學，建設平易的、抒情的國民文學；曰，推倒陳腐的、舖張的古典文學，建設新鮮的、立誠的寫實文學；曰，推倒迂晦的、艱澀的山林文學，建設明了的、通俗的社會文學。」，《新青年》二卷六號。錢玄同也主張：「白話是文學的正宗，正是要用質樸的文章去鏟除階級制度裏的野蠻款式。」「腐臭的舊文學，應該極端驅除，淘汰淨盡，才能使新基礎穩固。」，《〈中國新文學大系〉建設理論集〈嘗試集〉序》，他們明確提出反對舊文學，反對文言文，提倡白話文。

註五三　同註九，頁八五五。

註五四　同註二，頁一〇七。

註五五　《章氏遺書・雜說》，轉引自《文史通義校注》，頁七六。

註五六　同上註，頁八四。

註五七　同註五五。

註五八　鄭玄《詩譜序》。

註五九　《漢書・藝文志諸子略》。

註六〇　同註九，頁八五五。

註六一　《河東先生集》(二)，卷二十七。

註六二　《河東先生集》(二)，卷二十九。

註六三　林紓《韓柳文研究法柳文研究法》。

註六四　《河東先生集》(一)，卷四。

註六五　劉熙載〈文概〉，《藝概》卷一，頁二四。

註六六　鍾嶸《詩品注》卷中。

註六七　蕭統《文選序》。

註六八　蘇軾〈與蘇轍書〉。

註六九　見《陶淵明詩文彙評》，頁一〇二、二〇三。

註七〇　章學誠〈詩話〉，《文史通義校注》卷五內篇五，頁五五九。

註七一　劉克莊〈後村詩話〉，見《後村先生大全集》。

註七二　馮煦《宋六十家詞選》例言。

註七三　葛曉音〈儲光羲和他的田園詩〉，《漢唐文學的嬗變》，頁三七三、三七六。

註七四　同註九，頁八五六—七。

註七五　同註九，頁八五六。

註七六　俞樾《九九消夏錄》云：「凡事皆言南北，不言東西，何也？蓋自鄭君說《禹貢》導山，有陽列陰列之名，後世遂分為南北二條：南條之水江為大，北條之水河為大。西北之地皆河所環抱，東南之地皆江所環抱。南北之分，實江河大勢使然，風尚因之異也。」

註七七　〈南北學派不同論〉總論，《遺書》第一冊，頁六五九。

註七八　程千帆《文論十箋》，頁一二二。

註七九　〈南北文學不同論〉，《遺書》第一冊，頁六七〇。

註八〇　劉勰《文心雕龍・物色篇》，見王更生《文心雕龍讀本》下，頁三〇三。

註八一　同註七九。

註八二　王國維〈屈子文學之精神〉，《中國近代文論選》，頁七七四。

註八三　班固〈離騷序〉，引自王逸《楚辭章句》。

註八四　朱熹《楚辭集注序》。

註八五　同註七九，頁六七二。

註八六　〈論美術援地而區〉，《遺書・左盦外集》卷十三，第三冊，頁一八八〇。

註八七　〈論文雜記〉，《遺書》第二冊，頁八六一。

註八八　同註七七。

註八九　同註七九，頁六七一。

註九〇　《後漢書・儒林傳論》。
註九一　同註七八，頁一二四。
註九二　〈中國美術學變遷論〉，《遺書・左盦外集》卷十三，第三冊，頁一八七六。
註九三　同註七九，頁六七一。
註九四　同註七八，頁一二五。
註九五　〈論研究文學不可爲地理及時代之見所囿〉，《漢魏六朝專家文研究》十六，頁五一。

第五章　劉師培的創作論

創作本不應有固定成法，卻也非全然無法，雖然我國有關文學創作理論，歷來不乏精深之見（註一），不過一般仍普遍存著「文章千古事，得失寸心知」、「可以意會，而不可言傳，神而明之，存乎其人」的觀點，劉師培對於這種：

於萬事萬物皆知其所當然，不知其所以然，以爲古人之文如此，吾文亦可如此，而於古人之文所以如此者，茫然不解。（註二）

他認爲是「非眞知也，直覺性已耳」（註三）的創作方式，十分不科學，尤其對那些淺陋迂拘之人所謂：

中國之文向無一定之法，其通也非由於師之敎也，直由看書多而能會意耳。（註四）

凡此類持論，他一概斥之爲「難與商進化」！於是，劉師培在評論作家、作品及探討文學源流中，往往把其中孕藏的創作理論、技巧等分析出，說明其所以然，以供人創作時參考。劉師培的創作論，歸納所得，有下列幾方面。

第一節　創作基礎

一、作家修養

文學創作和作家分不開，作家要創作出優秀的文學作品，必須具備一定的修養，關於作家修養，自來有天分與學力的不同看法（註五）。劉師培則認爲作家的學力尤爲重要。他說：

凡學爲文章，與其推崇天才，勿寧信賴學力。庸流所奉爲才子派者，實不足爲楷式也。（註六）

又說：

文原於學，汲古既深，摛辭斯美，所謂讀千賦者自善賦也。（註七）

明白表示縱有美質天成，也要不斷自我鍛鍊，不斷自我學習，這說明文章不是單單的反映客觀事物，而是作家創作藝術高度升華的表現，劉師培强調多學博取與創作的關係，確是經驗之談。

對於「學爲文章」者來說，在學養的準備，於「頤情志於典墳」時，需認眞學習典範作品，從中吸取營養，以豐富表達能力。他指出：

中國國文之最宜講明者，在於字與字相配成句之義，此法不明，必不可先使之作文。而中國腐儒，動言神而明之，存乎其人，又曰不可以言傳，斯言也，非誤盡天下青年不止！《孟子》離婁之明、公輸子之巧，不以規矩不能成方圓；師曠之聰，不以六律不能正五音，則規矩果可廢歟？不言規矩而言神韻，此皆淺儒藉此言以藏其拙者也！（註八）

由上可知，學文先要有所規範，有法可依，有助學者認識文章模式，這種善於向人學習「規矩方圓」的精神，正是提高本身創作水準的一條重要途徑。在這方面他舉許多例證，幾乎可以說歷代著名作家從事創作都來自學習，如：「班固之文多出自《詩》《書》《春秋》」（註九）「江文通之文，得力於《楚辭》《九歌》者甚深」（註一〇）；「望溪方氏摹仿歐曾，明於呼應頓挫之法……桐城文士多學之，海內人士亦震其名」（註一一）等等，他們對眾所公認的文采煥然的優秀作品，加以權衡吸取，而有創造性的發展。在此意義上，「學力」的培養是符合學習規律的。

二、取法步驟

劉師培重視創作法度，而獲得法度，首先是要善於取法，因爲：

取法得宜，進益必速，故不可不慎也。（註一二）

取法爲創作必要途徑，取法雅製，才有推陳出新的根源。對於這點，他列舉了許多例證，如：

汪容甫中爲清代名家，而繹其所取法者，亦祇《三國志》、《後漢書》、沈約、任昉四家而已。（註一三）

賈誼《新書》取法韓非，則法家之流也。……班固《漢書》不獨表志紀序取法經說，即傳贊亦莫不爾。（註一四）

欲求文質得中，必博觀東漢之文，以蔡中郎諸人爲法，乃可成家。（註一五）

所以，他一再勸導人創作前學習和取法前哲作品。但是，如何取法前哲？向古代作品取法什麼？劉師培詳細討論了這個問題。他把取法分爲兩部分：一是形似，一是神似。他說：

近人論文，謂模擬一代或一家之文，不主形似，但求神似，此實虛無縹渺，似是而非之論。蓋形體不全，神將奚附？必須形似乃能羼然不辨，此固非工候未至者所能贊一詞也。（註一六）

他認爲第一步在「形似」上，即是在形式上應注意從學習對象上，揣摩其講求章法句法，色澤勻稱，聲律調諧等方法，重要的是於「轉折貫串猶須注意」，然後「乃能略得形似」（註一七）也就是在文章形式上先學得其行文特色。當然取法並不是生搬硬套，機械模仿，而是要留意前人如何謀篇組織，聯絡統一、主次先後等。劉師培認爲在形式上學習，不是呆板畫圖或機械鑄物，既不能純任自然，信手寫去，也不能拘守公式，反客爲主。第二步「神似」，劉師培認爲文學作品的缺點不在追求藝術技巧，而在沒有思想精神，試看某些六朝文缺點即在「世極迍邅而辭意夷泰」（註一八）所以在取法時，於內容上就必須：

從短篇及單純之意思入手，而徐進於長篇及複雜之意思。（註一九）

比如：

又說：

顏延年之文，亦可以爲士衡之貳。不獨鍊句似陸，即風韻亦酷肖之。

江文通之文，得力於《楚辭》《九歌》者甚深……可知摹擬一家之文，必得其神理風韻，乃能得其骨髓。（註二〇）

試觀江淹《恨賦》極寫古人因不稱其情，飲恨而死的悲嘆，尤其文中對「才人」「高士」的描寫，寫他們有志不得伸，內心嚮往自主命運的要求，不僅體現作者自悲不遇之情，且作者藉歷史人物反思，探究其不幸命運之所以然，引古人爲同懷。江淹的這種深沉喟嘆與情感體味，如與《離騷》《九歌》等加以對照，像《離騷》中說：「汨余若將不及兮，恐年歲之不吾與。……日月忽其不淹兮，春與秋其代序。……老冉冉其將至兮，恐脩名之不立。」《九章・悲回風》：「歲曶曶其若頹兮，時亦冉冉而將至，薠蘅槁而節離兮，芳已歇而不比。」又《遠遊》：「恐天時之代序兮，耀靈曄而又征。微霜降而下淪兮，悼芳草之先零。聊仿佯而逍遙兮，永歷年而無成。」《九歌》：「時不可再得，聊逍遙兮容與」等等。二者不僅文辭雋麗，音韻婉轉，善於以景托情外，更可從其內在精神上如嗟老嘆時，傷盛年易逝等尋繹出二者相似之處，足見江淹之文與《楚辭》諸篇的相似之處，這就是劉師培所謂從「意思入手」，以得其「神理風韻」的道理。如此一來，則「形似既具，精神自生」。劉師培對於這兩種取法方法，沒有上下之分，好壞之別，而認爲應相輔相成，《周易・繫辭》亦說：「擬之而後言，議之而後動，擬議以成其變化」，所以，摹古取法即是在「溫故以知新」，這是他文學創作的積極主張。

其次，注意性情。由於人受「天賦所限，不可強求」（註二一），在取法前人要以專門名家為主，劉師培說：

古人能成家必有專主，無所專主，必致駁雜。（註二二）

取法專門名家始能學有所獲，同時，必須留意一己之性情與專門名家之性情吻合，始能潛心玩索，庶幾眞有所得。所以在選擇專門名家時，就應該：

宜各就性之所近，專攻一家。（註二三）

以避免強己所能之病。在劉師培看來，學力與性情應相輔而行，他以歷代名家爲例說：

模擬古人之文須先溝通其性情之相近，若不溝通，則無妨恝置。王半山、黃山谷學杜俱能得其一體，故能流傳於後。若明前七子之詩雖不甚劣，而其文章則撏撦《莊》、《荀》、《史記》之調而溝通之，所以不足道也。（註二四）

人之稟賦不同，有能有不能，所以，「子美不能爲太白之飄逸，太白不能爲子美之沉鬱」（註二五），當取法與性情二者相互配合時則「必有創獲」，否則爲學而學，「徒致力於造句鍊字之微，多見其捨本逐末而已」（註二六）則學習膚廓，徒費力氣，明代七子就是好的例證。

再次，追溯名家流別。劉師培認爲凡學一家之文，應窮源至委，竟其流別，以見其平生所得。他說：

故研究一家之文於本人之外，尚須作窮源竟流功夫。如研究阮嗣宗當溯源於陳琳阮瑀，推而上

之，更可考及彌衡。又如張平子文頗得宋玉之高華，在當時無影響，而能下啓建安作風，不

考平子無以知建安，亦猶不考琳瑀無以知嗣宗耳。（註二七）

藉由於考鏡源流，觀察作品思想、題材、謀篇、技巧、風格等來源。所以，劉師培在《漢魏六朝專家文研究》中，每論及一家創作，都要指出其取法於何人，譬如論潘安仁說：

潘安仁清綺自然之文及下筆轉圜之處，實由王仲宣開之。（註二八）

評傅亮任昉說：

其詞令雋妙，蓋得力於《左傳》《國語》，宜探其淵源，以究其修辭之術。（註二九）

評論蔡邕說：

蔡伯喈之文亦純爲儒家，其碑銘頌贊固多採用經說，即論事之文亦取法《春秋繁露》，而文章之重規疊矩，則又胎息於荀子《禮論》《樂論》，故雖明白顯露，而文章自然含蘊不盡。（註三〇）

又說陸機、潘安仁二家：

研究陸潘二家者，於本集外尚須涉覽顏謝之文，以究其相因之迹。（註三一）

「究其修辭之術」、「探其淵源」、「究其相因之迹」等是其沿流溯源的目的，如此一來「上下貫通，乃克參透一家眞相」（註三二），理解其自成一家面貌之關鍵處。

此外，他認爲：

自漢迄唐，可提出研究者甚多，而治一家者固不能不旁及，（如任沈可合觀，徐庾可合觀，又研究陸士衡可溯及蔡中郎之類。）治一代者亦不能不遍觀，治一家宜擷其特長（如蔡中郎之碑銘，迥非並時文人所及。）治一代貴得其會通（各期之間變遷甚多，同在一代每有相同之點。）抉擇去取，要須以各人之體性才略爲斷耳。（註三三）

這裏所說「旁及」、「遍觀」、「會通」，並非倡導毫無選擇地盲目泛學前人作品，而是與專門名家相近相類者，或承襲者做貫連體會，庶幾可達以取法始，以成家終之目的。

最後，從創作態度上說，劉師培力主變化創新，反對因襲。他說：

於當代因襲舊體之際，倘能不落窠白，獨創新格；或於舉世革新之後，而能力挽狂瀾，篤守舊範者，必皆超軼流俗之士也。（註三四）

又說：

學一家之文，不必字摹句擬，而當有所變化。（註三五）

可見，以「取法」與「變化」二者比較而言，劉師培強調「變化」的重要，創作要能發揮作家的創造性，才有可能制勝文苑，否則「若無新意……鮮不令人掩卷憒憒者」（註三六），至於「變化」有二，一爲創新格，另闢蹊徑，而超越前人樊籬者，如：

子山能情文相生，且自知變化。（註三七）

彌正平之在東漢，遠遜孔融、蔡邕，而其文變含蓄爲馳騁，全異東漢作風，故能見重當時。（註三八）一爲守舊範，不隨風尙，而獨標古義者，如：

凡能自成一家者，如《論衡》、《潛夫論》、《申鑒》、《中論》之類，亦能取法於諸子，不雜排偶之詞，《論衡》語意尤淺，其文在兩漢中殆別成一體者也。（註三九）

足以證明「名家作文，往往盡屏常言，自具抒柚。」（註四〇）向古人學習，又不被古人創作所束縛，並加以革新和改造，吸取精華，去其糟粕，因而贏得可觀成果。

對於模擬剽襲者，他以爲：

若必擬典謨以矜奇，用古字以立異，無異投毛血於殽核之內，綴皮葉於衣袂之中，即使臻極，亦只前後七子之續而已！（註四一）

尊法古人，本是爲了達變，然而作品缺少獨創性，顯得平庸，自然談不上吸引人。觀當時明代前後七子，如李夢陽、王世貞者流，爲文「遠擬典謨，近襲秦漢」（註四二），陷於摹古的藩籬中，食古不化，徒具形貌，失其精神，迷失寫作方向，絕難傳之不朽。從劉師培一面注重取法，一面又同時倡導要有變化創意來看，他是認爲學習先要入法有法，然後再進一步求破法變法，以達到創作上的高峰，他的觀點符合了學習層次性的要求。

三、取法標準

至於取法的專門名家，劉師培以爲當以漢魏六朝文學爲斷。他指出：

> 中國文學之敝，皆自唐宋以後始。例如流俗文章中於官名地名，喜比附古人近似之名詞以相替代，此皆自唐之啓判，宋之四六開其端，即徐庾之文尚不至此。清代應制之書啓賀表染其流毒，喜用幫襯之名詞，所用之字亦似通非通，民國以來普通之電報書札，亦與前清無別，此弊皆唐宋應酬干祿之文字肇之，漢魏六朝之文學固不可與此並論也。（註四三）

這說明唐宋以來文字日趨冗濫，尚好粉飾，沿用成習「非特於文有累，且致文格不高」（註四四）。其他在文體方面，亦是「唐以後文章訛變失體」（註四五）在謀篇組織上亦復如此（註四六）。唐宋以來文章徒然徵材聚事，爲文不過逞雕蟲之技，而其中情理貧瘠，辭采詭濫，實不足成爲取法對象。而漢魏六朝以前則不然，那是因爲：

> 自漢魏以迄晉宋，文章雖有優劣，而絕少夸浮。及齊梁競尚藻采，浮詞因以日滋，下逮李唐，益爲加厲。（註四七）

即使是：

> 隋迄初唐，習尚未改，扇徐庾之餘韻，標四傑之新聲，雖亦綺錯紛披，而江左之氣骨猶在。（註四八）

由此可知，劉師培取法標準是，學文者：應以情辭合契者爲選擇對象，好的作品除了體現「綺錯紛披」的辭采，更要函藏「氣骨猶在」的情實，內容與形式並重，始足資取法，也才是學習的積極歸趣。

第二節　創作技巧

劉師培重視文章法度，所以認為：「抒柚篇章，豈為易事」（註四九），想要創作優秀作品，創作技巧斷不可忽，因為「若術不素定，而委心逐辭，異端叢至，駢贅必多」（註五〇）。至其創作技巧，則可自命意、謀篇、字句、音節四方面得之。

一、命意

一篇文章不論寫人或記事，不管寫景或抒情，更不論何種文體，總要表現作者的觀點態度和寫作意圖，即是文中必須有個主題，有個中心，也是一般所稱的「主題」或「中心思想」，所以劉師培說：

必先樹意以定篇，始可安章而宅句。（註五一）

「中心思想」是文章的靈魂和統帥，他這說法固然是繼承前人的意見。不過，他所說的「意」尚有更豐富的含義，即文章中寄託著作者的情意或觀感。他談到《史記》創作成就時曾認為：

《史記》雖為記事之書，而一切人物皆由己意發揮。如〈遊俠〉〈刺客〉二傳，所以反映當時之人不如郭解荊軻；〈貨殖列傳〉所以針對〈平準書〉，以見取民之法猶甚於貿易，與紀表之惟存古制並無深意者迥不相同。至於〈封禪書〉所以與〈禮書〉分立者，一以抒己意，一以存古制而已。此外如世家首〈泰伯〉，列傳首〈伯夷〉，而列傳之題或以姓稱，或以名標，或以字標，或以官標，雖並記事實而各有進退，可知《史記》之文主觀固不減於客觀也。後世文學所以不及《史記》者，以其題在意先，就題爲文，屬於唯物的文學；《史記》則意在題先，借題發揮，屬於唯心的文學。唯心能歸納，唯物只能演繹，《史記》八書，皆先定主意，而後借古今事實以行文。以視《漢書》八志，體裁雖同，而作法則殊。蓋《漢書》爲存一代之掌故，以記事淵茂，敘述得法爲主，故記五行即就五行立言，記天文即依天文爲說。《史記》欲借事立言，以發揮意見爲主，如〈禮書〉本於荀卿〈禮論〉，〈樂書〉出自《禮記樂記》，明其對於禮樂之意見，與《荀子》《禮記》相同也。《漢書》以下，客觀益多，降及六朝，史自史而我自我，等於官書，毫無主觀之致矣。（註五二）

他推崇司馬遷的文章「意在筆先」、「借題發揮」，這就是他所說的「唯心的文學」，又稱爲「主觀的文學」。他認爲作家通過對文章所寫的人物、事理和現象的綜合考察分析後，用事實或景象自然體現出來，而「主題」「思想」蘊含在材料中，不顯露於外，像這樣通過寫人、敘事、形象來發揮「意」的作品，讀後發人深省，餘味無窮，經得起思考和玩味，所以，由作家情思升華出的作品，則更是劉師培所强調的，現在不妨看看司馬遷的作品。

在〈刺客列傳〉中，雖然刺客們在一時的抗擊中失敗，但他們爲正義而奮不顧身的精神卻感人至深，他們懷胸大志，銳意進取，在生前沒有成功，卻在死後影響巨大。像不避九死一生反抗暴政的刺客荊軻，刺秦王不死，反為秦王所殺，所以司馬遷對荊軻等人給予崇高的頌贊：「其義或成或不成，然其立意較然，不欺其志，名垂後世，豈妄也哉！」（註五三）司馬遷主張以「仁義」治國，所以，〈遊俠列傳〉一面對剝削和奴役人民的惡行，給予有力揭發：「何知仁義，已饗其利者為有德」，並借莊子之言說：「竊鈎者誅，竊國者侯，侯之門仁義存」（註五四），一針見血地抨擊上位者高喊「仁義」的虛偽性。另一面描寫像俠士郭解斷曲直不護親戚，亡命天涯不願累及他人，光明磊落地留下去向地址的那種「高義」。在這些人物身上都傾注了司馬遷的無限情懷，處在冷酷無助中的司馬遷期望出現大膽反抗專制的鬥士，超出勢利之上的摯友，為苦難中的人們伸張正義的義俠，所以，他把目光投向歷史，將自己的情思貫注歷史人物身上。再者，司馬遷繼承荀子的天人觀，注重人事，排斥怪異，於歷代的興亡盛衰，他的看法是：「非兵不强，非德不昌，黃帝、湯、武以興，桀紂二世以崩，可不慎歟！」他從人的行為來探求原因，排斥天的意志，並進一步闡明「禮義」是天下成敗興壞的關鍵，禮義之道「王公由之，所以一天下、臣諸侯也；弗由之，所以捐社稷也。」（註五五）而他在〈封禪書〉中秉筆直書的記下在漢代盛行一時的現象：封禪、祭祀、尋仙、祀神等活動以及其儀式和所用器具，以便「後有君子，得以覽焉」（註五六）。綜上所述，可見《史記》並不囿於單純客觀的記述和敘述的記事記言，而是注入了司馬遷本人的生活經歷及感受，並由此體察社會和人生，這種寓感事於敘事中的創作，正是劉師培所贊許的「能以心馭事，非如後世之心為事役」（註五七），也正是《史記》的長處不同於後世史書「史自史而我自我」「毫無主觀之致」。

此外，劉師培還指出「潘安仁之誄文……非客觀所能有」（註五八）。譬如潘氏〈悼亡賦〉雖是嘆妻子遭逢舛蹇不幸的一生，實爲悲一己人生辛酸與苦悲；〈金鹿哀辭〉則對命運發出淒切的責問；〈夏侯常侍誄〉則物傷其類，哀感自己因才學反遭世嫉，以致仕途坎坷等等。所以，劉師培稱潘氏之文「獨步當時，見稱後代」（註五九），這與劉勰稱潘氏之哀誄文「慮善辭變，情洞苦悲……莫之或繼」（註六〇）的說法是一致的，他二人同尊崇「借事立言，以發揮意見爲主」之文。

雖然並非所有作品都要寄寓作者主觀情思，像是：

墓誌碑銘重在死者，……蔡中郎擅長碑銘，故客觀之文學多。至於唐宋八家之文，作墓誌而附加己意，未免乖體。議論之文亦非盡主觀，如顧歡夷夏器等，專以實在之事理爲主，不悉以己意爲憑，殆屬客觀文學。（註六一）

可見只要「相體而施」，他認爲「主觀」「客觀」的創作都能產生佳作，不過，在哀弔、論辨、傳記之作，他特別强調：

如情文相生之哀弔、校練名理之論辨、援事抒意之傳記，固應以唯心爲尚也。（註六二）

這是因爲不論是敘事或議論或抒情的文章，都飽含作家的一種或情感、或發現、或預見，不直接表露，一語道破，令人由作品中悟出其隱義奧秘與情意，以造成文章命意的深妙新奇。

二、諜篇

所謂謀篇，就是文章的結構。文章結構自古以來又有「篇法」、「章法」、「格局」等不同名稱。作家提煉思想觀點後，則需考慮謀篇大略，布局細端，以表達連貫而完整的思想，以「彌綸一篇」（註六三）。而不講求謀篇，在劉師培看來是「爲文之大忌」，他指出：

古人作文最重文思。文思不熟，雖深於文者亦難應手，文至不應手時，即不免於雜湊。（註六四）

他說的「文思」就是文章的謀篇之思，所以，他十分重視文章謀篇的研究，他說：

無論研究何家之文，首當探其謀篇之術。謀篇者，先定格局之謂也。（註六五）

應如何謀篇？綜合他的說法，可從層次、首尾、轉折、繁簡四點來說明。

㈠層次要清晰。寫文章時層次要有條不紊，條理井然，才能順利展開思路，細緻嚴密考慮問題，環環緊扣，步步深入，有效表達思想，不致造成疏漏、重複或累贅、糾纏。所以，劉師培以「整」字爲學文入手的要件，因爲：

整者層次清楚，段落分明之謂。……無論何派何體，亦未有次序零亂而可成家者，此貴整之義也。（註六六）

他認爲「徐陵、庾信所以超出流俗者，……次序謹嚴。」（註六七）而嵇康之文，「前無古人後無來者」之因，即在於：

持論連貫，條理秩然，非特文自彼作，意亦由其自創。其獨到之處，在條理分明……。（註六

八）

可見謀篇的重要性，尤其研究名家之文自當專攻乎此。

㈡首尾要得體。首尾得體，就是有頭有尾有軀幹，且頭尾應該與軀體相稱。他論陸機文時說：

今人評騭士衡之得失，每推崇其鍊句布采，不知陸文最精彩處……宜看其首尾貫串及段落分明處，至鍊句布采，猶其餘事也。（註六九）

而嵇康之文另一獨到之處也就在「首尾相應」（註七〇），可知文章的首尾連貫，才足以使中心突出，因此，他說：

果能得其胎息，則文無往而不達，理雖深而可顯。（註七一）

㈢轉折要緊密。轉折即是過渡，在創作構思時，將文章分成若干層次或段落，這是「剪碎」，把這若干層次或段落組織起來，這是「湊成」，因此段落之間銜接緊密，過渡自然，前後呼應，才能使全篇連貫成爲一個有機體。「過渡」，劉師培稱爲「轉折」，它是層次與層次，段與段之間的「橋樑」，常是上文關照下文或銜接上下文，轉折得好，能使文章氣勢貫通，結構嚴謹。不過，他認爲：

大抵魏晉以後之文，凡兩段相接處皆有轉折之跡可尋，而漢人之文，不論有韻無韻，皆能轉折自然，不著痕跡。（註七二）

這是說在兩漢以前的作品較側重內容上的聯繫，所以不著痕跡，是上乘之作，如「《史記》《漢書》前後相接之處，如藕斷絲連，若絕若續。」（註七三），然而魏晉以下則側重於形式上銜接，試看：

然自魏晉以後，文章之轉折，雖名手如陸士衡亦輒用虛字以明層次，降及庾信跡象益顯。……至於其他六朝人之文章，……段落皆甚顯明，即不能稱是，凡作排偶文章，於轉折處之兩聯往往以上聯結前，下聯啓後。此雖非轉折之上乘，但勉強差可。若每段必加虛字，或一篇分成數段（如作壽序分為幼年中年晚年之類），不能貫成一氣，則品斯下矣。（註七四）

蓋文章固應有段，而篇篇皆可劃出即不甚佳。（註七五）

因為轉折不僅是個技巧問題，而且與作家對事理的理解及其思路的緊密相關，所以他說：

比如：

清代常州駢文甚為發達，而每篇常用數字分段，此即才力不足徵。（註七六）

至於，

不用虛字則不能轉折（如事之較後者必用「既而」「然後」，另起一段者必用「若夫」之類）

不分段落則不能清晰。（註七七）

凡此種種，均為轉折中的下下者。就劉師培所論，可知要提高轉折技巧，尚須從思想修養與鍛鍊思路入手，這些地方，最堪後學玩味。

㈣繁簡要得當。文章講究繁簡，可突出文章主題，輕重分明，主從清楚；而在行文格局上則可使文章波瀾起伏，活潑多姿，作家臨文謀篇時，應從作品主題出發，與主題相關者，為所重之處要詳要繁；與主題無關者應略應簡，對此問題劉師培分析發人深省，他說：

是知文章取材，實由謀篇而異，非因材料殊異，而後文章不同也。（註七八）

例如：

《史記》〈蕭曹列傳〉歷敘生平，首尾完具……〈管晏列傳〉但載其逸文逸事，凡見於二子之書者皆屛而不敘。至於〈伯夷列傳〉幾全爲議論，事實更少。夫同爲列傳，而體變多方，設非先定篇法，豈能有若許格局？（註七九）

從司馬遷寫的人物傳記可以看出，繁簡詳略的安排，雖從題理而出，但往往因人而異，不拘守定格，像司馬遷這樣在繁簡安排上獨運匠心，是値得後人學習的。所以，劉師培認爲創作時，貴在立言得體，而不在駢羅事實，不肯割愛，轉爲文累。（註八〇）

但是不能膠柱鼓瑟，一味求簡，因爲：

文章亦有不能愛者，如嵇叔夜〈聲無哀樂論〉等……必使心與理合，彌縫莫見其隙，辭共心密，敵人不知所乘。儻不考慮周詳，難免授人以柄。……作碑銘者，如欲歷數生平，宏纖畢備，論事理者，如欲臚陳往跡，小大不遺，必至繁蕪冗長，生氣奄奄，此並不知謀篇之術，而吝於割愛者也。……故必當先定格局，而後選詞屬文，始能篇幅甚長，而不傷於繁冗。（註八一）

這就是說從文章謀篇上講，要力求繁簡搭配，詳略參錯，尤其是篇幅較長的文章，更需要注意這個問題。

三、字句

作品要精彩生動，躍出紙面，使人留下鮮明印象，必須留意字句的選擇運用，只有精確達意，文章才得當有力，不至於雜亂繁冗。劉師培常對前人文章中用字遣句的評述和對不同作家與作品字句斟酌的情況加以比較。如：

《漢書》太初以前之紀傳，多與《史記》相同，然同一敘一事用字之繁簡各異，例如《漢書》〈陳勝列傳〉刪削《史記》〈陳涉世家〉之處甚多。（註八二）

又如：

後世史書所以不及前四史者，即由其「章句不節，言詞莫限」。（註八三）

不過，也有不能增減移易者，如：

《史》《漢》之中凡後人視爲合併者，其文固已合併。但如《史記》〈天官書〉及《漢書》〈五行志〉，文皆本於閱覽之象，必須依據前人記載，不能增減一字，故其文甚繁，不以生動爲尚。（註八四）

可知字句刪節運用得法，則能使文句增色，即是以極儉之筆墨表達出盡可能多的內容，不繁不空，做到言簡意賅「文約而事豐」（註八五）。所以，在創作時，他對字句首先提出要求是「簡鍊」：

在能斂繁就簡，以少傳多，故初學爲文，首宜戒除繁冗。試觀《史記》《漢書》，非特記事之文言簡事賅，即論贊之類，亦並意繁詞鍊。如《史記》〈五帝本紀〉贊及〈孔子世家〉贊皆寥寥數十字，而含意十餘層。……至於《漢書》字句，尤較《史記》精鍊，凡《史記》中有可省者，《漢書》並爲刪削……。惟斂繁就簡之術，非皆下筆自成，實由鍾鍊而致。……必使篇無閒章，章無贅句，句無冗字，乃極簡鍊之能事。（註八六）

這種簡鍊，他稱之爲「潔」，所以說：

文之光彩自潔而生，譬猶鏡爲塵蔽，光自不明，文雜蕪穢，亦必黯淡。（註八七）

試觀〈孔子世家贊〉之文，贊中以「高山仰止，景行行止」八個字就囊括司馬遷對孔子深邃思想，超世人品的無限崇敬和仰慕之情。而於「學者宗之，自天子王侯，中國言六藝者折中於孔子」，寫出孔子的學統與道統地位。此贊語言之簡鍊眞可謂「豐不餘一字，約不失一辭」（註八八），可知，字句簡鍊，是對多餘的淨化，是高度準確的概括。劉師培還曾指出：

……桐城方望溪之文，句句潔淨，後人雖張大義法之說，然其最初法門要由潔淨而入。亦有文章樹義甚高，但因不潔累及全篇者，清代不善學六朝文之作家往往蹈此，可知無論研習何體，尚潔均爲第一義。（註八九）

所以，劉師培特別說明「簡鍊」，「非皆下筆自成，由錘鍊而致」。由此可見，字句的簡鍊，是作家筆墨淨化，功力深化的結果。因此他建議，臨文之際，在用字宅句上，「必須翦裁駁雜，辭采始能調和」（註九〇）且需「鍊句損之又損」（註九一），尤其是「對於字句務求雅馴，汰繁冗，屏浮詞。凡多之無益，少之無損，除文氣盛者間可以氣騁詞外，要宜加以翦截，力從捐省」（註九二），由茲致力，文章庶可光彩自彰。

其次，要求鍛鍊「警策」語言。陸機《文賦》云：「立片言而居要，乃一篇之警策」（註九三），可知「警策」是精闢扼要而含意深切動人的文句，又稱爲「警句」。「警策」的語言可以是一句話，也可以是一段話，是作家千錘百鍊，嘔心瀝血之處，居於全篇關鍵地位，足使全文增輝生色，緣是之故，劉師培認爲：

詞之堪作警策者，删之則氣薄。（註九四）

即是說，文章沒有振奮人心，發人深思的語言，是很難成爲一篇佳作，所以，平淡的作品往往因精彩的警策，全文因而改觀。他指出：

故文有警策則可提起全篇之神，而辭義自顯，音節自高。（註九五）

例如他舉例說：

設陸士衡〈弔魏武帝文〉（《文選》卷六十）及袁彥伯〈三國名臣序贊〉（《文選》卷四十七），去其中間警策之數段，則全篇無生氣。（註九六）

試觀〈弔魏武帝文〉，陸機有感於本身身世浮沉，加之目睹曹操遺令，遂憤懣而寫下這篇哀詞。文中以「彼人事之大造，夫何往而不臻！將覆簣於浚谷，擠爲山乎九天。苟理窮而性盡，豈長算之所研？悟臨川之有悲，固梁木其必顛。……詠歸涂以反旆，登崤澠而揭來。次洛汭而大漸，指六軍曰念哉！

」及「伊君王之赫奕，實終古之所難，威先天而蓋世，力蕩海而拔山。厄奚險而弗濟，敵何强而不殘！……氣衝襟以嗚咽，涕垂睫而汎瀾。違率土以靖寐，戢彌天乎一棺。」（註九七）二段，說明曹操老而彌堅的壯志及途中染疾，臨終時的「雄心摧於弱情，壯圖終於哀志」凄涼悲酸，對比而出，並與前文照應，爲全文最警策之處。如果截然分割其精華，則無法突顯作者所賦予曹操鮮明形象，以及創作意圖及全文情思，反而使全篇氣韻爲之減色，文章失去生命力，由此可知警策的重要性。欲學陸文，劉師培建議：

> 應先得其警策，警策既得，然後從事於鍊句布采，如徒摹擬其字句，而遺其神韻，亦徒得其表而遺其裏耳。（註九八）

可見，警策的語言是思想和技巧的結晶，即是文章「神韻」，又是語言中的花朵，所以，劉師培十分重視錘鍊警策的語言。陸機的作品裏就是有許多警策之語，才能撼動人心，引起共鳴，這就是劉師培說的：

> 陸士衡文則每篇皆有數句警策，將精神提起，使一篇之板者皆活。如圍棋然，方其布子，全局若滯，而一著得氣，通盤皆活。（註九九）

除上述之外，他還以爲行文時字句則當力求「文質相參」，因爲「錘鍊之極，則艱深之文生」，反致「驚彩絕艷之文，格實不高」；然而刻意「務期人盡可曉，則顯而流於淺」，「一淺一深，其弊則同」，二者「均未得其中」（註一〇〇），所以「文質適宜」是造句遣詞應把握的。同時，他又提醒道：

文之造句本不甚難，所難者惟在字句與本篇意趣之相稱。（註一〇一）

試想歷來名家何嘗「僅在字句間盡文章之能事？於字裏行間以外固別饒意趣」（註一〇二），善學者，務宜由此入手。

四、音節

我國語言是單音隻義，易於使語句音節整齊，且易於屬對，劉師培在《中古文學史》中曾指出：

准聲署字，修短揆均，字必單音，所施斯適。遠國異人，書違頡誦，翰藻弗殊，侔均斯遊，是則音泮軒輊，象昭明兩，比物醜類，泯踦從齊，切響浮聲，引同協異，乃禹域所獨然，殊方所未有也。（註一〇三）

在中國語言中，由於元音佔優勢，使得語音和諧悅耳；加之聲調抑揚頓挫，以及音節的長短強弱配合，予人一種類似音樂的流動感，這種語音特色構成了我國文學語言的特色，因此，歷來作家講究語言聲律的研究與運用。

劉師培則認為不僅偶韻之文應講究聲律和諧，即使非偶韻之文也應琅琅上口，有鮮明的節奏，因此他說：

不知所謂音節既異四聲，亦非八病。

而且，

文之音節本由文氣而生，與調平仄，講對仗無關。（註一〇四）

他所謂的「音節」，即今所稱「節奏」。文章內在的旋律，如內容上層次進展，感情的起伏波蕩，在組織得當時，本身就滲透出一股難以名狀的美妙旋律，使人產生共鳴。然而這種內在的旋律，要化成可感的節奏，則取決於語言文字，作家讓有音節的音句構成義句，使文句音義情理相契合，以表現出文章節奏；而文章音節和諧，才利於誦讀，不違於聽聞，順適於口耳，更可避免板滯、沉沓、稚弱之嫌。劉師培之所以十分講求作品音節，就是從這個意義上來的。可見，他並不主張片面追求聲律對仗，以致「文多拘忌，傷其眞美」（註一〇五），而是要從內容和形式結合的文學語言整體上來考察。

他舉例說明之：

凡古之名家，自蔡伯喈以至建安七子、陸士衡、任彥昇、傅季友、庾子山諸人之文，誦之於口無不清濁通流，脣吻調利。即不尚偶韻之記事文亦莫不如是，例如《史記》敘事每得言外之神，嘗有詞在此而意見於彼之處，以其文中抑揚頓挫甚多，故可涵詠而得其意味。……而伯喈則能涵詠詩書之音節，而摹擬其聲調，不講平仄而自然和雅，此其所以異於普通漢碑也。（註一〇六）

試觀《史記》〈齊太公世家〉中一段：

桓公爲夫人蔡姬戲船中，蔡姬習水，蕩公。公懼，止之，不止。出船，怒，歸蔡姬，弗絕。蔡

人亦怒，嫁其女。（註一〇七）

文中以短句爲主，多用於描寫動作，生動有力，且於每句之末一字之平仄均不同，讀來緊湊疾促。再如賈誼〈過秦論〉中一段：

然陳涉甕牖繩樞之子，氓隸之人，而遷徙之徒也；才能不及中人，非有仲尼墨翟之賢，陶朱猗頓之富；躡足行伍之間，崛起阡陌之中，率疲弊之卒，將數百之眾，轉而攻秦。（註一〇八）

此段以長句爲主，其中駢散相間，並雜以排比句式，使得文章有氣勢而不呆板，舒緩而又富贍。仔細體味這兩段文字，可以明顯感到作家由於語氣輕重緩急的不同，所凝結的情感亦不同，在字裏行間有抑揚起伏，顯隱强弱，疾徐弛張之分，造成兩篇文章具有不同的節奏和旋律。由此可知，從思想和情感兩方面可自然體現出作品不同的音節。這也就是爲什麼劉師培說：

大凡文氣盛者，音節自然悲壯；文氣淵懿靜穆者，音節自然和雅；此蓋相輔而行，不期然而然者。（註一〇九）

的道理。對於這類充滿豐富的感情內涵，有流暢的結構形式，以及優美的語言節奏者，他以爲當從其「抑揚頓挫」之處，「涵詠而得其意味」或「得言外之神」，是有見地的。

對於形成「堆砌成篇，毫無潛氣內轉之妙，非特不成音節，文亦甚晦，絕無輝煌之象」（註一一〇）的原因，他以爲有二：

一由用字不妥貼，爲文選字甚難，而與音節相乖，以致調不諧者。一由用字過於艱深。用字冷

僻，則音節難免艱澀。……以古書及冷字僻典堆砌成篇，而誦之不成音節，此與壁壘堅固，空氣不通奚異。（註一一一）

遣詞用字的不妥與求深則不能表達作家情感的抑揚頓挫，文章節奏自然無法流暢，尤其刻意堆砌或求深，「猶之錦衣綴以敝補，堅實蕪穢」（註一一二），以致作品毫無生氣。反觀名家之文「其聲調……亦自然而致也」（註一一三），不難看出，作品的節奏是經過作家精心經營，但是，「文章音調，必須淺深合度」（註一一四），否則太過人工人巧，則會大大減弱文學語言的表現力及感染力。

第三節　創作原則

劉師培認爲在創作時，最基本的原則是「意思與辭采相輔而行，故讀之不至昏睡」（註一一五），達此基礎後，他認爲作品中最重要的是要有「文氣」，他說：

文章有生死之別，不可不知。有活躍之氣者爲生，無活躍之氣爲死。（註一一六）

「文氣」是一種生命力的表現，正如人體有氣脈運行，然後人的外貌才能生機勃勃。但生命力是內在看不見，摸不著，不過卻可從外在形式體悟感受，他說：

能研究其結構、段落、用筆者，……能瞭解其轉折之妙者，文氣自異凡庸。（註一一七）

又說：

文之音節，本由文氣而生。（註一一八）

任何一篇文章都是內容與形式的結合，所以，「文氣」絕不能脫離內容和形式而超然存在，此即劉勰所謂「情與氣偕」（註一一九）之意，說明「文氣」與感情相伴而生，不是無源之水，無根之本。因此，可以這樣理解劉師培所說的「文氣」，是文章的內容與作家感情相結合，情思力量決定了文氣，通過語言形式表現出來的一種抑揚頓挫，疾徐有致的氣韻，它雖難以言傳，但可以意會，它雖毫無形影，但可以感受。所以他指出：

蓋文章音調，必須淺深合度，文質適宜，然後乃能氣味雋永，風韻天成。（註一二〇）

這裏所說的「氣味」即是「文氣」，也就是「因內而符外」的道理，那麼，怎樣才能使文章有文氣？在內容方面：思想的充實流貫，會形成文章中沛然莫之能禦的「文氣」，這是文氣產生的根源。因此他認為文章：

凡偏於剛而無勁氣……偏於柔而不能隱秀者皆死也。（註一二一）

他特別以「勁氣」為例證，分析庾信之文指出：

庾子山所以能成家者，亦由其文有勁氣而已。（註一二二）

並且，

庾文雖富色澤，而勁氣貫中，力足舉詞，條理完密，絕非敷衍成篇。（如《哀江南賦》等長篇用典雖多，而勁氣足以舉之。）以視當時文章，殆不可同日語矣。（註一二三）

因爲：

蓋文有勁氣，猶花有條幹（即陸士衡《文賦》所謂「理扶質以立幹，文垂條而結繁」）。條幹既立，則枝葉扶疏；勁氣風骨自顯。如無勁氣貫串全篇，則文章散漫，猶如落樹之花，縱有佳句，亦不足爲此篇出色也。（註一二四）

庾信目睹了國破家亡的歷史，遭喪子之痛，忍羈旅之苦，寫下《哀江南賦》一文（註一二五），抒發他沉深劇烈的人生悲苦與鄉關之思。文中痛陳梁朝滅亡之因，如：

天子方删詩書，定禮樂；設重雲之講，開士林之學。談劫燼之灰飛，辯常星之夜落。……宰衡以干戈爲兒戲，縉紳以清談爲廟略。乘漬水以膠船，馭奔駒以朽索。

君臣空談禮儀，溺於佛理，不修武備；更有甚者，是梁室兄弟鬩牆：

周含鄭怒，楚結秦冤。有南風之不競，值西鄰之責言。……若江陵之中否，乃金陵之禍始。雖借人之外力，實蕭牆之内起。撥亂之主忽焉，中興之宗不祀。伯兮叔兮，同見戮於猶子。

在梁室衰亡中深受其害者是平民百姓，他以沉鬱悲慨的筆調刻劃了當時凄涼亂象：

熾火兮焚旗，貞風兮害蟲。乃使玉軸揚灰，龍文析柱。下江餘城，長林故營。徒思拑馬之秣，未見燒牛之兵。……河無冰而馬渡，關未曉而雞鳴。忠臣解骨，君子吞聲。……荒谷縊於莫敖，冶父囚於群帥。硎谷折拉，鷹鸇批擠。冤霜夏零，憤泉秋沸。

描寫百姓慘遭凌虐的災難：

水毒秦涇，山高趙陘。十里五里，長亭短亭，飢隨蟄燕，暗逐流螢。秦中水黑，關上泥青。於時瓦解冰泮，風飛電散，渾然千里，淄繩一亂，雪暗如沙，冰橫似岸。逢赴洛之陸機，見離家之王粲。莫不聞隴水而掩泣，向關山而長嘆。

尤其在歷敘史實中，他批評了許多歷史人物，如簡文帝、梁元帝、王僧辯、召陵王綸、柳仲禮等，像他評梁元帝說：

沉猜則方逞其欲，藏疾則自矜於己。天下之事沒焉，諸侯之心搖矣！既而齊交北絕，秦患西起。況背關而懷楚，異端委而開吳。……登陽城而避險，臥砥柱而求安。既言多於忌刻，實志勇而刑殘。但坐觀於時變，本無情於急難。

史筆森然，公正無偏。凡此之例不勝枚舉，庾信不愧是高明作家文章光彩逼人，把難以自抑又複雜的情理與哀婉愁緒，百結愁腸，紓緩而出，意志縱横，語勢貫通。可見「勁氣」在文中一瀉無餘，並凝著血淚傾吐無窮孤憤，也形成了庾信悲壯之文的特色。

在表達方面：「文氣」必須借助具有同樣氣勢的語言才得以表現。劉師培認識到這一點，他說：

文之生死皆繫於用筆。（註一二六）

他所謂的「用筆」，即劉熙載《文概》所云：「文章之道，斡旋驅遣，全仗手筆，筆爲性情，墨爲形質。使墨之從筆，如雲濤之從風，斯無施不可矣。」（註一二七）之意，文章構成的軌跡，從詞句、章篇、結構、音節等，以造成聲律、藻采、文氣等各種現象，這都取決於「用筆」，也就是作家的表達能力。他舉例說：

《史記》記事最爲生動，後人觀之猶身歷其境。如〈項羽本紀〉中敍鉅鹿之戰及鴻門之會，垓下之敗（《史記》卷七）皆句句活躍。〈周昌列傳〉敍諫廢太子，其活躍情形，溢於紙上（《史記》卷九十六）。又〈刺客列傳〉敍荊軻刺秦王一段，亦鬚眉畢現（《史記》卷八十六）。更就《漢書》而論，如記霍光廢昌邑王一事，前敍太后所著之衣服，繼敍宣讀詔書，而將太后之言插於其中，當時之情態，即栩栩欲生（《漢書》卷八十六）。至於《後漢書》中郅惲（卷五十九）、范滂（卷九十七）、第五倫（卷七十一）、宋均（卷七十一）、王霸（卷五十）諸傳，敍述生動，亦與《史》《漢》相同。（註一二八）

《史》、《漢》、《後漢書》由於作家善於表達，故能「傳其栩栩欲活之神」，文章因此生氣勃勃，自然能成勝篇秀句，而後世史書作家不善「用筆」，以致：

《元史》固亦有紀傳表志，而但就當時之公牘官書抄寫而成。記事疏漏，文章直同賬簿，以視《史》《漢》若天淵懸殊。（註一二九）

於是造成文章生死之別。由此可見，善「用筆」者，則可「於字裏行間以外固別饒意趣」（註一三〇）。

此外，他又强調：

筆姿相稱，亦作文第一要務。（註一三一）

「用筆」應與文章論調，文章氣勢配合，比如「弔祭哀誄之類，應以纏綿往復爲主，苟用莊重陳腐語，即爲不稱……名理之文須明雋，碑銘須莊重……。」（註一三二）這些意見中有至理要言，也就顯得非常深刻。

劉師培另一個創作原則是「貴方」。對於「方圓」二字，他則是從創作表現形式上來闡發。在習慣用法中，「方圓」本是指兩種工具，方是矩，圓是規，由方矩圓規進一層引申爲一種規矩法則。在創作中，不顧創作技巧，是無法問津藝道，但過分拘守成法規矩，則會將本身性靈消磨殆盡。基於這種看法，許多文學理論家常以圓熟、圓渾、圓轉等來要求作家超越於規矩之上，縱心於法度之外，悠遊恣肆，以達到圓融之境，因此許多創作理論强調「圓」，如謝朓嘗論詩說：「好詩圓美流轉如彈丸」（註一三三），劉勰論文則强調「思轉自圓」而反對「骨采未圓」（註一三四），曾國藩論造句說：「無論古今何等文人，其下筆造句，總以珠圓玉潤四字爲主」（註一三五）等，都認爲「圓」才能達到流轉不居，毫無滯礙，揚圓之勢至爲明顯。劉師培在論〈書法分方圓二派考〉一文中，曾分析「方」「圓」二者的特色：

篆體用圓，圓則曲直全缺，無往而不得其宜。……隸體用方，方則不宜曲而宜直，不宜半而宜全。（註一三六）

二者各有軒輊，但是由於褚遂良之書法能融圓納方，因此，

合南派北派爲一體者也，故剛柔得宜，健妍合度。

由此可見，他以爲創作技巧不能一味滿足外在圓熟，而應「以方入圓」「方中見圓」才能創作出佳作。尤其他指出：

篆體之圓，圓而不失爲勁者也。南朝書法之圓，圓而兼流於滑者也。……蓋書法貴圓易滋流弊，而書法貴方則其流弊不至若是之甚。

這裏談的是書法，其原理自與文學創作相通。按照劉師培的體會，圓熟而後生，工而後拙，絢爛至極，歸於平淡。所以「至圓」之後則需以「方」矯之，而文學創作亦復如此。他說：

古人之文詘屈聱牙，而其文無不工。六朝唐代之文，凡以嚴凝爲主者，均爲佳作。若夫句調貴圓，則其弊流爲挑巧，或流爲淺薄，而文體日卑，則元結賤圓之論豈僅用以衡人品哉！即文章、書法亦莫不然，此近人論書法所由尚北派而輕南派也。

從形跡入手求圓，只會流於輕滑，這也正是陸游曾說過的：「區區圓美非絕倫，彈丸之說方誤人」（註一三七）的道理。

以上從三方面對劉師培的創作論作了一個梳理，雖然劉師培的創作論以集中論述漢魏六朝爲多，但是，就上述具體的論述看，不乏精闢之見，這些都是研究創作的寶貴資料，至今仍有參考價值。

【附註】

註　一　試研究的作品說，齊梁有劉勰《文心雕龍》、陸機《文賦》；宋有陳騤《文則》、李耆卿《文章精義》；

元有王構《修辭論衡》、倪士毅《作文要訣》、陳繹曾《文說》；明有方以智《文章薪火》、歸有光《文章指南》；淸有劉熙載《文概》、劉大櫆《論文偶記》……等在各種著作中幾乎都研究如何達意與探求創作規律。

註二 〈國文雜記〉，《遺書・左盦外集》卷十三，第三冊，頁一九〇五。

註三 同上註。

註四 同註二，頁一九〇四。

註五 持天分說者以為當由天授，如曹丕《典論論文》云：「曲度雖均，節奏同檢，至於引氣不齊，巧拙有素，雖在父兄，不能以移子弟。」明謝榛《四溟詩話》：「詩有天機，待時而發，觸物而成，雖幽尋苦思，不易得也。」學力派則以為人力可致，如李貞華《貞一齋詩說》：「多讀書為詩家最重要事」；「究竟有天分者，非學力斷不能成家」劉熙載〈論文四首〉說：「天才從古少，許者莫相誣，但願平常語，人間一字無。神氣至靈物，變化難具陳，偃師矜巧製，畢竟非眞人。」

註六 〈輕滑與蹇澀〉，《漢魏六朝專家文研究》（以下簡稱《專家文》）二十，頁六一。

註七 〈論近世文學之變遷〉，《遺書・左盦外集》卷十三，第三冊，頁一八九二。

註八 同註二。

註九 〈論各家文章與經子之關係〉，《專家文》十，頁三三。

註一〇 〈文章變化與文體遷訛〉，《專家文》十四，頁四四。

註一一　同註七，頁一八九三。
註一二　〈緒論〉，《專家文》一，頁三。
註一三　〈緒論〉，《專文》一，頁四。
註一四　〈論各家文章與經子之關係〉，《專家文》十，頁三四。
註一五　〈文質與顯晦〉，《專家文》十三，頁四一。
註一六　〈神似與形似〉，《專家文》十二，頁四〇。
註一七　同上註。
註一八　劉勰《文心雕龍．時序》，見《文心雕龍讀本》下篇，頁二七三。
註一九　〈神似與形似〉，《專家文》十二，頁四〇。
註二〇　〈文章變化與文體遷訛〉，《專家文》十四，頁四四。
註二一　同註一三。
註二二　〈學文四忌〉，《專家文》三，頁十一。
註二三　同註一三。
註二四　〈神似與形似〉，《專家文》十二，頁四〇。
註二五　嚴羽〈詩評〉，郭紹虞《滄浪詩話校釋》二三，頁一五五。
註二六　〈論謀篇之術〉，《專家文》四，頁十六。

註二七　〈論研究文學不可為地理及時代之見所囿〉，《專家文》十六，頁五二。
註二八　同上註，頁五三。
註二九　〈各家總論〉，《專家文》二，頁八。
註三〇　〈論各家文章與經子之關係〉，《專家文》十，頁三三。
註三一　〈論研究文學不可為地理及時代之見所囿〉，《專家文》十六，頁五二。
註三二　同上註。
註三三　〈緒論〉，《專家文》一，頁二。
註三四　〈論研究文學不可為地理及時代之見所囿〉，《專家文》十六，頁五二。
註三五　〈論謀篇之術〉，《專家文》四，頁十五。
註三六　〈潔與整〉，《專家文》十八，頁五七。
註三七　〈論文章之音節〉，《專家文》六，頁二四。
註三八　〈論研究文學不可為地理及時代之見所囿〉，《專家文》十六，頁五二。
註三九　〈論文雜記〉，《遺書》第二冊，頁八五四。
註四〇　〈論謀篇之術〉，《專家文》四，頁十五。
註四一　〈學文四忌〉，《專家文》三，頁十。
註四二　同上註。

註四三　〈漢魏六朝之寫實文學〉，《專家文》十五，頁四九。

註四四　〈輕滑與蹇澀〉，《專家文》二十，頁六一。

註四五　〈文章變化與文體遷訛〉，《專家文》十四，頁四五，另見〈緒論〉，頁三。

註四六　例如六朝以下轉折甚爲明顯，見〈論文章之轉折與貫串〉，《專家文》五，頁一九。且「先用典故比附事實，事實之後更加贊美，則詞費文繁，去古益遠矣。」見〈論記事文之夾敘夾議及傳贊碑銘之繁簡有當〉，《專家文》十九，頁十八—十九。

註四七　〈學文四忌〉，《專家文》三，頁一一—一二。

註四八　〈緒論〉，《專家文》一，頁二。

註四九　〈神似與形似〉，《專家文》十二，頁四。

註五〇　〈論謀篇之術〉，《專家文》四，頁十四。

註五一　同上註。

註五二　〈論文章有主觀客觀之別〉，《專家文》十一，頁三七。

註五三　司馬遷《史記・刺客列傳》，卷八十六。

註五四　司馬遷《史記・遊俠列傳》，卷一二四。

註五五　司馬遷《史記・禮書》，卷二十三。

註五六　司馬遷《史記・封禪書》，卷二十八。

註五七 〈論文章有主觀客觀之別〉，《專家文》十一，頁三八。

註五八 〈論文章有主觀客觀之別〉，《專家文》十一，頁三九。

註五九 同上註。

註六〇 劉勰《文心雕龍・哀弔》，見《文心雕龍讀本》上篇，頁二二三。

註六一 〈論文章有主觀客觀之別〉，《專家文》十一，頁三八。

註六二 同上註。

註六三 劉勰《文心雕龍・附會》，見《文心雕龍讀本》下篇，頁二四三。

註六四 〈論文章有生死之別〉，《專家文》七，頁二七。

註六五 〈論謀篇之術〉，《專家文》四，頁十四。

註六六 〈潔與整〉，《專家文》十八，頁五六。

註六七 〈各家總論〉，《專家文》二，頁九。

註六八 〈各家總論〉，《專家文》二，頁七。

註六九 同上註。

註七〇 〈各家總論〉，《專家文》二，頁五。

註七一 同上註。

註七二 〈論文章之轉折與貫串〉，《專家文》五，頁十七。

註七三　〈論文章之轉折與貫串〉，《專家文》五，頁十九。
註七四　同上註。
註七五　同上註。
註七六　同上註。
註七七　〈論文章之轉折與貫串〉，《專家文》五，頁十四。
註七八　〈論謀篇之術〉，《專家文》四，頁十四。
註七九　同上註。
註八〇　〈論謀篇之術〉，《專家文》四，頁十五。
註八一　同上註。
註八二　〈各家總論〉，《專家文》二，頁五。
註八三　同上註。
註八四　〈論文章有生死之別〉，《專家文》七，頁二七。
註八五　劉知幾《史通敘事》，見浦起龍《史通通釋》卷六，頁一六八。
註八六　〈學文四忌〉，《專家文》三，頁十二—十三。
註八七　〈潔與整〉，《專家文》十八，頁五六。
註八八　同註八五。

註八九 〈潔與整〉，《專家文》十八，頁五七。

註九〇 〈學文四忌〉，《專家文》三，頁十一。

註九一 〈輕滑與蹇澀〉，《專家文》二十，頁六三。

註九二 〈潔與整〉，《專家文》十八，頁五七。

註九三 見《文選》卷十七，頁二四一。

註九四 〈學六四忌〉，《專家文》三，頁十三。

註九五 〈論文章有生死之別〉，《專家文》七，頁二七。

註九六 同上註。

註九七 見《文選》卷六十，頁八三四—八三五。

註九八 〈蔡邕精雅與陸機清新〉，《專家文》九，頁三一。

註九九 〈論文章有生死之別〉，《專家文》七，頁二六。

註一〇〇 〈文質與顯晦〉，《專家文》十三，頁四一。

註一〇一 〈論文章宜調稱〉，《專家文》二十一，頁六五。

註一〇二 同上註。

註一〇三 《文學史》概論，頁一。

註一〇四 〈論文章之音節〉，《專家文》六，頁二一—二二。

註一〇五　鍾嶸《詩品》序，見汪中《詩品注》，頁三一。
註一〇六　〈論文章之音節〉，《專家文》六，頁二一。
註一〇七　《史記・齊太公世家》，卷三十二。
註一〇八　見《文選》卷五十一，頁七〇九。
註一〇九　〈論文章之音節〉，《專家文》六，頁二二。
註一一〇　〈論文章之音節〉，《專家文》六，頁二三。
註一一一　同註一〇九。
註一一二　同註一一〇。
註一一三　同註一〇九。
註一一四　〈文質與顯晦〉，《專家文》十三，頁四二。
註一一五　〈潔與整〉，《專家文》十八，頁五七。
註一一六　〈論文章有生死之別〉，《專家文》七，頁二五。
註一一七　〈論謀篇之術〉，《專家文》四，頁十六。
註一一八　〈論文章之音節〉，《專家文》六，頁二三。
註一一九　劉勰《文心雕龍・風骨》，見《文心雕龍讀本》下篇，頁三七。
註一二〇　〈文質與顯晦〉，《專家文》十三，頁四二。

註一二一　〈論文章有生死之別〉，《專家文》七，頁二六—二七。

註一二二　〈論文章有生死之別〉，《專家文》七，頁二七。

註一二三　〈各家總論〉，《專家文》二，頁九。

註一二四　〈論文章有生死之別〉，《專家文》七，頁二六。

註一二五　庾信〈哀江南賦〉，見許逸民校點《庾子山集注》卷二。

註一二六　〈論文章有生死之別〉，《專家文》七，頁二五。

註一二七　劉熙載〈文概〉，《藝概》卷一，頁四。

註一二八　同註一二六。

註一二九　同註一二六。

註一三〇　〈論文章宜調稱〉，《專家文》二十一，頁六五。

註一三一　同上註。

註一三二　〈論文章宜調稱〉，《專家文》二十一，頁六四。

註一三三　宋《王直方詩話》，轉引自胡仔《苕溪漁隱叢話前集》卷三十八。

註一三四　劉勰《文心雕龍》〈體性〉、〈風骨〉，見《文心雕龍讀本》下篇，頁二二，頁三六。

註一三五　曾國藩〈諭紀澤、咸豐十年四月二十四日〉，見《曾文正公全集家訓》。

註一三六　〈書法分方圓二派考〉，《遺書・左盦外集》卷十三，第三冊，頁一八八一。

註一三七　陸游〈答鄭虞任檢法見贈〉，《劍南詩稿》卷十六。

第六章　劉師培的文體論

歷代文學理論家莫不認爲「文章以體製爲先」（註一），因此，十分重視文體研究。這是因爲：從文學發展史來看，實際上即是文體交相遞變之跡，透視文體，足覘文學變化脈絡；從文學創作來講，掌握各類文體軌範，可促進創作步上正確發展之路，是以劉師培認爲：

其（文學）變遷之跡，非證以當時文章各體，不足以考其變遷之由。（註二）

就是這個道理。他曾對文體進行深入探討，其理論要點可歸納爲類聚區分、闡釋名義、探尋源流、寫作要求四方面。

第一節　類聚區分

我國文體形式的發展，經歷了一個種類由少到多，體裁由粗到細的過程，所以劉師培指出：

文也者，乃英華發外，秩然有章之謂也。由古迄今，文不一體。（註三）

又說：

自風詩不作，文體屢遷，屈宋繼興，爰創騷體。（註四）

由於時代演進與名家輩出，有的文體枯萎凋落，有的不斷演化，有的應運而生，對這種文體不斷興衰更迭，他看得很清楚，「文不一體」、「文體屢遷」，說的正是這個現象。

文體既然愈趨繁雜，遂有文體區別之研究，例如三國時，曹丕《典論論文》提出四科八體；晉陸機《文賦》分文體爲十，摯虞《文章流別》分文體爲十一；梁劉勰《文心雕龍》分爲三十五種（註五），蕭統《文選》分爲三十八類；明吳納《文章辨體》分爲五十九種，徐師曾《文體明辨》分爲一百二十七體，文體越分越細，直至清姚鼐《古文辭類纂》才以歸類方法分爲十三類。雖說其分類原則方法和結果，並不統一，有治絲益棼之嫌，但文體觀念日明。

劉師培曾爲複雜文體做過二次分類，以期尋出脈絡，以簡馭繁。不過由於其目的不同，所以文體分類上亦自有差異。第一次在民國前七年（一九〇五）提出：

印度佛書區分三類，一曰經，二曰論，三曰律。而中國古代書籍，亦大抵分此三類，一曰文言，藻繪成文，復雜以駢語韻文，以便記誦，如《易經》六十四卦及《書》、《詩》兩經是也，是即佛書之經類。一曰語，或爲記事之文，或爲論難之文，用單行之語而不雜以駢儷之詞，如《春秋》、《論語》及諸子之書是也，是即佛書之論類。一曰例，明法布令，語簡事賅，以便民庶之遵行，如《周禮》、《儀禮》是也，是即佛書之律類。後世以降，排偶之文皆

> 經類也，單行之文皆論類也，會典律例諸書皆律類也。故經、論、律三類，可以該古今文體之全，惜後人昧其淵源，不知文章之派別耳。（註六）

近代政治社會的變革，連帶文學體裁、語言風格都發生顯著變化，加上西方文論大量東來，傳統文體分類方式，已不適用，所以劉師培著眼以音韻句式的語言表達方式爲標準，提出修正主張，自樹一幟，將文體分爲三類：一是韻文駢文；一是散文；一是應用文，以期能包舉古今所有文體。

第二次在民國七年（一九一八），於北大教授「漢魏六朝專家文」時提出：

> 文章之用有三：一在辯理，一在論事，一在敘事。文章之體亦有三：一爲詩賦以外之韻文，碑銘、箴頌、贊誄是也；一爲析理議事之文，論說、辨、議是也；一爲據事直書之文，記傳、行狀是也。（註七）

這時基於教學需要，他側重以文章用途爲區判標準，重加分合，將文體分爲三類：韻文、析理文、記事文。

綜合以上二次文體分類觀之，其中嚴重缺失約有兩點：

一、文體分類標準不一：如第一次分類中，前兩類是從語言表達方式上區分的，而最後一類應用文「明法布令」、「以便民庶之遵行」，這顯然是從文章功用角度而定的，由於樹立了「語言」與「功用」兩種標準，造成劃分不統一，使得分類易陷入混亂之中。而第二次分類中，記事文、析理文是以文章內容性質爲分類依據，而韻文則是以語言爲準，同時，在《專家文》中對析理、論事之間的區分也非常模糊，如析理文「辨極精微」，論事文「敷暢爲法」（註八），二者區別並不科學，分類反致凌亂分歧。

二、各類內涵界定不明確：於第一次分類時，將五經歸爲三類，其中以爲《春秋》、《論語》及諸子之書不雜駢儷之詞，實不盡合理。例如《春秋左傳》隱公十一年：「山有木，工則度之；賓有禮，主則擇之」；哀公十二年：「故心以制之，玉帛以奉之，言以結之，明神以要之。」語句或長短對稱，充滿節奏感與韻律美。襄公二十九：「至矣哉！直而不倨，曲而不屈，邇而不逼，遠而不攜，遷而不淫，復而不厭，哀而不愁，樂而不荒。」除首句外，四字連綴，整飭對稱。《論語．爲政》：「學而不思則罔，思而不學則殆」〈泰伯〉：「鳥之將亡，其鳴也哀；人之將死，其言也善。」〈微子〉：「往者不可諫，來者猶可追」句式精心錘鍊，對比映襯。《孟子．梁惠王》：「力足以舉百鈞，而不足以舉一羽，明足以察秋毫之末，而不見輿薪」《荀子．勸學》：「故不登高山，不知天之高也；不臨深溪，不知地之厚也」「騏驥一躍，不能十步；駑馬十駕，功在不舍」等，鋪排對仗，斐然成章，實具有駢語儷詞，駢偶形體，凡此種種於歸類上已生混淆。同時，尚有駢散互用者，如散文中有駢偶，韻文中有散行，究竟應入哪一類。這都表明他對韻文、散文、駢文的差別尚未釐析清楚，以致所分文體交錯重迭，沒有確定界域，造成了體裁的混合形式。又如第二次分類時，言「詩賦以外之韻文」，此語十分模糊，到底詩賦包不包括於韻文之中？然而於其論述之中，往往可見，像「延年詩文均摹士衡，赭白馬賦尤酷肖」（註九），「荀卿箴賦、蠶賦，刻畫甚工；蔡邕短人賦亦惟妙惟肖，此詞賦之能寫實也。……及漢代樂府孔雀東南飛記焦仲卿事，則並詩歌之能寫實也。」（註一〇）其他尚有論王粲《登樓賦》、江淹《別賦》、庾信《哀江南賦》等，論述涉及不押韻之賦與押韻的駢賦，顯然詩賦確實包含韻文之中，可見他闡述各類文體的內涵不夠周延，易於引起認識上的混淆。

至於優點方面也有二端：

一、類目的排列次序經過仔細考慮。如以韻文類居首，說明他重視文學性作品的意圖，雖然韻文駢文合類，其分類精密度，仍不免存有爭議，但究其用心，與其崇尚「駢儷韻語」的文學觀念有關，因此在文體分類上賦予重要之地位。此外，其兩次分類上，由民國前七年詩文兼收，至民國後，詩文分編欲其獨立，其分類觀念已逐漸進步，所以，他不只是繼承先賢理論觀念，且能有創新發展。

二、在文體分類上兼包新舊之長，不僅論析古代文體，也開始重視記人、敘事、論理等文體。同時，對文體分類處理非單純羅列，而是講求綜合：不只注重辨析且加以匯聚，由繁雜趨於簡約，簡明得體，既突出文體個性特徵，又強調了共性特色，反映他對文體深刻的認識。其後，如民國九年（一九二〇）戴渭清、呂雲彪、陸友白《白話文作法》分爲議論文、記敘文、說明文、序跋文四類。民國十一年（一九二二）梁啓超《中學以上作文教學法》，把所有文體分爲記載文、論辯文、情感文三類。陳望道《作文法講義》分爲記載文、記敘文、解釋文、論辯文、誘導文五類等等。可見近代學者在文體分類上由繁化簡的趨向，期望建立既簡化又合理的文體分類。劉師培將文體重新分合，雖然在理論闡發上尚存有缺失，但無論從分類標準、文體名稱、文體順序的考察上，他的文體分類研究，都給後人帶來有益的啓示。

第二節　闡釋名義

劉師培分析和研究各種文體時，雖自言「隱法《雕龍》」（註一一），但他並沒有客觀徵引，而是融會貫通，作了深入又精到的引伸與發揮，使人對文體涵義與特點有完整概念。比如論「賦」體名義說：

昔《文心雕龍》之論賦也，謂六藝附庸，蔚成大國。吾觀詩有六義，賦之爲體與比興殊，興之爲體，興會所至，非即非離，詞微旨遠，假象於物而或美或刺，皆見於興中；比之爲體，一正一喻，兩相譬況，詞決旨顯，體物寫志而或美或刺，皆見於比中，故比興二體皆構造虛詞，特與隱而比顯，興婉而比直耳。賦之爲體則指事類情，不涉虛象，語皆徵實，辭必類物，故賦訓爲鋪，義取鋪張，循名責實，惟記事析理之文，可錫賦名。自戰國之時，楚騷有作，詞咸比興，亦冒賦名，而賦體始淆。……彥和之論夫豈誣哉？……後儒不察賦義本原而所作賦篇多涉虛象，毋亦昧於文章之流別歟！（註一二）

他在引用《文心》之語後，又作了獨到的論述，指出「賦」體出於《詩經》，而其特徵就是鋪陳，在形式上，具有直接性、具體性、明確性。「賦」敘物言情，不假借寄託，不借助譬喻等，而著重描寫對象的具體眞實感，從容刻劃，筆墨細緻，形神俱足。與託物寄情，由此及彼之比興不同。在虛實上，「賦」體鋪陳脈絡可尋，用意清晰確定，較爲顯露。在內容上，「賦」既可敘事寫物，亦可抒情議論，通過體物工細，摹寫形容，於敘事議論中，則作家情感志趣自在其中。雖然戰國以後，又受《楚辭》影響，其中內容或雜有比興手法，不過「賦」體仍是以鋪陳爲主要特點。劉師培從文體的由來與特點著眼，多方面進行分析，提出富有啓發性的見解。試觀荀子《雲賦》，極盡鋪排能事，刻劃「雲」之狀態、色彩、踪迹、威力、情操、形象，淋漓盡致描繪出「雲」的「形質俱美」形象，末尾指出「雲」最可貴之處在於「充盈大宇」、「功被天下」，卻「毫不私置」的「廣大精神」，摹狀寫實，在層層鋪陳中，寄寓深刻道理，所以劉師培評荀卿賦篇云：「觀物也博，得義也精，簡直謹嚴，品物畢圖，樸質以謝華，輐斷以爲紀。」（註一三）又如，司馬相如《上林賦》寫天子遊獵一段，用了不少相應的動詞，準確地表現了上下左右馳騁之疾迅敏捷形象，生動細膩；描繪美女的穿著打扮、體態動作等，均能以嚴密細膩的詞語，恰如其分表達出人物形象。再如王延壽《魯靈光殿賦》以傳神妙筆，生動描繪殿中的繪畫、雕刻等，逼眞貼切又栩栩如生。張衡《東京賦》在狀物寫景上，窮姸畢態，生意盎然，可見漢賦描寫山川、草木、人物、禽獸、宮室、池苑、臺榭等，無論是寫人，從外形到內心，從靜態到動態；寫物，由豪華宮殿到自然景物，都體現了劉師培所說「指事類情，不涉虛象，語皆徵實，辭必類物」的特徵。而像揚雄《甘泉》、《羽獵》，班固《兩都》等反映當時園林廣茂、物產富饒，國勢盛壯面貌；枚乘《七發》藉琴音之美、滋味之腴、車馬之快、遊樂之盛、田獵之趣，觀濤之樂等諷諫荒淫驕奢生活；至班彪《北征賦》反映人生疾苦、社會動亂之實象；張衡《思玄賦》表現不肯同流合污，退隱田園之志趣等，在內容上均能做到或「事覈理舉」，或「聚事徵材，恢廓聲勢」，或「析理精微」，以寄託作者志趣，即是劉師培所謂的「記事、析理」的特色。只要細檢歷來賦篇，即可對劉師培所提「賦」體名義思過半矣。

如論「頌」體，劉勰於《文心雕龍．頌贊》中云：「頌者，容也，所以美盛德而述形容也。」但這解釋並未能突顯「頌」體的特徵。劉師培則進一步闡述說：

> 析其涵義，第一重美。彥和云：「風雅序人，事兼變正；頌主告神，義必純美」，是風雅可有美刺，頌則有美無刺也。其次重形容。《說文》：「頌，皃（貌）也。」（即形容之容字，「容」本爲包容之義，與形容之義無涉。）古代詩歌，皆可入樂。樂者，備兼歌舞；故形容盛德必舞與聲相應以方物之也。又次重告於神明。頌之最古者，推《商頌》五篇，其詞率皆祭禮祖宗所用。即《周頌》三十餘篇，非祭祀天神地祇，即爲祭宗廟之文，是知告於神明乃頌之正宗也。（註一四）

這是說「頌」體的特色：一在有頌揚而無諷刺；二要將實在之美德或事實源委確切描寫出來，使人能從具體敘述中感悟其美德；三述德告神，表彰其人。他在分析文體名義時，能深入考察文體功能，並探討其創作意圖與重點，提供有力證據，解說十分詳備。其他如論「誄」體言：

古者豎石廟庭之中央謂之碑，所以麗牲，或識日景引陰陽也。……三代有無刻石，尚屬疑問。然則豎石蓋爲碑之本義，刻銘則其後起義也。樹碑之風，漢始盛行，而東都尤甚。惟乃刻石之總名，而非文體之專稱。自其體製言，則直立中央四無依據者謂之碑，在門上者謂之闕，埋於土中者謂之墓誌，在土中或出土甚低者謂之碣。……蓋凡刻石皆可謂之碑，而非文章一體，與銘箴頌贊之類不同。準是以言，蔡邕石經及孔廟之官文書，雖非文章，而既刻於石亦得稱碑，惟以銘體居十之六七，故漢人或統稱碑銘，碑謂刻石，銘則文體也。（註一五）

從碑的來源及本義看，「碑」並不是文體，「碑」只是刻石，由於功用不同，則有墓碑、祠堂碑、神廟碑、雜碑、紀功碑等類;從「碑」上所刻的文字來看，則有銘、頌、敘、記、詩、有韻、無韻等文體，然而後世以「碑銘」來統稱之，則是因爲刻在碑上的以「銘」體居多。劉師培對「碑銘」命名之涵義與由來，解說至爲精當明確，闡述其他文體，亦莫不如此。

劉師培論文體名義詳明深入，往往以精練語言發揮引伸，剖析文體特質，探究文體異同，使人易於洞見文體本義，確實值得我們重視與參考。

第三節　探尋源流

劉師培對於豐富又複雜的文體，往往考其全面，向上追蹤文體本源，向下求索其演變，以解釋其嬗遞之跡，而在辨別源流之中寄寓正本清源之意，這一思想方法貫通於其論述中，同時，他又截取各個時期代表作品相互印證，以見各代之異同。例如論「誄」之源流說：

案《說文》：「誄，諡也」。《禮記・曾子問》鄭注：「誄，累也，累列生時行迹，讀之以作諡」。是誄之與諡，體本相因。（註一六）

他首先追溯「誄」體的萌芽，所謂古代之文，「綜其大要恆由祀禮而生」（註一七），由於古代社會重視葬禮，以祭奠儀式表彰死者功績，於是周代「誄」體應運而生，可見「誄」文具有爲死者「諡」的功用，是封建社會「諡法」的必要環節，所以，在「誄」文初興時，即對「賤不誄貴，幼不誄長」，有明顯的身分要求：

下不誄上，爵秩相當不得互誄，諸侯大夫皆由天子誄之，士無爵，死無諡，因亦不得有誄也。

從現存最早誄文《左傳》哀公十六年所載魯哀公的《孔子誄》觀之：

旻天不弔，不憖遺一老，俾屏余一人以在位，煢煢余在疚！嗚呼哀哉！尼父，無自律！

全文短短數語，全然未言及孔子功德，但詞哀情切，體現了誄文述哀的抒情特色，而誄文必須宣讀，其末「嗚呼哀哉！尼父」等呼號語，則爲後世誄文廣泛習用。

到了漢代，普遍把「誄」作爲哀悼死者的一種文體，因此他指出：

降及漢世，制漸變古：揚雄之誄元后（揚雄《漢元后誄》見《全漢文》五十四），傅毅之誄顯宗（傅毅《明帝誄》見《全後漢文》四十二），均違賤不誄貴之禮；而同輩互誄，及門生故吏之誄其師友者亦不希見。若柳下惠妻諡夫爲惠，因而誄之（見《列女傳》二〈賢明傳〉），已啓士人私諡之風；下逮東漢，益爲加厲。……私諡既盛，誄文遂繁，亦必然之勢也。

兩漢以還，誄文先後出現，盛極一時，他列舉衆多作品，如：揚雄《元后誄》，杜篤《大司馬吳漢誄》，傅毅《明帝誄》、《北海王誄》，蘇孝山《和帝誄》、《陳公誄》、《賈逵誄》，崔瑗《和帝誄》、《竇貴人誄》、《司農卿鮑德誄》等等。此時文體特色，他認爲有兩點：一是「漢代之誄，皆四言有韻」，爲誄體正宗；二是「句皆直寫，不甚錘鍊，漢人之誄大致如此」，尤其是「東漢之誄，大抵前半敘亡者之功德，後半敘生者之哀思。惟就其傳於今者二十餘篇觀之，殆少情文相生之作。」

至魏晉六朝時期，由於社會思想解放，文學觀念加强，誄文既不問諡之有無，又不辨長幼貴賤之節，遂出現了一批悼念骨肉，悲痛身世的至情文章，如：曹植《文帝誄》、《王仲宣誄》，潘岳《楊荊州誄》、《楊仲武誄》、《夏侯常侍誄》、《馬汧督誄》，顏延之《陶徵士誄》等；與此同時，又有潘岳《哀永逝文》等文，因「調類《楚辭》，與辭賦哀文爲近，蓋變體也。」此期誄文，他認爲：

曹子建《王仲宣誄》及潘安仁《楊荊州誄》、《楊仲武誄》、《夏侯常侍誄》、《馬汧督誄》各篇，皆可爲茲體之圭臬。

又說：

欲盡誄體之變，以達述哀之旨，必須參究西晉潘安仁各篇，始克臻纏綿悽愴之致。

凡此諸作，均是情文相生的佳作，足以垂範後世。

此後之誄文，他說：

其變體間亦有參用六言或七言，此實後代之變體，非誄文之正宗。如謝莊《宋孝武宣貴妃誄》、謝朓《齊敬皇后哀策文》等，即其顯例。而「唐以後之作誄者，盡棄事實，專敘自己……其違體之甚」（註一七），至於「清人之誄多用字句堆成，文氣不疏朗，意思似通非通，如塗塗附，實爲文之下乘。」不足爲訓。

劉師培推闡「誄」體淵源流變，從縱的方面探討誄文隨社會演進而延續，越來越多樣；從橫方面分析各個時期代表作品不同的發展軌迹，歷史線索清晰，論述簡明扼要。

又如論「贊」體時說：

考贊之起源，本以助記誦爲主。一書散漫，記誦甚難；故括其義，約其辭，總期文連貫而記誦可資，固不問其體之有韻無韻也。西漢之時，有韻之文稱爲贊者甚少；（此體所傳亦不多。）至於東漢，則以有韻四言，其體近頌而稱爲贊者至多。大致有象贊及哀贊二種。《蔡中郎集》有〈胡公夫人哀贊〉（卷四），前有序文，甚似誄碑之體；與頌相去甚遠。而漢以後，亦無聞焉。象贊者，就有德行者之畫像而贊之也。孔文舉諸人集中，皆有斯體。此與頌無甚分別。漢魏以後，其體日多；遂使贊體變爲稱美不稱惡之文。又後，非有韻不稱爲贊矣。《文心》本篇，未敘及鄭康成《尚書贊》，亦爲失考。（註一八）

從「贊」體本源來看，「贊」是以助記誦爲主的，「蓋將一書之旨爲文融會貫通以明之者也」，所以可知「贊」之一體，「三代時本與『頌』殊途，至東漢以後，界囿漸泯，考其起源，實不相謀。」由是以推，東漢以前，「贊」與「頌」二體分別甚明。在內容上，試觀班固《漢書》，於志表紀傳後，均有贊文，皆是就其前之所記，貫串首尾，加以論斷，他說：

> 《漢書》紀傳所載，非盡賢哲；而孟堅篇必有贊，豈皆有褒無貶，有美無刺乎？（如〈吳王濞傳〉亦有贊。）蓋總舉一篇大意，助本文而明之耳。正以見其不失古義也。

是知贊可褒可貶，而頌有褒無貶；即就形式言，二者亦大不相同。

> 頌必有韻，而贊則亦可有韻可無韻也。（《漢書》之贊皆無韻）

逮及後世，「以贊爲讚美之義」，頌贊二體，界域混淆，所以他說：

> 至如後之以贊頌相近，蓋就其變體以言，非其本也。然自東漢以後，頌與贊已不甚分別矣！彥和於贊之本源，考之猶有未精。

及至魏晉以後，贊體日多，遂逕變爲「稱美不稱惡之文」，又後，甚至衍爲「非有韻不稱爲贊」，斯皆爲贊體之變也。不過，他又指出：

> 三國之時，頌贊雖已混淆，然尚以篇之長短分之。大抵自八句以迄十六句者爲贊，長篇者爲頌，其體之區劃，至爲謹嚴。……及西晉以後，此界遂泯。如夏侯湛之《東方朔畫像贊》，篇幅增恢，爲前代所無。袁弘《三國名臣贊》與陸機《高祖功臣頌》實無別致，而分標二體。

異中有同，同中見異，文變之迹，辨之甚明。他還將有韻之贊文，概分爲四類：

㈠哀贊——以蔡中郎《胡公夫人哀贊》爲準則。㈡像贊——李充《翰林論》云：「圖象立而贊興。」知東漢時，此體至爲盛行。《後漢書・趙岐傳》云：「圖季扎、子產、晏嬰、叔向四象居賓位，又自畫其象居主位，皆爲讚頌。」（卷九十四）可證。《東方朔畫贊》即屬此類。㈢史贊——此類以范蔚宗《後漢書》紀傳後之贊爲最佳（大抵撮其人大略，爲之作贊者，不出此三類。特東漢之時，有爲當時具令德之人作贊者，如蔡中郎《焦君贊》；亦有爲古人作贊者，如王仲宣《正考父贊》是也。）㈣雜贊——以上三者，皆爲對人而作。至於爲一切品物作贊者，則屬此類。如郭璞《山海經圖贊》、《爾雅圖贊》，皆據圖而爲物作贊者；又有不據圖而爲物作贊者，如繁欽《硯贊》等是，抑可知漢魏之贊，不限於人而已也。

其中值得注意的是，「哀贊」一類，是「誄、祭文、神誥」三體的混合，試觀蔡中郎《胡公夫人哀贊》，先敘其父母之德行，後言已身之悲哀，本爲人子思念考妣而作。但其後，三體之文各自獨立後，「哀贊」之名遂泯矣！同時，在漢魏時的贊文，內容已不僅限於人，而擴及一切品物，「蓋總括其事物而以有韻之文包含之」，仍屬贊文。此種析證，元元本本，不僅駁正劉勰失考之處，且足彰明「贊」體之源流脈絡。

除此之外，他還論及小說、戲曲的源流，其說亦發人所未發。譬如對小說源頭的考索，他說：

古代小說家言體近於史，爲春秋家之支流。（註一九）

他以史家的眼光看待小說，這是因爲小說具有特殊作用：

蓋中國人民喜言神怪，而莊言讜論又非婦孺所能通，故假談諧鬼怪之詞，出以鄙俚而勸懲之意隱寓其中，亦感發人民之一助也。……唐代士人，始著傳奇小說用為科舉之媒，如《幽怪錄》傳奇是也，……其文備眾體，足觀詩筆史才。（註二〇）

我國小說因科舉之媒，至唐代開始快速發展。不過，唐宋以後的小說，他則以為有三大弊端：一、黨同伐異，好惡相攻；二、輕薄浮華，破壞禮法；三、蕪陋訛舛，踳駁不精。是以，唐宋小說不能與漢魏競長，而元明以來之小說，更無足論矣（註二一）。

至於戲曲之體製，他推其源頭道：

《詩》三百篇如：〈六月〉、〈采芑〉、〈大明〉、〈篤公劉〉、〈江漢〉諸作皆為敘事之詩，而漢人樂府之詩，如《孔雀東南飛》數篇咸雜敘閭里之事。敘事者，春秋家之支派也；樂府者又樂教之支派也，是為春秋家與樂教合一之始，此即金元曲劇之濫觴也。蓋傳奇小說之體，既興於中唐，而中唐以還，由詩生詞，由詞生曲，而曲劇之體以興，故傳奇小說者，曲劇之近源也，敘事樂府者曲劇之遠源也。（註二二）

此段說明傳奇小說與樂府，為戲曲之近遠源，不過，他更指出戲曲「發源甚古」（註二三），進一步推闡說：

戲曲者導源於古代樂舞者也。古代之詩，雅頌可入樂舞，此頌學所由訓為貌也。樂舞之制，始於古初，至春秋之際，其制猶存，由帝王祭禮以推行於民庶，……以歌節舞，以舞節音，則

固與後世戲曲相近者也。（註二四）

指出「古代樂舞」實爲戲曲之本源，俟後又汲取傳奇小說與樂府二體精華，其源中有總源，層層相因，至此「戲曲」體製以興。由於戲曲本身，

其利實蕃，大之可以振尚武之風，小之可以爲養生之助，而徵引往跡，雜陳古事，則又抒懷舊之蓄念，發思古之幽情，爲勸戒人民之一助。（註二五）

造成戲曲廣泛流傳，至元代又因「以曲劇爲進身之媒」，遂突放異彩。對於後世否定明清二代戲曲，視其爲至卑，他實不以爲然說：

明人襲宋元八比之體，用以取士，律以曲劇，雖有有韻無韻之分，然實曲劇之變體也。如破題、小講猶曲劇之有引子也；提比、中比、後比猶曲劇之有套數也；領題、出題、段落猶曲劇之有賓白也，而描摹口角以偪肖爲能，尤與曲劇相符，乃習之既久，遂詡爲代聖賢立言，然金元曲劇之中，其推爲正旦者，曷嘗非忠臣孝子、貞夫義婦耶？故曲劇者又八比之先導也。古人既以傳奇、曲劇爲進身之媒，則後世以八比爲取士之用者曷足異乎？故知八比之出於曲劇，即知八比之文皆俳優之文矣。乃近數百年之間視八比爲至尊，而視曲劇爲至卑，謂非一代之功令使之然耶？（註二六）

八股又名八比（註二七），他從八股文的內容與結構上，指出八股文淵源於戲曲，實曲劇之變體，並認爲「八比一體當附入曲劇之後」，以批評只重視八股文而貶抑曲劇的誤陋，其精考細察，顯現不凡

識見。其他如論詞曲源於詩樂之分等，莫不如是，不僅追溯文體源頭，又演繹其流脈，且由他的分析中，可見文體之因革興衰，實與當時政令息息相關。

劉師培通過上考下求，探源溯流的說明，以寓寄是非褒貶於其中。雖然這些文體前人多有論析，但他卻能蹊徑獨闢，發明精義，一新人之耳目。

第四節　寫作要求

劉師培在論述各種文體代表作品中，歸結其創作經驗，明確樹立各體文章寫作要求，頗具價值。像他考察古來「頌」體名文，對此體提出三點寫作要求：

一、在內容上，「頌」著重頌揚稱美，其寫作應該：

以根據事實為主，不宜流於浮泛。如其人功德行事有足稱述，則為之作頌，應將其實在之美德或事實之源委確切寫出之；若徒作空泛之語，美則美矣，而於形容之義何關乎？（註一八）

這是說務求內容材料精審，眞誠求是，娓娓道來，自然流露眞情，如無中生有，或過甚其辭，則終不免虛情假意，失去作「頌」的意義。

二、在形式上，其寫作要求應注意「序文不可長」，因為「頌之正文，以敘事為主，序文仍敘事，則有疊床架屋之弊。」同時，應辨析頌與賦、銘體式之類似混同處。他說：

頌主告神美德，與賦之「鋪采體物」者有殊。故文必典重簡約，應用經誥，以致其雅。在賦如摛寫八句，在頌則四語盡意。蓋賦放頌斂，體自各別也。

這是說頌賦之鋪陳相類，但手法不同，頌雖然可以「略事鋪張」，但是辭藻文采與賦體的藻飾潤采又有不同。

而頌與銘之異同在於：

三代之銘，分爲二體：一主儆戒，略近於箴；一主頌美，與頌爲伍，皆銘刻於器。前者如湯之《盤銘》及《大戴禮武王踐祚》篇之銘十七章；後者如孔悝《鼎銘》是也。彥和此所謂銘，專指近於箴之一體而言，故謂「敬愼如銘，而異乎規戒之域」，不知銘中尚有頌美之一體。此句若易「銘」爲「箴」，則義無不安；以箴銘之作俱宜簡斂，而箴則惟有規戒之義，無頌美之義也。

這是說「敬愼」，爲頌銘二體辭義上的共同要求，但是頌體中切不可含有規戒之義。

三、在用詞造語上，其寫作要求是：

第一，應有雅音，常手爲文，音節類不能和雅；試取東漢蔡伯喈所作與常文相較，即可辨其高下之所在。第二，頌雖主形容，但不可死於句下；應以從容揄揚，涵蓄有致爲佳。第三，頌文以典雅爲主，不貴艱深；應屏退雜書，惟鎔式經誥。觀漢人所傳之頌，皆文從字順，自然而工；正不賴僻典詁字，以致奧遠。（頌中若如法言，典引及賦之用字，即爲訛體。）可以知矣。

頌體欲達目的，發揮效果，還須在辭藻文采上搭配得當，那就是文句要求涵蓄有致，辭采必要雅潔，音節必須調和，且用典要鎔經鑄史，乃克堂皇，否則於文即爲不稱，以突顯「頌」體重美、重形容、重告神之旨的特色。

最後，他還建議如何創作合乎體要的「頌」體的借鑒途徑：

> 後世之頌，大抵摹擬陸士衡《漢高祖功臣頌》者爲多。斯篇文固細密，作法亦中準繩。惟取格宜高，以此爲法，恐易流於板滯。（後世之頌，即使體裁去古未遠，然決不能如古人簡約，以乏疏朗之致，而有塗附之弊也。）今欲作頌，姑捨周頌商頌，以去高遠；其切而近者，自應以陸士衡《功臣頌》爲式，而參以漢人之疏朗，以矯其扳滯，再求音節和雅，即可得其體要矣。

陸機《漢高祖功臣頌》在頌美漢高祖知人善任，得蕭何、曹參、韓信、張良等三十一人，定天下、安社稷，爲「頌」體中最爲閎富之作，然其中「褒貶雜居」，所以，劉師培認爲能以「疏朗」、「簡約」矯其閎富板滯之弊，取格宜高，則可得其體要法式，他對「頌」體寫作原則，有深中肯綮的解說。

其他如論「誄」作法，以爲「敘言行非貼切不可，一人之誄不可移諸他人」，而在誄文後半「須有纏綿悱惻之情，使讀者引起悲哀之同感，故與碑頌之尚莊嚴者殊體。」同時，在誄文之前，各有短序，序的作法：

或先敘死之年月（如《王仲宣誄》、《楊荊州誄》、《馬汧督誄》），或先序死者之家世及姓名（如《楊仲武誄》、《夏侯常侍誄》）。後世有先作空論而後出姓名者，即為乖體；又《王仲宣誄》及《楊荊州誄》皆有韻，而《楊仲武誄》及《夏侯常侍誄》皆無韻，則以前者僅抒悼惜之情，後者兼敘身世交誼，作法殊異故或有韻或無韻耳。魏晉以上之誄，序甚簡當，無一句與誄文重複。宋齊而後，序文增長，而多與誄犯。（顏延年之《陶徵士誄》即屬此例。）然後代駢文家師顏之體者較多，欲正文體，固當以魏晉為式。為序文所以陳明原委，以為作誄之根據，不宜將誄所欲言者先於序中言之，而使前後相犯也。（註二九）

又論「贊」體作法：

以四言有韻為最通見，蔡中郎間有六字句者。漢人所為贊，篇幅亦不甚長，其體則與頌相近……推贊之本源，既別於頌體，雖後世已混淆無分，然實不能盡同。蓋頌放而贊斂，頌可略事鋪張，贊則不貴華詞。觀漢人之贊，篇皆短促，質富於文；樸茂之中，自然曲雅。既不傷於華侈，亦不失之輕率，斯其所以足式也。

又論「記事之文」的寫作要求：第一繁簡得法；第二文簡事賅；第三傳事妥帖（註三〇）。論「論理之文」的寫作要求：「文必深刻，如剝芭蕉，層脫層現；如轉螺旋，節節逼深，不可為膚裡脈外之言，及鋪張門面之語」（註三一）等等，均曲盡情理，對後學者很有啓示作用。

除論述各類文體寫作要求外，對文體寫作的總原則，他提出兩點看法：

首先須注重文章體製，他說：

文章之體裁，本有公式，不能變化。如敘記本以敘述事實爲主……《水經注》及《洛陽伽藍記》，華彩雖多，而與詞賦之體不同。議論之文與敘記相差尤遠。蓋論說以發明己意爲主，或駁時人，或辨古說，與敘記就事直書之體迥殊。所謂變化者，非謂改敘記爲論說或儕敘記爲詞賦也。世有最可奇異之文體，而世人習焉不察者，則杜牧《阿房宮賦》及蘇軾之前後《赤壁賦》是也。此二篇非騷非賦，非論非記，全乖文體，難資楷模。……苟違其例，則非文章之變化，乃改文體，違公式，而逾各體之界限也。文章既立各體之名，即各有其界說，各有其範圍。句法可以變化，而文體不能遷訛。倘逾其界畔，以採他體，猶之於一字本義及引伸以外曲爲之解，其免於穿鑿附會者幾希矣。（註三二）

大體而言，文體有其一定的應用場合、用途、特有表現對象以及形式等，所以在創作時，須先看文之大體，所謂「遵其所宜，防其所失，故能辭成煉核，動合規矩。」（註三三）從這個角度看，劉師培主張文各有體，以體爲先的觀點，是有積極意義的。從文學史的實際情況看，文體自身不斷處於變化不居的狀態，而變化往往是文體發展的必然途徑，所以他認爲在創作上也可變化常體，不過其原則一定是：「此皆在本體內之變化，而非以他體作本體之文。」（註三四）否則即屬「失體」、「違體」，不足取法。對於打破這種傳統體製，如杜牧《阿房宮賦》以散文寫賦，蘇軾《赤壁賦》把寫遊記散文和說理議論文的方法運用到賦體之中的作法，殊不以爲然。

不過，從通達的角度來看，創作有其一定規範，不應離開體製；可是體製亦不能過分束縛創作，運用時不妨融會貫通，所謂「定體則無，大體須有」（註三五），所以，不論在文體體內變化，抑或打破文體界線改造舊文體，只要能開拓文體的表現方法，注入新活力、新生命，是應該允許的。錢鍾書曾云：「名家名篇，往往破體，而文體亦因以恢弘焉。」（註三六）即是這個道理。

其次，在臨文用字上當相體而施。他說：

> 臨文用字，亦當相體而施：賦主敷采，不避麗言，奇字聯翩，未爲乖體；（如三都兩京子虛上林諸篇古字甚多，降至木華海賦之類用典益爲冷僻，然以並屬辭賦，故尚未可厚非，若易爲誄頌，則乖謬矣。）符命封禪，貴揚王庥，詭言遯辭，可兼神怪（如司馬相如封禪，揚雄劇秦美新，班固典引之類），自茲而外，無論無韻之論說奏啓，有韻之贊碑頌銘，儻用古字以鳴高，轉令氣滯而光晦。（註三七）

不同的遣詞造句，不僅影響文章聲情，文體風貌，甚至也影響表現手法，對此不可不知。

綜上所述，劉師培的文體論，具有兩點特色：一曰闡釋入微。他有些論述是以劉勰的說法爲主。但在引用時，有分析、有闡述，從中篩出精華，觀點鮮明。還有些其他論述，亦能擷英集華，闡釋深入，內蘊無窮，展現新貌。二曰以文明理。他不僅有理論性的開拓，具有指導作用，同時，每類文體中均舉出代表例文，並不憚其煩疏通脈絡，剖析周詳，能以文明理，精義迭見，令人有迷霧頓開，豁然領悟的感受。

【附註】

註　一　宋倪思語，見明徐師曾《文體明辨說》總論，頁八。

註　二　見《中古文學史》，頁二一。

註　三　〈文說・耀采〉，《遺書》第二冊，頁八四三。

註　四　〈文說・宗騷〉，《遺書》第二冊，頁八四四。

註　五　王更生《論我國古今散文體類分合之價值原則及方法》云：「如果加上各篇篇末『附論』所涉及之文體，至少在一百七十種以上。」，見《孔孟學報》第五十四期。

註　六　〈論文雜記〉，《遺書》第二冊，頁八五一。

註　七　〈緒論〉，《專家文》一，頁二。

註　八　同上註，頁三。

註　九　〈論研究文學不可爲地理及時代之見所囿〉，《專家文》十六，頁五三。

註一〇　〈漢魏六朝之寫實文學〉，《專家文》十五，頁四九。

註一一　〈文說序〉，《遺書》第二冊，頁八三五。

註一二　同註六，頁八六一。

註一三　同註六，頁八六二。

註一四　〈左盦文論──文心雕龍頌贊篇〉上，《國文月刊》一卷九期。

註一五　〈文心雕龍誄碑篇口義〉，《國文月刊》三十六期。

註一六　同上註，以下所引論述「誄」體之語，未註者均見此文。

註一七　〈文章變化與文體遷訛〉，《專家文》十四，頁四五。

註一八　〈左盦文論——文心雕龍頌贊篇〉下，《國文月刊》一卷十期，以下所引論述「贊」體之語，未註者均見此文。

註一九　同註六。

註二〇　同註六。

註二一　〈論說部與文學之關係〉，《遺書・左盦外集》卷十三，第三冊，頁一八九四——一八九五。

註二二　同註六，頁八六。

註二三　〈原戲〉，《遺書・左盦外集》卷十三，第三冊，頁一八八八。

註二四　同上註。

註二五　同上註，頁一八八九。

註二六　同註六，頁八六。

註二七　八股文又名八比，八比之名，始於元仁宗王充耘，其定法：首爲破題，共兩句，道破全題要義，接以承題，申明破題之義；以下起比、中比、後比、合比，每一比都是一個對偶段，合稱八比，也叫八股。這也就是八股文的寫法。「乾隆元年，學士方苞奉敕選錄明清諸大家時文四十一卷，曰《欽定四書文》，頒爲程式。」

見《清史稿》卷一百八《選舉》。
註三〇 〈各家總論〉，《專家文》二，頁五。
註三一 〈論各家文章與經子之關係〉，《專家文》，頁三五。
註三二 同註一七。
註三三 日僧空海《文鏡祕府論》。
註三四 同註一七，頁四三。
註三五 〈文辨〉，王若虛《滹南遺老集》卷三十。
註三六 錢鍾書《管錐篇全漢文卷一六》。
註三七 〈學文四忌〉，《專家文》三，頁一〇。

第七章　劉師培的文學史研究

在劉師培的著作中，關於中國文學史的論述，大致有三個方面：一是於民國七年（一九一八），他在北京大學講授中古文學史課程，因此撰寫了一部《中古文學史講義》，後來出版時定名爲《中古文學史》；二是〈論近世文學之變遷〉，編入《左盦外集》；三是散見於《遺書》中關於中國古代作家、作品等論述。以下就上述三方面之資料，加以探討析論，以見其對中國文學史研究的梗概。

第一節　獨特的文學史觀

劉師培的文學史觀，是指劉師培對文學發生和變遷的看法。今依次言之。

一、論文學發生於巫祝

關於文學的發生，劉師培曾作了專門探討，他力主起源於「巫祝之官」，因爲：

蓋古代文詞，恆施於祈祀，故巫祝之職，文詞特工……文章各體多出於斯……欲考文章流別者，曷溯源於清廟之守乎？（註一）

以我國早期的文學創作來看，往往是原始巫術、宗教、音樂、舞蹈、繪畫、工藝諸種形態之混合。他舉例說：

試觀成周之世，鏤金勒石，顯揚功烈，以示子孫；奏頌舞夏，形容盛德，以告神明；銘必誌實，樂必眾功，即圖繪之功。（註二）

並說：

由於頌備樂舞，古人舞樂以降神，故三頌多祀神之作。……三代以前之樂舞，無一不原於祭神，……蓋均出於古代之巫官。（註三）

又說：

遐稽古籍，歌舞並言。……歌舞本於詩，故歌詩以節舞。……以歌傳聲，復以舞象容。孔子刪《詩》，列〈周頌〉、〈魯頌〉、〈商頌〉於篇末。〈頌〉列於《詩》，猶戲曲列於詩詞中也。（註四）

當時，詩歌樂舞、彩繪文飾等，已涵攝了文學成分，而這些大多經由「祭主贊詞者」（註五）的「巫祝之官」，憑口耳傳誦，由於他們「工於詞令」、「多嫻文學」，留下了遺迹，培育了文學的幼苗。如果說巫祝之官流傳的是口頭文學，繼巫祝之官而起則是史官，即指「著文字於竹帛」後，記動記言的史傳即應運而生。他說：

當此之時，歌謠而外，復有史篇，大抵皆爲韻語。言志者爲詩，記事者爲史篇。史篇起源，始於倉聖。《周官》之制，太史之職，掌諭書名，而宣王之世，復有史籀作《史篇》……舉民生日用之字，悉列其中。（註六）

又說：

古代小說家言，體近於史。（註七）

可見史官之時，文學創作已進入書面文體形式，在內容上雖已從祀神、音樂、繪畫、舞蹈中析出，卻又與歷史、政治、哲學、倫理等相牽連，不過文學色彩逐漸增加，篇章體制漸臻形成。

劉師培對文學濫觴期的探頤索隱，較之劉勰以爲文學源於自然，再經由庖犧、孔子仰觀俯察的結果，把自然之文變成了人文（註八）；及與阮元歸功於孔子（註九）；曾國藩歸本於周文王（註一〇）之說，較近乎事理，値得肯定。所以後來魯迅《漢文學史綱》即承襲其說云：

連屬文字，亦謂之文。而其興盛，蓋亦由巫史乎？巫以記神事，更進，則史以記人事也……。

二、論文學變遷的因素

劉師培研究文學史始終以文學變遷爲線索，脈絡淸晰地交代各時代錯綜複雜的文學發展過程，可見關於文學的變遷，是他文學史觀的核心，因爲他認爲：

> 文學史者，所以考歷代文學之變遷也。（註一一）

根據他的論述，決定文學變遷的原因，可以從外在、內在兩方面來考察。

㈠外在因素

首先，從政治領袖來觀察。劉師培論述一代文學，筆墨每每集中於政治領袖的好惡崇抑。以建安文學為例，他指出：

> 兩漢之世，戶習七經，雖及子家，必緣經術，魏武治國，頗雜刑名，文體因之，漸趨清峻。（註一二）

這是說曹操思想對當時文章風格的影響。除此之外，他更明白的說：

> 建安文學，實由文帝、陳王提倡於上。……思王之文，久為當世所傳，故一時文人興起者眾。至於明帝，雖文采漸衰，然亦篤好藝文。……又高貴鄉公……愛好文雅……此又少王提倡文學之證也。故有魏一朝，文學獨冠於吳蜀。（註一三）

他由翔實的史料中，對當時政治領袖的文學創作、文學活動等繁證博引，以說明當時文風活躍，濟濟多士，正是由於曹氏父子愛好與提倡。如果再參考鍾嶸《詩品序》，所謂：「降及建安，曹公父子篤好斯文，平原兄弟（曹丕、曹植）鬱為文棟，劉楨、王粲為其羽翼，次有攀龍託鳳，自致於屬車者，蓋以百計，彬彬之盛，大備於時矣。」以及劉勰《文心雕龍．時序》所說：「魏武以相王之尊，雅愛詩章，文帝以副君之重，妙善辭賦，陳思以公子之豪，下筆琳琅，並體貌英逸，故俊才雲蒸」，更可證明由於政治領袖居於主導地位，以致操觚之士，靡然從風，形成一代文學盛況。

一個值得注意的現象，劉宋時期的八代君主中，鮮有不通文墨的，劉師培不憚煩地對史料廣作搜求（註一四），以說明宋代文學興盛之由。同時，他還指出：

考之史籍，則宋文帝時，於儒學、玄學、史學之館外，別立文學館。……明帝立總明館，分儒、道、文、史、陰陽爲五部，此均文學別於衆學之徵也。（註一五）

由於政治領袖的重視，也對文學產生促進作用。至於論齊梁時期，他說：

當時世主所崇，非惟據韻，兼重長篇，詩什既然，文章亦爾，用是篇幅益恢，偶詞滋衆，此必然之理。（註一六）

論清代文學說：

清代……才智之士憚於文網，迫於飢寒，全身畏害之不暇……。（註一七）文學均優之士，所由不數覯也。（註一八）

均持一貫主張，由此可見，政治領袖的雅好文學，憑藉優勝的政治地位，確實爲文學變遷發展，打開一條生生不息的大道。

其次，由世族貴胄或文人集團來觀察。政治領袖固然是凝聚當時文壇的核心，但世族貴胄或文人集團的倡導，對文學變遷方向，常常具有不可忽視的力量。關於世族貴胄的影響，劉師培指出：

宋齊梁陳文學之盛，……試合當時各史傳觀之，自江左以來，其文學之士，大抵出於世族，而

> 世族之中，父子兄弟各以能文擅名，如《南史》稱劉孝綽兄弟及群從子姪，當時有七十人，並能屬文，近古未之有；又王筠與諸兒論家門文集書謂：史傳所稱，未有七葉之中，人人有集如吾門者……，此亦秦漢以來之特色。（註一九）

世族貴胄在當時往往述作文章，「招才嘉會」，給文壇帶來不小影響。

至於後者文人集團的影響更明顯。譬如建安時期，曹氏父子廣泛地招攬文士，在他們周圍聚集了「七子」爲代表的文人集團，他們的創作，對「建安風骨」的形成發展，產生了重大作用。再以齊永明時代爲例，他指出：

> 竟陵王子良……愛好文學，招集文士。（註二〇）

竟陵王蕭子良翕集一批文士，號曰竟陵八友（註二一）。由於八友中沈約、謝朓、王融等，普遍致力於辭藻聲律和形式的講求，創立聲律學說，遂有「永明體」的產生，這是我國古代格律詩的發端，體現出詩歌從自由形式邁向格律化的趨勢，並由詩及於辭賦、駢文以及詞曲整個文學領域，在我國文學史上是重大事件，因此劉師培說：

> 四聲之說，盛於永明，其影響及於文學，……試即南朝之文審之，四六之體，粗備於范曄、謝莊，成於王融、謝朓，而王謝詩亦復漸開律體，影響所及，迄於隋唐，文則悉成四六，詩則別爲近體，不可謂非聲律論開其先也。（註二二）

八友之中，又以沈約、任昉獎掖後進最力，所以他說：

> 任昉之流，亦爲當時文士所歸，此亦梁代文學興盛之由也。（註二二二）

據《梁書・劉勰傳》載，劉勰撰成《文心雕龍》，「欲取定於沈約，約時貴盛，無由自達，乃負其書候約出，干之於車前」，因而得沈約之賞識，於是競相傳抄，可見沈約在當時文人心目中崇高地位。同時，《南史・任昉傳》說：「昉尤長載筆，頗慕傅亮才思無窮，當時王公表奏，莫不請焉，起表即成，沈約深所推挹。」除博得沈約的欽慕，任昉還「好獎進士友，不附之者亦不稱述，得其延譽者多見升擢，故衣冠貴遊莫不多與交好，坐上客恆有數十。」而《南史・到溉傳》也說：「任昉爲御史中丞，後進皆宗之。時有彭城劉孝綽、劉苞、劉孺，吳郡陸倕、張率，陳郡殷芸，沛國劉顯及溉、洽，車軌日至，號曰蘭台聚。」可知沈約、任昉在文壇上之顯赫地位，以及遊於他們門下的文士們，其蘭台雅集，必然左右了整個文壇。

另外，齊梁時期以蕭綱爲中心的文人集團，主要成員有徐陵、庾信、以及劉孝儀、劉遵等人，也形成盛極一時的「宮體詩」（註二二三），流風相扇影響頗大。除了魏晉六朝有此現象外，即使是清代，文人集團的影響仍時有所見，如當時阮元弁冕群才，領袖一世，又建立詁經精舍、學海堂，聚士講學，主持風會，

> 以儒生秉節鉞，天下之士相與誦述文章，想望丰采（註二二四）

一時高才，收羅殆盡，人才蔚起，文教振興，餘韻流風，流布甚廣，凡此種種均是其例。經由劉師培的分析，我們清楚看到貫穿文學史中，或政治領袖，或世族貴冑，或文人集團等因素，促使一代文學

產生推移變化。

再次，由學術思潮觀之。學術思潮的轉移，也深深維繫著文學的繁榮與發展。比如，劉師培論述晚清文學沒落不可逆轉之因，他說：

> 近世以來學派有二，一曰宋學，一曰漢學。治宋學者從語錄入門，治漢學者從注疏入門，由是以語錄爲文，以注疏爲文。及其編輯文集也，則義理考訂之作，均列入集部之中，目之爲文，學者互相因襲，以爲文能如是，是亦已足，不復措意於文詞，由是學日進而文日退。（註二五）

究其造成文學日趨退化之因，即在於當時漢宋學交爭的學術思潮，使文學創作陷入窘境。所以，「他特別批評了自明以來，書牘序記之文與近世演說同科，考據之文與案牘之文同科的不良傾向。這些實在不失爲有眼力與魄力的評斷，對於澄清長期以來由漢宋學派之爭所造成的混亂，有著積極的意義。」（註二六）同時，他並有系統的討論當時最大文派——桐城派的弊端，即在於思想上尊崇宋學，行文仿效唐宋古文，使得桐城古文日趨空疏，然而桐城諸家卻誇稱其爲文之正統，無疑將中國文學的發展推向絕路。他說：

> 望溪方氏摹仿歐曾……以空議相演，又敘事貴簡或本末不具，捨事實而就空文……然以空疏者爲之，則枯木朽荄，索然無味。（註二七）

並說：

凡桐城古文家無不治宋儒之學，以欺世盜名。（註二八）

又說：

> 桐城方苞善爲歸氏古文，明於呼應頓挫之法。又雜治宋學，以爲名高。然行僞而堅，色厲內荏。姚鼐傳之，兼飾經訓以輔。下逮二方，猶奉爲圭臬。東樹硜硜，尚類弋名，宗誠卑卑，行不副言。（註二九）

明末，理學走向衰落，但在清代，卻是官方正學。劉師培指出，清廷「以朱學範民，則宰輔之臣均以尊朱者備其位」，統治者特別推重理學，擢拔理學名臣，給予高爵厚祿，尤其自清初陸隴其、湯斌「以僞行宋學」而「配享仲尼」後，「僞學之風昌」（註三〇），所以他認爲：「中國民氣積弱之原，實出於僞學之鼓煽」（註三一）可見他對桐城古文家的思想操行，表示了極端鄙夷，並以宋學之弊「喜言空疏」、「武斷穿鑿」，來概括桐城末流之失。他從學術思潮立場，衡量桐城文派的思想內容以及其價值地位，打破了桐城在古文正統上的地位。這些論點，在文學史研究中可說是相當深入的。

又如，漢魏之際，建安時期是學術思潮轉折的關鍵，當時儒學衰落，思想界掙脫經學束縛，呈現多種學術思潮並存，互相融合的局面。新的學術思潮的變化造就了建安文人新見解，從事創作時表現出與漢代文人明顯的區別。劉師培曾辨析漢魏之際文學變遷的緣由及風貌，概括出以下幾點：

> 兩漢之世，户習七經，雖及子家，必緣經術。魏武治國，頗雜刑名。文體因之，漸趨清峻，一也；建武以還，士民秉禮。迨及建安，漸尚通侻。侻則侈陳哀樂，通則漸藻玄思，二也；獻

> 帝之初，諸方棋峙。乘時之士，頗慕縱橫，騁詞之風，肇端於此，三也；……。（註三二）

這三條均與漢魏學術思潮有關，各種思想學說的活躍，與文學創作結合，促使文學得到空前發展。由此可見，學術思潮對文學發展影響之重要性。

(二)內在因素

文學的發展，除了外在因素外，還牽涉到文學內在因素。首先，從文體風格觀察之。劉師培曾指出：

> 凡論文學之變遷，當觀其體勢若何，然後文派異同，可得而說。（註三三）

他所謂的「體勢」，即是「因情立體，即體成勢」（註三四）之意，也就是說不同體裁形成不同風格，而不同文體風格必然影響或指導創作，因此劉師培以爲在文學史中各種文學變遷，應從文體風格來探究其相互差異。以建安文學爲例，他曾指出：

> 《文心雕龍》諸書，或以魏代文學與漢不異。（註三五）

各書未能分出「魏文異於漢文」。他則以文體風格來剖析：

> 魏文與漢不同者蓋有四焉：書檄之文，騁詞以張勢，一也；論說之文，漸事校練名理，二也；奏疏之文，質直而屏華，三也；詩賦之文，益事華靡，多慷慨之音，四也。凡此四者，概與建安以前有異，此則研究者所當知也。（註三六）

試觀曹丕《與吳質書》中云：

昔日遊處，行則連輿，止則接席，何曾須臾相失！每至觴酌流行，絲竹並奏，酒酣耳熱，仰而賦詩。當此之時，忽然不自知樂也。（註三七）

文中俯仰詠嘆，一往情深，而其詞語雅麗，句式整齊，駢散兼濟，對偶增多，辭采加濃。曹植《與吳季重書》更是辭采偉麗，文辭馳騁，如云：

當斯之時，願舉太山以爲肉，傾東海以爲酒，伐雲夢之竹以爲笛，斬泗濱之梓以爲箏。食若塡巨壑，飲若灌漏巵，其樂固難量，豈非大丈夫之樂哉？（註三八）

以極度誇飾豪放之筆，抒情述志，寫來淋漓酣暢，文采絢爛，辭情並茂。凡此種種，都顯示建安散文由簡趨繁，「騁辭張勢」的文體風格特色。其他像騁辭摛采，氣勢恢張鋪排的檄文，體現這種「騁辭張勢」的特點最爲突出，如阮瑀《爲曹公作書孫權》云：

若韓信傷心於失楚，彭寵積望於無異，盧綰嫌畏於已隙，英布憂迫於情漏……寧放朱浮顯露之奏，無匿張勝貸故之變，匪有陰構賁赫之告，固非燕王淮南之衅也。（註三九）

文氣浩蕩，對偶整飭，繁富鋪張，文采斐然。

此外，像曹操《短歌行》、《觀滄海》等，別出新意，自鑄偉詞，壯闊宏麗，氣勢不凡，表現出戎馬倥傯，橫槊賦詩的新風貌；曹丕《燕歌行》委婉細膩，淸麗哀怨，開拓出新內容、新意境；曹植《贈白馬王彪》，王粲《從軍行》……等作品，均以新的時代內容，感情風貌，改造舊有文體風格，呈現萬狀紛紜的文體風貌，與兩漢作品在精神氣質與文體豐瘠腴枯皆判然有別，使建安文學呈現群芳璀璨，美不勝收的局面。

至於他論析「晉文異於漢魏」時，則全從文體風格來著眼，如：

晉人碑銘之文……均以漢作爲楷模，然氣清辭暢，則晉賢之特色；頌……過於繁富，……晉代詔書，……較爲壯美，……晉代論文……均理精詞雋，不事繁詞，……晉代表疏，或文詞壯麗，或擇言雅暢，其弊或流於煩冗，爲漢魏所無……史傳一體，均由實趨華……（註四〇）

晉代文學繼承漢魏，卻又與之不同，從文體風格上足覘其特色，可見劉師培以獨到的眼光，由文體風格來闡發文學的變遷，他的說法足以廓清以往陳說。

其次，從文學語言的表現來觀察。文學作品中的語言形式，也會反映出文學演化或創新痕迹。劉師培曾剖析漢魏文章語言的變遷，約有四端：

西漢之時，……大抵皆單行之語，不雜駢儷之詞，或出語雄奇，或行文平實，咸能抑揚頓挫，以期語意之簡明。東京以降，論辯諸作，往往以單行之語，運排偶之詞，而奇偶相生，致文體迥殊於西漢。建安之世，……悉以排偶易單行，即非有韻之文，亦用偶文之體，而華靡之什，遂開四六之先，而文體復殊於東漢，其遷變者一也。西漢之書，言詞簡直，故句法貴短。……東漢之文，句法較長。……魏代之文，則合二語成一意，由簡趨繁，昭然不爽，其遷變者二也。西漢之時，……對偶之法未嚴，……東漢之文，漸尚對偶。若魏代之體，則又以聲色相矜，以藻繪相飾，靡曼纖冶，致失本眞，其遷變者三也。西漢文人……咸能洞明字學，故選詞遣字，亦能古訓是式，非淺學所能窺。東漢文人……文詞古奧遠遜西京。魏代之文，則又語意易明，無俟後儒之解釋，其遷變者四也。（註四一）

試以司馬遷《報任少卿書》與班固《答賓戲》相較，如《報任少卿書》云：

昔衛靈公與雍渠同載，孔子適陳；商鞅因景監見，趙良寒心；同子參乘，袁絲變色，自古而恥之。夫中才之人，事有關於宦豎，莫不傷氣，而況於慷慨之士乎！如今朝廷雖乏人，奈何令刀鋸之餘，荐天下豪俊哉！（註四二）

《答賓戲》中云：

功不可以虛名，名不可以僞立；韓設辨以激君，呂行詐以賈國；說難既遒，其身乃囚；秦貨既貴，厥宗亦墜；是以仲尼抗浮雲之志，孟軻養浩然之氣，彼豈樂爲迂闊哉，道不可以貳也。（註四三）

可以發現二者在語言表現上有其明顯差異：司馬遷之文以單行散句爲主，而班固之文則變散爲對，轉奇爲偶，偶語對句甚爲繁富。同時，司馬遷之文渾樸雄奇，語簡意明，而班氏之文則鋪陳豐贍，雍容華美。是故，由於語言表現的繁簡，單行排偶，質樸華美，古奧淺易等不同，使得各個時代呈現的文學風貌，也不盡一致。

在文章語言變遷中，他特別論析個人篇章語言，如：

孔璋之文，純以騁辭爲主，故文體漸流繁富。……文之由簡趨煩，蓋自此始。（註四四）

嵇康、阮籍之文，文章壯麗，摠采騁辭……溯其遠源，則阮瑀、陳琳已開其始。（註四五）

試觀陳琳《爲袁紹檄豫州文》、《檄吳將校部曲文》、《爲曹洪與魏文帝書》；阮瑀《爲曹公作書孫權》等，徵引史實，剖析利害，不惜渲染筆墨，增加聲勢，文中善以誇張、對比、排句等增强行文氣勢，辭繁氣盛，極富感染力，是以其文深爲當世所重，且影響後人至大，形成一股潮流。又如阮籍《爲鄭沖勸晉王牋》中云：

明公宜承聖旨，受茲介福，允當天人。元功盛勳光光如彼，國土嘉祚巍巍如此，內外協同，靡愆靡違。由斯征伐，則可朝服濟江，掃除吳會；西塞江源，望祀岷山；迴戈弭節以麾天下，遠無不服，邇無不肅，大魏之德光於唐虞，明公盛勳超於桓文。然後臨滄州而謝支伯，登箕山以揖許由，豈不盛乎！至公至平，誰與爲鄰！何必勤勤小讓也哉！（註四六）

嵇康《答難養生論》中，非議聖人云：

仲尼窮理盡性，以至七十，田父以六弊惷愚，有百二十者。若以仲尼之至妙，資田父之至拙，則千歲之論奚所怪哉？且凡聖人，有損己爲世，表行顯功，使天下慕之，三徙成都者；或非食勤躬，經營四方，心勞形困，趨步失節者；或奇謀潛構，爰及干戈，威武殺伐，功利爭奪者；或修身以明污，顯智以驚愚，藉名高於一世，取準的於天下；又勤誨善誘，聚徒三千，口勸談議，身疲磬折，形若求孺子，視若營四海，神馳於利害之端，心驚於榮辱之塗，俛仰之間，已再撫宇宙之外者。若比之於內視反聽，愛氣嗇精；明白四達，而無執無好；遺世坐忘，以寶性全真；吾所不能同也。（註四七）

二人文章共同點是排句較多，講究辭藻，引古證今，出以駢比，洋洋洒洒，放筆不休，博喻醲采，落落宏致，行文與阮瑀，陳琳有一脈相承之迹。

再次，從作家才學來觀察。作家創作是文學變遷的核心，因為作家才華是文學發展的基石。比如漢魏六朝打破舊有傳統觀念，重視個人的才學、品貌、風度等，所以漢魏六朝以來的作家，都努力不懈地展現才華，追求新變，進而推動文學發展，所以劉師培極其敏銳地指出其在文學上的反映：

奮筆直書，以氣運詞，實自衡始。……是以漢魏文士多尚騁辭，或慷慨高厲，或溢氣坌涌，此皆衡文開之先也。（註四八）

至於梁代……文士所作雖多艷詞，然尤以艷麗著者，實惟……庾信、徐陵……，而文體特為南北所崇……此則大同以後文體之一變也。（註四九）

在這裡，他說明在禰衡以前的作品，普遍的特色是「尚和緩」（註五〇），但自禰衡文一出，以氣運詞，則為後世文家開拓一條創作大道。此外像庾信、徐陵，都是梁陳時期南北文壇最大影響者，故時人有「徐庾體」之稱，二人文章氣勢駢整，聲色考究，繁富爭奇，同時裁對、用典、敷藻與聲調，四美俱備，駢四儷六，平仄相間，以致於徐庾出而大變六朝之體勢，足以證明，作家才學素養的不斷提昇，創作方法的爭新鬥奇，足以成為文學變遷的動力。

另外，劉師培還指出自漢魏以降，注重個人才學，因此，一方面崇拜天賦早成，一方面講求博學，並進一步把這種思想擴展到文學上，在創作上要體現出作家個人才學，恥文不逮。例如齊梁時代，他舖敘了大量史料，讓人領悟當時文士們的才情，如：

文思敏速，或援筆立成，或文無加點。（註五一）

與史料相應來看，可知，

梁武集文士作詩文，均限晷刻。又《南史・王僧孺傳》謂：齊竟陵王集學士爲詩四韻，刻燭一寸，亦其證也。若《徐勉傳》：下筆不休。《朱异傳》：不暫停筆。又當時詔誥書疏，詞貴敏速之證。（註五二）

由於相互競巧，以致造成梁代「文章舛雜」（註五三），「文多溢詞，不關實義」以及「篇逾千字爲恆」（註五四），更由於作家逕相揚才露己，所以，詞采、駢偶、聲律、用典等，甚至類書都得到空前發展。不過，卻也形成齊梁時期過分偏重形式美，因此劉師培又指出：

梁代士人，無不工文，而文人亦均博學，故有文名爲學所掩者。（註五五）

由劉師培具體闡發，可以很淸楚看到，作家由自然天賦到刻意騁才的發展脈絡，與文學變遷有一致之處。

綜上所述，劉師培對文學的發生、變遷的內外在因素分析，都說明了他眼光敏銳，識見非凡。

第二節　論作家作品的優劣

文學的變遷，實際上即是各代作家作品的更替，因此，劉師培於探討文學發生、變遷之外，還對於各個時期作家作品進行評論，這些評論突破舊說的藩垣，頗多精闢之論。以下試從兩方面作綜合說明。

第一，從內容與形式並重論作家作品。劉師培重點評論了一些作家及其作品，都是從這一準則入手。他稱揚《楚辭》爲：

屈宋《楚辭》憂深思遠，上承風雅之遺，下啓詞章之體，亦中國文章之祖也。（註五六）

《楚辭》在文學史上爲重要的里程碑，是以他對其內容與形式曾作精湛分析。在內容方面：

擷六藝之精英，括九流之奧旨。（註五七）

指出《楚辭》內容多源自《詩》、《書》等古代經籍，而其思想又帶有儒家、道家、法家、墨家以至神仙家等各種先秦學派的成分，甚至還有助於「辨史」，「考地」，其內容可謂繽紛廣博。

在形式方面：

屈宋《楚辭》，爲詞賦家之鼻祖。……詩歌比興之遺也，……史篇記載之遺也，是《楚辭》一編隱含二體。（註五八）

或屬寓言，或陳譎說，或即小以寓大，或事隱而言文，其詞近於縱橫家。（註五九）

《楚辭》中鋪陳排比的創作手法，和當時縱橫遊說風氣相關；比興之體則淵源於《詩經》，又與春秋以來「賦詩言志」和「隱語」諷諫有關；而《楚辭》中記有許多歷史故事，又可說是史學的旁流；加之「摛辭典則，鍛字必精」（註六〇）所以《楚辭》能夠在文學史上占有崇高的地位，故而劉師培以爲由於《楚辭》「情文相生」（註六一）的精妙內容與形式，遂成爲「駢體之先聲，文章之極則」（註六二）。此外像他論蔡中郎（邕）之文，「文質得中」；論《顏氏家訓》「質而有文」；論陸士衡之文「華而不澀」（註六三）、「華而不浮」（註六四）等等，大都兼及作品思想與形式兩方面論述。

對那些質文畸重畸輕的作家作品，他也做了評論。比如論沈約，他固足成家，但「參用藻采，不免浮泛」（註六五）；而相反「山簡以下，其文采亦少概見」（註六六）；其他如論清代「簡齋、稚威、仲瞿之流以排奧自矜……華而不實」（註六七）他認爲這都是不佳的表現。

第二，從重視獨創性與否論作家作品。比如他評論曹植，曾指出：

> 曹魏章奏以質實爲主，惟陳思王篇製高華，不偭舊規，亦能獨邁儕輩。（註六八）

例如曹植在有名的〈求自試表〉中寫到：

> 若使陛下出不世之詔，效臣錐刀之用……必乘危躡險，騁舟奮驪，突刃觸鋒，爲士卒先。雖未能擒權馘亮，庶將虜其雄率，殲其醜類，……雖身分蜀境，首懸吳闕，猶生之年也。

在〈求通親親表〉中訴說骨肉生離沈痛情感：

> 近且婚媾不通，兄弟永絕，吉凶之問塞，慶弔之禮廢。恩紀之違，甚於路人，隔閡之異，殊於

胡越。

在〈陳審舉表〉懇切提出忠告：

故謀能移主，威能懾下，豪右執政，不在親戚。權之所在，雖疏必重，勢之所去，雖親必輕。蓋取齊者田族，非呂宗也；分晉者趙魏，非姬姓也。（註六九）

這些代表作品，不僅遣詞造句排比整飭，而且有時在整齊的四字句中，又間以六字句，以形成起伏有致的節奏感；而其辭藻絢麗，琛麗煒燁，可知曹植散文開六朝駢儷的先河，對推動六朝文學的發展功不可沒。

評論何晏，他以爲：

其析理之文……知晏之文學，已開晉宋之先。（註七〇）

試觀何晏《列子仲尼篇張注所引無名論》文云：

夫道者，惟無所有者也。自天地以來，皆有所有矣，然猶謂之道者，以其能復用無所有也，故雖處有名之域，而沒其無名之象，由以在陽之遠體，而忘其自有陰之遠類也。夏侯玄曰：天地以自然運，聖人以自然用，自然者道也，道本無名，故老氏曰彊爲之名，仲尼稱堯蕩蕩，無能名焉。……（註七一）

何氏贊引夏侯玄之言「天地以自然運，聖人以自然用」，用以說明封建綱常名教來源於「天道」，是依「自然」法則建立起來的，就其體用關係來看，「自然」爲名教之體，名教爲「自然」之用，如此一來，何晏把儒家的名教與道家的自然融合爲一，開出晉宋以來玄談析理之文的模式。

又如，何氏藉歌頌曹魏政權，以寄託其政治理想的〈景福殿賦〉云：

　　總神靈之貺祐，集華夏之至歡。方四三皇而六五帝，曾何周夏之足言。

而何氏所指「三皇五帝之治」的社會是：

　　規矩既應乎天地，舉措又順乎四時。是以六合元亨，九有雍熙。家懷克讓之風，人詠康哉之詩。莫不優遊以自得，故淡泊而無所思。（註七二）

這裡的國君是「與天地合其德」的聖人，官吏是伏亂寧民的中正之士；一切制度合乎天地自然之道，舉措設施順應四時民情，天下一統，四方暢達，家家具有謙讓的風尙，人人高唱安樂的詩歌，以致人人優遊自得，恬淡寡欲而不作「捨本逐末」的追求，可見何晏是期望在文明社會中，要求社會禮制簡樸，和社會風氣的淳厚。他以老子思想改造儒家至聖先王及其經典，又給老子帶上儒家色彩。這樣的玄理文章是前代所未有的，尤其文章連類舉例，精練透闢，很有氣勢，對後來文學產生深遠影響。

論王弼則說：

　　弼文傳於世者，今鮮全篇，惟《易注》、《易略例》、《老子注》均爲完書……可以窺輔嗣文章之略，蓋其爲文，句各爲義，文質兼茂，非惟析理之精也。（註七三）

試觀王弼《老子三十五註》討論「道」云：

　　人聞道之言，乃更不如樂與餌，應時感悅人心也。樂與餌則能令過客止，而道之出言，淡然無

味。視之不足見，則不足以悅其目；聽之不足聞，則不足以娛其耳。（註七四）

他以為「道」是自然、無聲無味，「道」的「淡然無味」，超越了感官的愉悅。引用事例，推類辨物，有深刻的說服力。

此外，像在《老子五十七章注》云：

> 夫以道治國，崇本以息末，以正（政）治國，主辟以攻末。（註七五）

《老子七十二章注》云：

> 離其清靜，行其躁欲，棄其謙後，任其威權，則物擾而民僻，威不能復制民，民不能堪其威，則上下大潰矣，天誅將至。（註七六）

這些篇章固然是注解《老子》，但卻飽含著王弼的看法，其中以表達政論性思想份量頗重，所以劉師培說「蓋其為文，句各為義」，即是指出他借經立論，要言不煩，從哲理角度闡發社會政治問題，蘊含豐富要指。同時，在語言上既具思辨性，又精煉工整，是以劉師培稱其「文質兼茂，非惟析理之精也」，給予很高評價。

評論阮籍時，劉師培指出：

> 阮氏之文……大抵語重意奇，頗事華采，其意旨所寄。所為〈大人先生傳〉，其體亦出於漢人設論，然雜以騷賦各體，為漢人所未有。……其論文傳於今者……有〈通易論〉、〈達莊論〉、〈樂論〉三篇。〈通易〉，綜貫全經之義，以推論世變之由，其文體奇偶相成，間用韻

語；〈達莊論〉亦多韻語，然詞必對偶，以氣騁詞；〈樂論〉文尤繁富，輔以壯麗之詞。（註七七）

阮氏〈東平賦〉中有云：

> 桑間濮上，淫荒所廬，三晉縱橫，鄭衛紛敷，豪俊凌厲，徒屬留居。是以強禦橫於户牖，怨毒奮於牀隅，仍鄉飲而作慝，……是以其州閭鄙邑，莫言或非，殰情戾慮，以殖厥資。其土田則原壞蕪荒，樹藝失時，疇畝不辟，荆棘不治，流潢餘溏，洋溢靡之。（註七八）

篇中展現了社會風氣的腐敗，暴孽叢生，同時刻劃了凋敝的亂世景象，於文中暗寓諷諫之意。而篇中文辭卻無雕琢冗沓，藻飾蹇澀之病，其「語重意奇，頗事華采」的特色可見一斑。而其著名的〈大人先生傳〉筆調恣肆，極盡鋪陳，試觀其文，如：

> 往者，天嘗在下，地嘗在上，反覆顛倒，未之安固，焉得不失度式而常之？天因地動，山陷川起，雲散震壞，六合失理，汝又焉得擇地而行，趨步商羽？往者群氣爭存，萬物死慮，支體不從，身爲泥土，根拔枝殊，咸失其所，汝又焉得束身修行，磬折抱鼓？……且汝獨不見夫蝨之處乎褌中！逃乎深縫，匿夫壞絮，自以爲吉宅也。行不敢離縫際，動不敢出褌襠，自以爲得繩墨也。饑則嚙人，自以爲無窮食也。然炎丘火流，焦邑滅都，群蝨死於褌中而不能出。汝君子之處環區之內，亦何異夫蝨之處褌中乎？（註七九）

全文重點有三：一是「禮法之士」的非難與大人先生的駁斥；二是大人先生與未忘是非善惡而憤世疾

俗的「隱者」對答；三是大人先生與未忘窮達之分而自適善處的「薪者」對答；以描繪一個「超世而絕群，遺俗而獨往」的大人先生，自我意識與自然宇宙合而爲一通達自得的精神境界，文中採賦體問答形式，穿插騷體詩歌，反復辯難，層層開展，韻散相間，聲調和諧，極富獨創特色，受後人贊賞。

評論嵇康，劉師培說：

> 嵇氏之文……其文體均變漢人之舊，……析理綿密，亦爲漢人所未有。（註八〇）

嵇氏喜好論辯，著作絕大多數是論辯文，所以劉師培以爲：「其集中雖亦有賦、箴等體，而以論爲最多，亦以論爲最勝，誠屬前無古人，後無來者」（註八一），十分推崇。試觀嵇氏〈養生論〉中云：

> 以多自證，以同自慰，謂天地之性，盡此而已矣。縱聞養生之事，則斷以己見，謂之不然；其次狐疑，雖少庶幾，莫知所由。……

〈答難養生論〉中云：

> 君子之用心若此，蓋將以名位爲贅瘤，資財爲塵垢也，安用富貴乎？故世之難得者，非財也，非榮也，患意之不足耳！意足者，雖耦耕甽畝，被褐啜菽，豈不自得？不足者雖養以天下，委以萬物，猶未愜然。則足者不須外，不足者無外之不須也。無不須，故無往而不乏；無所須，故無適而不足。不以榮華肆志，不以隱約趨俗，混乎與萬物並行，不可寵辱，此眞有富貴也。……馳騖於世教之類，爭巧於榮辱之間，以多同自域，思不出位，使奇事絕於所見，妙理斷於常論，以言通變達微，未之聞也。

〈難自然好學論〉云：

今子立六經以爲準，仰仁義以爲主，以規矩爲軒冕，以講誨爲哺乳，由其塗則通，乖其路則滯，遊心極視，不睹其外；終年馳騁，思不出位，聚族獻議，唯學爲貴；執書摘句，俛仰咨嗟，使服膺其言，以爲榮華，故吾子謂六經爲太陽，不學爲長夜。今若以明堂爲丙舍，以誦諷爲鬼語，以六經爲蕪穢，以仁義爲臭腐；目籍則目瞧，修揖讓則變傴，襲章服則轉筋，譚禮典則齒齲，於是兼而棄之，與萬物爲更始；則吾子雖好學不倦，猶將閼焉；則向之不學，未必爲長夜，六經未必爲太陽也！（註八二）

凡此長篇論文，不僅析理綿密，立意深刻，同時，劉師培以爲嵇氏析理之文能獨步當時之因，在「意思新穎，字句不蒙混」（註八三）。這是說在內容上，嵇氏强調自我思考，理性判斷，打破權威和習俗成見，反對「多同」與「思不出位」，所以他所提出的觀點往往大膽地駁正舊說，具有眞情實感。在形式上，文詞犀利，明確透徹，切中要點，且其結構「文如剝繭，無不盡之意」（註八四），如〈養生論〉中，從正反兩面批駁世間流行的兩種養生觀點，推論謹嚴；在〈難自然好學論〉，針對張叔遼所謂「好學」價值觀念的偏失，提出論辯；在〈答難養生論〉，圍繞著向秀所提養生的論題，逐層駁正，句句出於己心，發前人所未發，是論說文中的傑作。

再如論左思：「東漢以來，詞賦雖逞麗詞，左思〈三都〉矯之，悉以徵實爲主」（註八五）。指出左思在創作上，無論詠物抒情，都力求眞實，不尙浮誇，因此，他擺脫了當時浮泛頹靡之風，以嶄新恣態出現。論孫綽：「〈天台山賦〉詞旨清新，於晉賦最為特出。」（註八六）其寫天台山重巒疊嶂、巉峭多姿和草木蒼茫神奇壯偉的景象，並借山水形象的刻劃，以抒寫玄言禪理，抒情議論相映成趣，有獨到之筆。論鮑照「明遠樂府固妙絕一時，其五言詩亦多淫艷，特麗而能壯，與梁代之詩稍別」（註八七）說明鮑照能運用樂府舊題和自製新題，反映當時風雲變幻的時代。其他，論唐代韓愈、柳宗元創作成就，他則以為他們學古變古，推陳出新，他說：

始以單行易排偶，由深趨淺，由簡入繁，由駢儷相偶之詞，易為長短相生之體。（註八八）

指韓、柳二家打破駢儷束縛，散文平順通暢，接近口語，足以「媲美前賢」（註八九），掀起古文運動的巨瀾大波，是以享有文起八代之衰的美譽。

綜觀上述他的論析，均能舉其大端，顯得識見精卓，作家作品的獨創性，是作家作品在文學史上有所成就的一個重要標誌，劉師培重視對作家作品獨創性的發掘，表現了他對文學特質的深刻造詣。

第三節　論各代文學風貌

劉師培評論某一時代的文學，也像評論作家作品一樣，首先，從整體上把握各個時代主要特色，展現各個時代絢麗奪目、異彩紛呈的風貌。例如，他在《文學史》中，綜論建安文學的四個特色：清峻、通侻、騁詞、華靡。這四個特點，概括出建安文學思想成就和藝術特色。

所謂「清峻」是指在語言上質樸剛健，精鍊透徹，在內容上簡約嚴明，言簡意賅。以曹操《軍譙令》爲例：

吾起義兵，爲天下除暴亂。舊土人民，死喪略盡，國中終日行，不見所識，使吾悽愴傷懷。其舉義兵已來，將士絕無後者，求其親戚以後之，授土田，官給耕牛，置學師以教之。爲存者立廟，使祀其先人。魂而有靈，吾百年之後何恨哉！（註九〇）

全篇八十多字，以平淡無奇又簡要的筆法，說明用兵的目的，敘述將士的犧牲，再說明對死者家屬所採取的五項撫恤政策，最後發出百年之嘆，文章短而有致，直抒胸臆，造句自然，感情眞摯。曹操的文章摒棄虛誇浮華，革易浮冗文風，爲簡明清峻之風開了端緒。丁儀、劉廙等人的政論文不再像東漢「詳引經義，以爲論斷」而是毫無隱諱「直抒己意」、「不尚華辭」（註九一）；而杜恕、夏侯玄等奏疏不似東漢「多含蓄不盡之詞」（註九二）而是直截了當，明白曉暢，無不達之言。

「通侻」是表達不做作，毫無掩飾的抒發個人之情，例如曹操〈上書理竇武陳蕃〉一文，爲竇武等人鳴冤，表現不爲尊諱的果敢精神。而他的〈讓縣自明本志令〉、〈求賢令〉、〈求逸才令〉等文，一反兩漢用人標準，任筆而寫，毫無顧忌，層層披露，想說什麼就說什麼，表現出率直通侻的特色，與建安前的典雅矜重的詔令，全然不同。

「騁詞」是指氣勢壯盛，生機勃勃，又講究藻采。例如孔融《與曹公書論盛孝章》一文，敘述盛孝章被困孫權處，生命危在旦夕，爲了及時挽救名士，作者從人情、道義、惜才三方面勸說曹操出面營救。寫得情感强烈，豪氣直上，並輔以駢偶典故，全文詞理宏達，十分具有感染力。再如，《薦禰衡疏》，其中云：

處士平原禰衡，年二十四，字正平。淑質貞亮，英才卓躒，初涉藝文，升堂睹奧，目所一見，輒誦於口，耳目暫開，不忘於心。性與道合，思若有神，弘羊潛計，安世默識，以衡準之，誠不足怪。忠果正直，志若霜雪，見善若驚，疾惡如仇，任座抗行，史魚厲節，殆無以過也。（註九三）

全文以四句爲主，重對偶，善用典，文采尤爲可觀。因此，劉師培指出孔融之文在氣勢文采上，對後代影響深遠。

其他如陳琳好寫長篇鉅製，他的《爲袁紹檄豫州》寫得很有氣勢。先從曹操父祖三代罵起，繼而揭發曹操縱容手下盜墳掘墓，直斥其

身處三公之位，而行桀虜之態，污國虐民，毒施人鬼，加其細政苛慘，科防互設，罾繳充蹊，坑穽塞路，舉手掛網羅，動足觸機陷，是以兗豫有無聊之民，帝都有吁嗟之怨，歷觀載籍，無道之臣，貪殘酷烈，於操爲甚！（註九四）

行文恣肆放縱，氣勢磅礴，猶如江河直瀉，駿馬奔騰，銳不可擋，諸如此類，都是最好的明證。

「華靡」是指表達上有意識地追求駢儷化，和詞藻繁富華美，爲文學而文學。建安時期作家講究排比對句，並追求節奏的和諧，如曹丕、曹植等人均已在選詞用字上苦心經營，以求驚人，而且不僅

排比整飭，四字句之中又雜六字句，詞采燦爛，眩人眼目，節奏和諧，回蕩著音樂旋律，對文章駢體化具有重大貢獻。所以劉師培綜合論之：

建安之世，七子繼興，偶有撰著，悉以排偶易單行。即非有韻之文，亦用偶文之體，而華靡之作，遂開四六之先，而文體復殊於東漢。……東漢之文，漸尚對偶，若魏代之體，則又以聲色相矜，以藻繪相飾。（註九五）

劉師培對作家作品深入考索，勇於突破樊籬，以如椽筆力，概括出建安文學四大特色，給後世有益的啓迪。

其次，論兩晉文學。以往論者以爲：「漢魏風骨，晉宋莫傳」，有的以爲：「江左文學遒麗無聞」（註九六），劉師培則以爲不然，他認爲兩晉文學實淵源於建安文學。他說：

一爲王弼、何晏之文，清峻簡約，文質兼備，雖闡發道家之緒，實與名法家言爲近者也。此派之文……溯其遠源，則孔融、王粲實開其基。一爲嵇康、阮籍之文，文章壯麗，摛采騁辭，雖闡發道家之緒，實與縱橫家言爲近者也。此派之文……溯其遠源，則阮瑀、陳琳已開其始。惟阮、陳不善持論，孔、王雖善持論，而不能藻以玄思，故……今徵引群籍，以著魏晉文學之變遷，且以明晉宋文學之淵源。（註九七）

這是說「正始名士」王弼、何晏，提出「以無爲本」、「崇本息末」，與「竹林名賢」阮籍、嵇康主張「越名教而任自然」，整個思想界面貌完全改變，也開啓了兩晉文學嶄新的一頁。但是還應看到，此時作品憤世嫉俗，任情使氣，或嘻笑怒罵，或痛楚哀號，他們還是繼承了建安文學的清峻超邁和辭采華麗的基本精神。他舉例說：

> 左思詩賦廣博沈雄，慨慷卓越。……晉初之文……如杜預、荀勗、傅玄咸吐簡直；若張華、潘岳、摯虞始漸尚鋪張，三張二陸文雖遒勁，並稍入輕綺矣。……江左詩文……劉琨之作，善爲悽戾之音，而出以清剛，郭璞之作，佐以彪炳之詞，而出以挺拔。（註九八）

這些作品筆力雄邁，詞藻華瞻，可知兩晉文學實淵源於魏；但又有與魏不同者，劉師培說：

> 晉文異於漢魏者，用字平易，一也；偶語益增，二也；論序益繁，三也。

這是因爲玄學重視辨名析理，遵守循名責實的原則，論證清晰，條理嚴謹，因此，造成論辯風氣，魏晉以來的名士大都是能言善辯之士，表現於文學作品上則「用字平易」、「論序益繁」；至於「偶語益增」，則是一方面由於晉朝立基，結束歷時長久的混戰割據局面，統一全國；一方面建安文學已露崇尚精美的端倪，在太康文人筆下發揚蹈厲，博奧工麗的文風，遂風行於世。在文壇上三張、兩陸、二潘、一左等人追求綺麗繁縟，講究修飾雕琢，成爲南朝駢體文學的先聲。足見劉師培的評述是有其道理的。他並進一步分析東西晉二者之間的差別：

> 東晉人士，承兩晉清談之緒，並精名理，善論難……，其與西晉不同者，放誕之風，至斯盡革。又兩晉所云名理，不越老莊，至於東晉……並精佛理……。大抵析理之美，超越西晉，而才藻新奇，言有深致。（註一〇〇）

東晉世族名士政治地位穩固，他們不必像嵇康爲了反對統治者的壓迫，而提倡「越名教而任自然」；也不必像西晉詩人爲了苟全性命而屏居草澤，棄絕人事；更不必像謝鯤、阮瞻等中朝名士在板蕩之秋，沈溺放誕以示對現實的絕望。對東晉名士來說，清談老莊乃至佛理，成了他們不溺塵俗的標誌，而不再是在黑暗政治中尋求解脫的手段，他們所追求的是清逸沖曠和玄遠情韻（註一〇一），造成他們一派閑暢雋致，才藻新奇的氣象。所以總括晉代文學特色及其地位，劉師培指出：

晉人文學其特長之處，非惟析理已也。大抵南朝之文，其佳者必含隱秀，然開其端者，實惟晉文，又出語必雋，恆在自然，此亦晉文所特擅，齊梁以下能者鮮矣。（註一〇二）

劉師培評論某個時代的歷史地位，往往能從縱橫兩方面作比較，在比較中闡明各個時代的地位。除上述各代文學外，他在論述其他各時期文學時，都有這樣的特色。像論述齊梁文學說道：

齊梁文翰與東晉異，即詩什亦然。自宋代顏延之以下，侈言用事，學者浸以成俗。齊梁之際，任昉用事，尤多慕者，轉爲穿鑿。（註一〇三）

又說：

當晉宋之際，蓋多隱秀之詞，嗣則漸趨縟麗。齊梁以降，雖多侈艷之作，然文詞雅懿，文體清峻者正自弗之。斯時詩什，蓋又由數典而趨琢句，然清麗透逸，亦自可觀。……當時文格所以上變晉宋，而下啓隋唐。（註一〇四）

清代中葉，北方之士咸樸僿蹇冗，質略無文；南方文人則區駢散爲二體，治散文者工於離合激射之法，以神韻爲主，則便於空疏……，治駢文者，一以摘句尋章爲主，以蔓衍炫俗，或流爲詼諧……。（註一〇五）

都是要言不煩，概括出各個時代文學特色及其地位。

劉師培鈎稽文學史，其論述不僅簡明扼要，而且以考察具體事實爲基礎，不受舊說束縛，力圖從固有的事實，理清頭緒，廓清是非，實事求是地揭示文學的眞貌，給後人很可貴的示範與啓迪。

第四節　編寫文學史的方法

研究編寫文學史的理論，在近代，劉師培是前驅，以下從編寫目的、編寫方法和文學史分期三方面述其梗概。

在編寫目的方面：劉師培在〈蒐集文章志材料方法〉一文中，指出編寫文學史是一件「斯事體大」之事。他認爲文學史的主要目的，一是「考歷代文學之變遷」，使繁頤紛紜的文學現象系統化；二是以之作爲「全國文學史課本，並爲通史文學傳之資」，因爲當時「文學史無完善課本」，亟待編一部好的文學史教育後人，使人窺知我國光輝璀燦的文學寶庫，因此編寫時應該特別愼重其事。

在編寫方法方面：必須從蒐羅翔博史料入手，以免空言濫載。以編寫中古文學史爲例，他舉了四種方法：

就現存之書分別採擇，……就既亡各書鈎沈摭逸，……古代論詩評文各書必宜詳錄，……文集存佚及現存篇目必宜詳考。

據其所提示必須考察原始材料歸納之，內容計有以下幾類：文學家列傳，如文苑傳、列傳等；歷代文學目錄，如藝文志、經籍志等；選本、逸本、輯本，如《文選》、及各種輯佚叢書等；詩文批評，如《文心雕龍》、《詩品》、文章志、文章錄等；其他，如子書、逸史、史論等均應採擇。就時代而言，上至秦漢，以及唐代各種書籍，因爲「唐人評論古代文學，雖精密不逮六朝，然可采之詞，亦自不乏」，甚至「唐人雜史及筆記各書，亦宜略事檢閱」；下迄「明清私家藏書目錄」等均宜檢閱。源源本本，一絲不苟，可說是凡能作爲論證的史料皆蒐羅無遺，運用極爲嚴謹的治學方法，切切實實進行整理工作。他對於文學史編寫工作，須從掌握大量資料入手，十分重視，因爲經過銳意窮搜，精心整理，文學變遷面貌和脈絡才能顯現出來。可見不對大量資料做一翻鈎稽爬梳，鑒別審定，是不會產生有價值的成果。

蒐羅資料，並非堆砌資料，或繁瑣考證，而是要從具體的大量史料中，研究作家作品的思想性和其藝術性，並透過作家、作品的反映，探討一時代的特色，引申出令人信服的論斷。總之，編寫文學史應從紛繁複雜的文學現象，找出足以反映作家作品及時代變遷發展的規律，而不是從個別事件，或片斷零星資料去判斷，所謂「無徵不信」是編寫文學史應有的態度和方法。

在文學史分期問題，劉師培沒有明確說明，不過，他在《漢魏六朝專家文》緒論中曾說：

> 自兩漢以迄唐初，文學斷代，可分六期：一、兩漢，此期可重分東西兩期；東漢復可分爲建安及建安以前兩期。二、魏，此期可專治建安七子之文，亦可專治王弼，何晏之文。三、晉宋，此期可合爲一，亦可分而爲二。四、齊梁。五、梁陳，梁武帝大同以前與齊同。大同以後與陳同，故可分隸兩期。六、隋及初唐，初唐風格，與隋不異，故可合爲一期。

又如，他在〈論近世文學之變遷〉，將清代文學變遷分爲三階段：

> 近代文學之派……考其變遷之由，則順康之文，大抵以縱橫文淺陋，制科諸公，博覽唐宋以下之書，故爲文稍趨於實。及乾嘉之際，通儒輩出，多不復措意於文，由是文章日趨於樸拙，不復發於性情。……近歲以來，作文者多師龔魏，則以文不中律，便於放言，然襲其貌而遺其神，……故文學之衰，至近歲而極。

可見，他並不是單純的以朝代劃分文學史，而能以文學發展變遷來劃分，即以時代爲縱線，尋求當時政治、學術、作家創作、文體演變等之間的關係，探其源流，辨其異同，在具體分期上獨樹一幟，不失爲一家之言，值得我們重視。

劉師培很注重史的研究，他曾撰有〈論中土文字有益於世界〉以古文字的結構，探求中國人群進化史迹。在〈政治學史序〉借助訓詁學推闡古代君主之始，及其發展脈絡。在〈工藝學史序〉探求中國工藝科技發展之迹。在〈古代之學術〉中的「實用學」一節，論太古數學的發展等等，均是發人所未發，深入精湛之作。他再將史學理論發展到文學領域，撰寫具有開創性研究的《中古文學史》等著作，曾博得後來學術界的贊譽（註一〇六）。其實，劉師培曾在〈南北學派不同論〉中，概括揚州經學之盛，有兩大特點，第一是融會貫通，第二是發明新意（註一〇七）。事實上，在文學史研究上，劉師培正是繼承和發揚這兩大優點，破除陳言，創立新說，爲後人研究文學史開闢了坦途。

【附註】

註　一　〈文學出於巫祝之官說〉，《遺書．左盦集》卷八，第三冊，頁一五一九。

註　二　〈中國美術學變遷論〉，《遺書．左盦外集》卷十三，第三冊，頁一八七五。

註　三　〈舞法起於祀神考〉，《遺書．左盦外集》卷十三，第三冊，頁一八八六——一八八七。

註　四　〈原戲〉，《遺書．左盦外集》卷十三，第三冊，頁一八八八。

註　五　同註一，引《說文》之語。

註　六　〈論文雜記〉，《遺書》，第二冊，頁八五一。

註　七　同上註，頁八五〇。

註　八　參見劉勰《文心雕龍．原道》，見《文心雕龍讀本》上篇，頁二——四。

註　九　阮元〈書昭明太子文選序後〉說：「孔子於《乾》《坤》之言，自名曰文，此千古文章之祖也。」

註一〇　曾國藩〈聖哲畫像記〉云：「至文王拘幽，始立文字，演《周易》。」

註一一　〈蒐集文章志材料方法〉，《遺書‧左盦外集》卷十三，第三冊，頁一九〇〇。

註一二　〈論漢魏之際文學變遷〉，《中古文學史》（以下簡稱《文學史》），頁八。

註一三　〈論漢魏之際文學變遷〉，《文學史》頁一九——二〇。

註一四　如史稱「宋武帝（劉裕）好文章，天下悉以文采相尚」（《南史‧王儉傳》）；「文帝（義隆）好文章，自謂人莫能及」（《南史‧臨川王義慶傳》）；孝武帝（駿）：「帝少讀書，七行俱下，才藻甚美」（《南史》本傳）；前廢帝（子業）：「帝頗有文才，自造《孝武誄》及雜篇章，往往有辭采」（《南史》本傳）；明帝（彧）：「好讀書，愛文義，在藩時，撰《江左以來文章志》」（《宋書‧明帝紀》）；諸藩王多亦如此，其中以臨川王劉義慶爲首，「招才嘉會」造成文學盛況，《宋書》本傳稱：「其（義慶）愛好文義，才學之士，遠近必至。袁淑文冠當時，引爲衛軍諮議，其餘吳郡陸展，東海何長瑜、鮑照等，並有辭章之美，引爲佐史國臣。」，見《文學史》，頁七一。

註一五　〈宋齊梁陳文學概略〉，《文學史》頁七〇。

註一六　〈宋齊梁陳文學概略〉，《文學史》頁九一。

註一七　〈清儒得失論〉，《遺書‧左盦外集》卷九，第三冊，頁一七七八。

註一八　〈論近世文學之變遷〉，《遺書‧左盦外集》卷十三，第三冊，頁一八九二。

註一九　〈宋齊梁陳文學概略〉，《文學史》頁八九。

註二〇　〈宋齊梁陳文學概略〉，《文學史》頁七七。

註二一　《梁書・武帝紀》謂：「齊竟陵王開西邸，招文學，帝與沈約、謝朓、王融、蕭琛、范雲、任昉、陸倕等並遊，號曰八友。」又，《南史・劉繪傳》云：「永明末，都下人士，盛爲文章談義，皆湊竟陵西邸。」，見《文學史》頁七七所引。

註二二　〈宋齊梁陳文學概略〉，《文學史》頁九九——一〇〇。

註二三　同註一六。

註二四　〈清儒得失論〉，《遺書・左盦外集》卷九，第三冊，頁一七八〇。

註二五　〈論近世文學之變遷〉，《遺書・左盦外集》卷十三，第三冊，頁一八九二。

註二六　王琦珍〈論劉師培的文學觀與文學史觀〉，見《文學遺產》一九八六年第五期。

註二七　〈論近世文學之變遷〉，《遺書・左盦外集》卷十三，第三冊，頁一八七三。

註二八　〈論文雜記〉，《遺書》第二冊，頁八五六。

註二九　〈清儒得失論〉，《遺書・左盦外集》卷九，第三冊，頁一七七九。

註三〇　同註一七。

註三一　〈理學不知正名之弊〉，《遺書・讀書隨筆》，頁二三一二。

註三二　〈論漢魏之際文學變遷〉，《文學史》頁八。

註三三　〈魏晉文學之變遷〉，《文學史》頁三三。

註三四　《文心雕龍・定勢》，見《文心雕龍讀本》下篇，頁六二。

註三五　〈論漢魏之際文學變遷〉，《文學史》，頁三二。

註三六　同上註。

註三七　《文選》卷四十二。

註三八　同上註。

註三九　註三七。

註四〇　〈魏晉文學之變遷〉，《文學史》頁六二——六八。

註四一　〈論文雜記〉，《遺書》第二冊，頁八五三——八五四。

註四二　《文選》卷四十一。

註四三　《文選》卷四十五。

註四四　〈論漢魏之際文學變遷〉，《文學史》頁二四。

註四五　〈魏晉文學之變遷〉，《文學史》頁三三。

註四六　《文選》卷四十。

註四七　《全上古三代秦漢三國六朝文·全三國文·嵇康》卷四十八。

註四八　〈論漢魏之際文學變遷〉，《文學史》頁二二。

註四九　同註一六。

註五〇　同註四八。

註五一 〈宋齊梁陳文學概略〉，《文學史》頁八九。
註五二 同上註。
註五三 〈宋齊梁陳文學概略〉，《文學史》頁九〇。
註五四 同註一六。
註五五 〈宋齊梁陳文學概略〉，《文學史》頁八四。
註五六 〈論文雜記〉，《遺書》第二冊，頁八五一。
註五七 〈文說〉，《遺書》第二冊，頁八四四。
註五八 〈論文雜記〉，《遺書》第二冊，頁八五一——八五二。
註五九 同註五七。
註六〇 〈文說〉，《遺書》第二冊，頁八四五。
註六一 同上註。
註六二 同註五七。
註六三 〈文質與顯晦〉，《專家文》十三，頁四一——四二。
註六四 〈學文四忌〉，《專家文》三，頁十三。
註六五 〈各家總論〉，《專家文》二，頁九。
註六六 〈魏晉文學之變遷〉，《文學史》頁五一。

註六七　〈論近世文學之變遷〉，《遺書・左盦外集》卷十三，第三冊，頁一八九三。

註六八　〈論研究文學不可爲地理及時代之見所囿〉，《專家文》十六，頁五二。

註六九　見丁晏編《曹集銓評》二卷七，頁十七、二一、二四。

註七〇　見〈魏晉文學之變遷〉，《文學史》頁三九。

註七一　文轉引自《文學史》頁三八。

註七二　見《全三國文・何晏》卷三十九。

註七三　同註七〇。

註七四　王志銘編《老子微旨例略・王弼注總輯》，頁八四。

註七五　同註七四，頁一二四。

註七六　同註七四，頁一四七。

註七七　〈魏晉文學之變遷〉，《文學史》頁四三。

註七八　陳伯君校注《阮籍集校注》，頁五——七。

註七九　同上註，頁一六五。

註八〇　〈魏晉文學之變遷〉，《文學史》頁四五。

註八一　〈各家總論〉，《專家文》二，頁七。

註八二　《全三國文・嵇康》卷四十八、五十。

註八三　〈蔡邕精雅與陸機清新〉，《專家文》九，頁三十。

註八四　同註八〇。

註八五　〈魏晉文學之變遷〉，《文學史》頁六一。

註八六　同上註。

註八七　同註一六，劉勰《文心雕龍・樂府》云：「若夫艷歌婉孌，怨詩訣絕，淫辭在曲，正響焉生。」范註云：「彥和所指，當即《南齊書・文學傳》所稱鮑照體。」（見《文心雕龍註》，頁一一三。）蕭子顯《南齊書・文學傳》云：「次則發鳴驚挺，操調險急，雕藻淫艷，傾炫心魂，亦猶五色之有紅紫，八音之有鄭衛，斯鮑照之遺烈也。」

註八八　〈文章原始〉，《遺書・左盦外集》卷十三，第三冊，頁一八九一。

註八九　同上註。

註九〇　見《全三國文・魏武帝》卷二。

註九一　〈論漢魏之際文學變遷〉，《文學史》頁二七、二八。

註九二　〈論漢魏之際文學變遷〉，《文學史》頁三一。

註九三　見《全後漢文・孔融》卷八十三。

註九四　見《全後漢文・陳琳》卷九十二。

註九五　〈論文雜記〉，《遺書》第二冊，頁八五四。

註九六　唐代陳子昂《與東方左史虬修竹篇序》云：「文章道弊五百年矣。漢魏風骨，晉宋莫傳。」；〈魏晉文學之變遷〉，《文學史》頁五八。

註九七　同註三三。

註九八　〈南北文學不同論〉，《遺書》第二冊，頁六七一。

註九九　同註三四。

註一〇〇　〈魏晉文學之變遷〉，《文學史》頁五五。

註一〇一　參見陳寅恪《書世說新語文學類鍾會撰四本論始畢條後》，及王毅《東晉玄言詩與山水詩》，見《中國古典文學論叢》，第六輯。

註一〇二　同註八五。

註一〇三　同註五三。

註一〇四　〈宋齊梁陳文學概略〉，《文學史》頁九三。

註一〇五　〈南北文學不同論〉，《遺書》第二冊，頁六七二。

註一〇六　魯迅曾說：「中國文學史略……我看過已刊的書，無一冊好，只有劉申叔的《中古文學史》，倒要算好。」見《魯迅全集書信》第十一冊，頁六〇八。

註一〇七　〈南北學派不同論〉云：「阮氏（阮元）之學，主於表微，偶得一義，初若創獲，然持之有故，言之成理，貫纂群言，昭若發蒙，異於餖飣猥瑣之學。……甘泉焦氏（焦循），所著《周易通釋》，掇剌卦爻之文，以字類相屬，通以六書九數之義，復作《易圖略》、《易詁》，發明大義，條理深密，雖立說間鄰穿鑿，然時出新說，秩然可觀，亦戴學之嫡派也。」，《遺書》第二冊，頁六六六——六六七。

第八章　劉師培的韻文作品

韻文，按劉師培文體分類標準，其體包括詩、詞、賦、誄諱、頌贊、銘箴等。他此類作品數量甚多，內容豐富，語言雅腴，自有其獨到成就。以下分兩節言之。

第一節　詩詞賦

一、詩

劉師培曾自定兩部詩集：〈匪風集〉、〈左盦集〉。後經錢玄同收輯其已刊稿及家藏手稿，合編印成〈左盦詩錄〉凡二百六十一首。今得其佚收詩十四首，合計為二百七十五首。他的詩歌采麗紛陳，題材多樣。就其內容，大致可以概括為以下四個方面。

㈠反應現實之作。劉師培許多詩作都具有時代特色，他以其革命活動家的深沉目光，留心世務，蒿目瘡痍，發危苦之音，露悲愴之懷，作品中洋溢著愛國眞情。如〈崑崙吟〉云：

茫茫北闕妖氣纏，建州女眞彊土偏。雞林韡鞨自古傳。辮髮負笠，冠裳斑斕。鞞鼓振漁陽，殺人莫敢前，江南佳麗區，千里無炊煙。建牙冀城，轉粟河干。胡笳悲鳴，戰血朱殷，楚水含垢，秦山蒙冤。神州陸沉古人嘆，遺民避地無桃源。況復歐人謀東漸，九洲異說徵鄒衍，煙濤浩渺談瀛寰，海濱通市何塵喧。兼弱攻昧肆幷呑，沈沈大陸三千年。連城璧已去，無復商於還。瓜分慘禍眉睫間，能毋流涕傷汍瀾。（註一）

面對風雨如晦，連年戰禍的時局，眼看國權日削，民生益貧，田園毀毀的景況，他愁緒紛繁，悲嘆國家處境的深重，痛念人民的不幸，可謂懷憂彌深，讀來語語沉痛，凄惻感人。

清廷的腐敗與橫行，帶來動蕩、殺戮、流血的歷史，深廣的憂患，加劇了他的激憤，觸發他「破浪乘風壯志深」（註二），和「天下興亡匹夫責，未應黨禍慮東林」（註三），欲挽瀕危山河的雄心壯志。他的一些詩，抨擊現實弊端，像他赤裸裸地揭發殘酷文字之禍，吟詠所寄，露其憤懣敵愾之情，如〈閱趙撝叔詩集詆呂晚村甚力因作二絕正之〉其一云：

東南文網密於織，黨禍誰憐瓜蔓抄。堪笑宋廷禁僞學，考亭名共嵩華高。（註四）

尤其引人注目的是，他不怕觸時忌，記章太炎、鄒容被逮，囚於上海西牢事，如〈癸卯夏記事〉：

蒼狗浮雲變幻虛，縱橫貝錦近何如？日斜秦野瓜空蔓，秋到湘江蕙已鋤。蹈海何心思避世，愚民應更笑焚書。鸞鳳竄伏神龍隱，搔首江天恨有餘。（註五）

又如〈聞某君卒於獄作詩哭之〉云：

七字淒涼墨跡新，當年爭說自由神。草間偷活吾滋愧，奇節而今屬故人。（註六）

流露出對國家命運的殷憂，對正直志士慘遭迫害的痛心疾首。因此他進一步主張：

神州嘆淪沉，封狐生覬覦，爝火不撲滅，燎原終可虞。涓涓忘隄防，日久爲江湖，立國首樹威，非種當先鋤。（註七）

他以滿腔的義憤和熾烈的愛國熱情，激發人們反清革命，拯救民族的意志。

除了關心時政，他還關心民瘼，在詩歌中具體揭露刻剝誅求的殘酷措施，不只表達了他對苦難民眾的同情，也實際觸及了其苦難根源。例如在〈滇民逃荒行〉中寫道：

曩歲愆陽多，飛蝱翼盈天。粒米未入甑，撮粟或萬錢。使君報有秋，責租若靡煎。爲言餘粟罄，胥曰鬻爾田。無田奚眷鄉，去鄉今期年。昨宵雪花寒，裳薄無輕棉。顧茲總角僮，頗復饕粥饘。兒生母殞飢，母死兒誰憐？……（註八）

苛酷的壓榨已將人民逼上求生無路，求死無門的悲慘境地。又如〈工女怨〉中寫道：

同儔愍我瘴，訝我損玉肌。主人使致言，頗哼成紈遲。亦知根食艱，使愧執役卑。我欲休役歸，庶與捶楚辭。捶楚畏隕軀，無食憂輖飢。輖飢可乞飧，隕軀訴伊誰？（註九）

描寫女工橫遭凌辱的情狀，流露出對豺狼當道的憤懣不平。他這類詩歌往往勾畫社會衰象，反映整個社會沒落的眞實面，抨擊力强，譏彈無所諱飾，語多質直遒勁，又深蓄悲憤。所以他大聲疾呼道：

群生淪苦海，歸宿了無際，唯作平等觀，用以求眞諦。（註一〇）

因爲唯有當人民享有一切平等權利時，才能免於被殘害的命運。

㈡抒懷寫志之作。這類詩主要表現他的理想抱負和品格情操。劉師培常以「孤鴻」、「丹鳳」、「鯤鵬」、「幽蘭」等自比，以寄託他的思想情懷。在大圜昏暗，國事蜩螗之際，他寫下：

　出門何茫茫，俯仰天地窄。流光不我待，白日忽已夕。愁雲黯寒山，秋草積阡陌。良辰易蹉跎，去去將安適。鴻鵠有高志，燕雀安能識。謌我隴上吟，英雄在草澤。（註一一）

凝結著他對黑暗現實的扼腕唏噓。因此，他不免流露出：

　朝傾薊市酒，夕馳梁門車。丈夫詘鳴鋏，志士傷鬱居。

　幽蘭閟隱谷，莖葉隨春發。不見美人采，坐嘆貞蕤歇。（註一二）

他有「鴻鵠」高標的濟世意願，但在未能用以濟世時，空懷長才，不能舒展，心情是窒悶難堪的，遂以「鳴鋏」、「幽蘭」寄託他抑塞不平的愁鬱，而發出「此音知者誰」（註一三）的感傷。雖然他也不免有捨棄塵世，歸隱江湖的嘆息，不過，他這爲時代密霧濃雲所掩翳的「孤鴻」，並未頹喪不起，還是期盼：

　寧爲投林鳥，不爲吞鉤魚，君看鳥投林，猶借一枝居，游魚吞鉤去，何時反江湖。（註一四）

　一劍蒼茫天外倚，風雲壯志肯消磨。

　大廈將傾一木支，乾坤正氣賴扶持。（註一五）

在逆境中，展現出那種傲岸特立，欲酬壯志的豪邁情懷，雖然生逢末世，但卻有救民倒懸的志向，這正是他詩歌感人之處。

然而，晚期境遇的變遷，常年飄泊，在他的詩作中則表現出較為頹唐的心情。如〈獨居〉云：

> 獨居良寡懽，乘興展晨眺。微霜變初條，湛露零豐草。陰陽有積遷，萬卉遞榮槁。沈思鬱無端，對此傷懷抱。（註一六）

其他如〈已分〉、〈壯志〉等詩，均抒發其對光陰流逝的悵感，以及人事之非。儘管此時他的形迹已藏，但內心的矛盾痛苦從未停息過，像他說：

> 吾才竭尺捶，時艱輕跋履，歲晚戀耘耔，蓬顆無根蒂。枘材謝剖剹，池灰忘漢劫，嶺榦老周楢，清淨休耽史。行藏逐范蠡，北居疑畏壘，西逝感崦嵫，越緒縈轤轆。……（註一七）

使他在無邊孤寂中，頹廢沉淪。萬慮攖心，細吟幽泣，聲聲掩抑，令人為之唏噓嘆息。

㈢詠史詠物之作。他的詠史懷古之作，並非僅發思古之幽情，而是撫讀史簡，聯想到山河變局，金甌碎缺，悲從中來，或深寓感慨，或借古諷今，寄寓反清深意，也最能顯示他對社會現實的觀點。如〈讀王船山先生遺書〉云：

> 衡山萬仞雄南區，元氣磅礴靈秀儲。篤生先生鴻達儒，抗志直欲希橫渠。干戈擾攘興東胡，茫茫天路多崎嶇，中原板蕩灰劫餘，胡塵澒洞風沙麤。……孤忠直與湘纍俱，故園歸來松菊蕪。尺蠖伸屈師申屠，漆室感事發長吁。黃書一篇經國謨，制宰任官良策紆。弘濟敢嗤儒效疏，著書萬卷黃顧如。眷懷宗國心不渝，黍離麥秀悲遺墟，舉世誰復知申胥。井中心史傳遺書

，所南忠憤古所無。（註一八）

其他如〈書顧亭林先生墨迹後〉、〈詠明末四大儒〉、〈文信國祠〉等，可知他胸羅萬卷，這些詠史篇什，都體現他對史料的嫻熟和經學修養的深邃。而他選取歷史人物時，像王船山、顧炎武、文天祥、屈原等，所以成爲他歌詠的對象，就是因爲他們都有忠肝義膽和濃烈的復國之志。富有愛國熱忱的劉師培，雖和他們時空遙隔，卻能此呼彼應，聲氣相投，追述他們，完全是影射現實生活。

劉師培的詠物詩，大多借物託喻，寄意遙深，抒發自己的懷抱。如〈幽蘭吟〉云：

幽蘭生湘江，孤芳正可采，采之寄所思，所思在東海。余情苟信芳，忍令瑤華萎，幽香閟空谷，遲暮復何悔。一卷離騷詞，此意靈均解。（註一九）

顯而易見，這詩是醉翁之意不在酒，它道出了詩人邁往不群，忠貞自守的胸懷。

㈣贈寄唱和之作。他的朋友或爲抗清志士，或爲詩人學者，在唱和酬答中，都寄寓著愛國精神和奮發圖强的深意。譬如〈贈楊仁山居士〉四首之三：

黃金世界不可睹，物競風潮日夜深。欲挽狂瀾障君輩，何時重證菩提心。（註二〇）

〈題陳去病拜汲樓詩集〉二首之二：

鄉邦文獻淪亡盡，勝國遺書掇拾多，太息山河今異昔，那堪揮淚問銅駝。（註二一）

〈題陳右銘先生西江墨瀋〉：

雨覆雲翻又一時，縱橫貝錦怨南箕。行藏龍豹千秋史，得失雞蟲萬劫棋。蒼狗浮雲空復爾，石

泉槐火有餘思。澧蘭沅芷湘江路，楚客吟成涕泗垂。（註二二二）

〈贈李誠菴〉二首之二：

中庸昔笑胡伯始，狂狷而今多僞流。落落貞松倚幽壑，清姿獨爲歲寒留。

〈留別鄧繩侯先生〉：

英英鄧夫子，媚古愜幽情。博雅黃長睿，收藏項子京。論文來眾譽，載酒許同行，此會今難再，吾猶及老成。（註二二三）

寫出一代讀書人在險惡處境中，與友人互勉互勵，相期攜手前進的心願。

在痛惜朋友的犧牲去世中，無不流露沈痛的家國之思，如〈弔何梅士〉：

黃金寶劍肝腸熱，破浪乘風壯志深，海水天風歸不得，夜深風雨泣鷗禽。（註二二四）

〈哀王郁仁〉：

之子起南城，文鋒振音翮，清風藻中區，華綺揚心極，寧知永念辰，渺若平生隔，沈憂不可排，含凄望鄉關。（註二二五）

更於其中抒發了時世變異的悲痛。

從劉師培全部詩歌創作來看，他並不囿於一家一派，他由魏晉六朝，經唐歷宋，以迄清代龔自珍，都下過一番鈎稽的功夫，表現了兼采百家，自成一派之詩風。

劉師培的詩，固然不乏清新可喜之作，但是往往給人一種曲折古奧的特色，當然，由於他學識淵博，有時不免用冷僻之典或艱難字詞，造成他的詩晦澀難懂，使一般人難以接近。但這點與他的創作觀相應和，他不主張一味圓轉流美，他以爲「只緣生硬堪逃俗」（註二六），爲了刻意逃避艷俗，選詞造字，運典隸事當然就顯得隱晦。不過，仔細揣摩，辨明其用事遣詞之原委後，反而能體會其中含蓄委婉，豐贍深遠的內容，給人以典雅厚重之感。

二、詞

劉師培的詞，共二十首，從內容看，大致可分爲以下二類：

第一類，感時懷古之作，這是劉師培詞中最具有時代氣息的作品，如〈長亭怨慢・送春〉：

聽一曲，歌殘金縷，沈沈廉幙，東風暗度。芳草閒門，嫣紅萬點慘無主，懨懨人病，弄得春光遲暮，看九曲闌干，已無復流鶯軟語。春去也，落花流水，畢竟春歸何處，遊絲橫路，那挽得韶華小住，閱幾番芳事飄零，又化作漫天飛絮。曉夢畫樓西，啼血誰憐杜宇。（註二七）

他以憂傷的目光惘然四顧，覺得春色也是寂寞的，但在作品中渲染的不只是他個人的憂傷，實際上也是對風雨如晦的時代，隱含著深切的感受。

又如〈水調歌頭・書王船山先生龍舟會雜劇後〉：

一掬新亭淚，鼙鼓震江皐，回首天荆地棘。萬里感萍飄，對此江山半壁。惆悵春燈燕子，宮闕弔南朝。逝水東流去，嗚咽楚江潮。子房椎，荆卿劍，伍胥簫，遐想中原豪俠，高義薄雲

胥。太息大仇未報，安得驊騮三百，慷慨策平遼。一洗腥羶恥，滄海斬虬蛟。（註二八）

借王夫之所寫謝小娥復仇故事，贊揚一位平凡之人，不平凡的行動，以激勵人們要雪民族之仇。在詞裡，他對於《春燈謎》、《燕子箋》的作者阮大鋮等，斥責他們是國家浩劫的引火者，製造災難的罪魁禍首，在篇中傾注鬱勃之情。而他才華縱橫，熱衷濟世，企慕張良、荊軻、伍胥，希冀恢復漢統，改善民生，外禦强敵，一股壯志豪情噴薄而出。

同時，他足迹至處，或登臨而懷古，或觸目而感時，往往發而爲詞。如〈一萼紅・徐州懷古〉：

> 過彭城，看江山如此。我輩又登臨，繫馬臺空。斬蛇劍杳，霸業都付銷沉。試重向，黃樓縱目。指東南，半壁控淮陰。衰草平蕪，大河南北，天險誰憑。　千劫興亡彈指，賸碭山雲起。泗水波深，宋國雄都，楚王宮闕，千秋故壘誰尋。溯當日，中原逐鹿，笑項劉，何事啓紛爭，空嘆英雄不作，豎子成名。

又如〈賣花聲・登開封城〉：

> 蒼莽大河流，空際悠悠。天涯回首又登樓，百二河山今寂寞，已缺金甌。　宮闕汴京留，王氣全收，浮雲縹渺使人愁，又是夕陽西下去，望斷神州。（註二九）

前一首即景而言情，反映了江山依然，人事已非的無窮哀感。後一首懷古以舒懷，在這昔日金粉之地，曾演過多次亡國事，撫今思昔，異代同悲，溢於言表。這些詞感時懷古，其意正在寄寓自己深沉的感慨。

〈掃花游・讀南宋雜事詩〉云：

> 殘山賸水，聽鳥喚東風。鵑傳南渡，繁華暗數。惜珠簾錦幕，美人遲暮，賸有華堂，蟋蟀芳園，杜宇傷心處，將無限閒愁，訴與鷓鴣。西湖堤畔路，賸渺渺寒波，蕭蕭秋雨。暮潮來去，送樓臺歌管。夕陽蕭鼓，芳事淒迷，夢斷蘇堤烟樹。無情緒，酒醒時，江山非故。

則是借讀書懷古，反映國家被異族占領，南宋苟安的政局，令人愁腸千結，以季節氣候的變化，暗指政治局勢的改換，然而偏安的南宋卻一味追歡尋樂，對收回失地卻一籌莫展，他怎能不憂深思遠？這種憂患意識，妙在不露痕迹。

第二類，詠物之作。其詠物之作，多在借物以寓性情，凡身世之感，家國之憂，隱然蘊藉其中。如〈掃花游・汴堤柳〉云：

> 落花天氣，正弱縷飄金。低枝弄翠，春風十里，又年年攀折，相看憔悴。和雨和烟，依舊長條踠地，相思碎。□燕語鶯啼，春夢醒未。　度番風廿四，恨走馬章臺，飄零身世。韶光彈指，縱游絲十丈，春情誰繫。千劫興亡，都付汴堤流水。思往事，最消魂，杜鵑聲起。（註三〇）

全詞以淒切之情，發哀婉之音，顯然寄託身世，感懷國難。

在急風驟雨的歷史轉折時刻，劉師培以豐富的學力，以詞的形式從事創作，深沉蘊藉，毫無矯揉造作之態。

三、賦

劉師培的賦作不多，據〈左盦外集〉所錄者凡七篇。從體製形式看，它與《楚辭》一脈相承，可稱之爲「騷體賦」。首先，從形式上來講，他的賦篇最顯著特徵是帶有「兮」字，用「兮」組成音節，或用在句中，或用在句末，以增加詠嘆的韻味和感染力。

其次，從句式結構上看，行文方式基本上是六字句，如：「欲峻慓以懷節兮，慍壯頽之濡行；抑嬛婘以佞俗兮，吝坤隅之喪貞；心憒窒而不悇兮，暮先民而觀型……。」（註三一）除六言句式外，還有五字句，如：「夜皎皎兮既明，月曖曖兮飛光；顧南箕兮經天，緣北斗兮酌漿」（註三二）四字句如：「狐狸而蒼，紫奪朱兮；迍邅蹇漣，馬般如兮」（註三三）然於整齊句式中間，又雜廁五言、四言、或七言等以爲權變，整齊中有變化，可見他的作品在句式結構上，與《楚辭》同出一轍。

此外，在用韻方面，如〈悲秋詞〉一文：

悲風兮蕭條（蕭），嚴霜凄兮草凋（蕭）。怊悵兮永思，軫予懷兮鬱陶（蕭）。青蠅兮營營，榛棘兮森森（侵）。顧盼兮屏營，感不絕兮愁予心（侵）。夜皎皎兮既明，月曖曖兮飛光（陽），顧南箕兮經天，緣北斗兮酌漿（陽）。夫君兮不歸（微），寤擗兮永懷（佳），水滔滔兮日度（遇），抱此哀兮何愬（遇）。（註三四）

首句用韻，隔句相押，以四句一韻爲主，末四句則兩句一韻，變化靈活，運用自如。此外，在其賦作中，前有序，後附「亂曰」、「重曰」，明顯承《楚辭》餘緒，帶有濃厚騷體意味。

再從作品內容來看，其精神與《楚辭》也有相通者。即往往以本身或社會上不幸遭遇爲背景，直抒個人胸臆。如在〈悲秋詞〉中，首先勾劃衰敗蕭瑟，悽愴悲涼的景色，以抒寫內心的悵然失意。此時他滯留夔州作客，有家難回，借景抒發自己坎坷的人生和不平之志，面對「青繩兮營營，榛棘兮森森」，這種讒佞當道，現實黑暗的處境，令他惶恐徬徨而又難堪。他由物色的觸發和自身遭遇而發出哀嘆，流露出對時代、對政治環境，痛心疾首的感懷，在景語中，字字含情，語語含悲。

又如〈招蝙蝠文〉藉歌頌蝙蝠善於自化的高風亮節，微妙流露出他可悲的命運，他說：

棄人世之多患兮，處巖穴而栖遲，何翻然其改形兮，判貪廉以遠而，相鯤游而鵬運兮，勞圖南以未極。……紛易故以就新兮，任逍遙而自得，齊小大以絜言兮，物固各循夫天則。空庭忽沈以暮靄兮，參差照影於月色，聽嚄咋之冥呼兮，若顧群醜而悽惻。聊永歌以訊言兮，慕仙蹤於伏翼，儻清谿秀壁果可游兮，吾又何辭乎遐陟？（註三五）

在〈軫春思詞〉中，寫道：

擷芳馨兮繾綣，棣華兮翩反。望所思兮室遠，思君兮日夕胖。獨處兮異域，肥泉兮何極？軫予車兮太息，太息兮何爲？邈長途兮逶迤，鳦鳥兮南飛。余怊悵兮何歸？老冉冉兮將邁，羌惸獨兮靡依。（註三六）

自他與革命友朋分道揚鑣後，實際上，他的心情是鬱結而交痛。他們本是志同道合的志士，滿腔雄圖，然而如今兄弟異途，就似水流同出異歸。他不甘沉淪，實未能忘情於往昔抱負。篇中藉良辰春景，烘托其苦澀憂思及沉重嘆息。他踽踽獨行，覺得春色寂寞，江山局促，無可容身，何處是棲依？聲聲太息，正是他理想抱負的幻滅。

此外，像〈弔旅冢賦〉則爲感懷應試士人客死他鄉者，而淒然低吟「生不逢辰」的悲痛。不過當想起：「春秋倏其非我兮，逝神景於九天；顧餘暉於日昃兮，渺一息而弗延。」人生生死如此不定，因而感悟「壽非金石兮，修短無期，人生若此兮，多憂何爲。」（註三七），用以提醒自己不可過度迷惘，實際上，在愴然嗟嘆中有著時代的投影。

其他如〈出峽賦〉以疏闊景象襯映鄉關路遠，人生失意；〈曠情賦〉以「且夫人道惡盈，今天道富謙」（註三八），抒發其失節受辱微妙難抒之情。

他的賦篇往往情見乎辭，同時隱隱透露自身落落寡合的孤特心情。從其作品中，可看到他深得《楚辭》的神韻，和同樣深沉濃烈的情緒。

第二節　誄碑頌贊銘箴

一、誄碑

劉師培夙有聲望，求誄文、碑銘、墓碣、墓表的自然很多，如〈清故四川候補知縣趙君墓表〉、

〈清故署茂州知州毛君闕銘〉等，這類作品係應酬之作，同時這類作品內容以對死者頌揚爲主，所以眞實性遠不如傳記。但是，他的作品中還是有許多眞實感人的好作品，例如〈處士田君墓表〉，簡敘田玉辰的生平要事，尤其是他少孤奉母至孝，長而頗事生產，乃致家產千金。文中贊揚他兩件事，一是平日作爲：「揚凱悌之豐惠，躬體仁之上德，睦婣任恤，賙餼萬人，……拾田贍學，不率官錢，惠利至今」；一是爲人風骨：「夙崇剛節，疾惡義形，總管口口毒痛比邑，發狀流聞，其不畏强禦有如此者，世政峻急，退期沒齒，州縣請召，曾不降志……束帛戔戔，莫之能致。」（註三九）清代的血腥政治在田氏心靈上留下創痕，功名利祿對他不能產生誘惑，他冷眼旁觀，依然自適地過著田園生活。可見劉師培寫作碑銘的態度認眞嚴肅，隱然有樹立模範，垂教後世之用心。

又如〈舒兆熊妻夏孺人墓志銘〉，寫夏氏事長、持家、訓子和支持丈夫，百行備焉的事迹，刻劃了一位知識分子家庭「賢內助」的形象，由其所撰內容可知他未將被銘者的日常瑣事湊合成篇，或單調地縱列被銘者家族世系。

再如〈鄧繩侯先生闕銘〉，寫鄧繩侯黽勉積學「察雅頌之終始，博綜經記，通詩楚詞，講誨丘園，不改其樂」，一生以教育爲職志，在辛亥革命前「光演大業，遠朋方來，自行束脩，未嘗無誨。時急黨禁，構獄學徒，引義而諍，卒免按驗」；清祚告終，則「舊貫聿循，詳延洽聞，以遵稽古，舉遺興禮，儒行鼎新」（註四〇），在文中塑造了一代知識分子的形象，這正是他所說的「蓋碑序所敘生平，以形容爲主，不宜據事直書」（註四一）之意，他的寫作正是其理論的具體表現。

通觀劉師培的碑文，有以下兩個顯著的特點：㈠對人物評價，論斷準確。雖然寫碑銘，往往因礙於請託者情面，不免曲筆徇情，或以陳詞濫調敷湊成篇，不過，他堅持「不虛美，不溢惡」的態度，寫來十分誠懇眞摯。㈡只記大節，文簡意深。一般碑銘，由於隱惡諱忌，往往流於堆砌材料，冗長拖沓，臃腫不堪，甚至有諛墓之嫌。而他所寫的碑文，卻簡要而不繁縟，行文措詞，均有剪裁，雖發語已殫，而含義未盡，加之音調和諧，讀之耐人尋味，值得認眞體會。

此外，他還有四篇誄文，寫來句句貼切，纏綿傳神，哀思自寓其中。例如〈鹽城陶君誄〉（註四二），首先敘其族望及先世皆有足稱。「幼而克嶷，齊聖廣淵。長體中和，敦庬允元。……因睦合族，祇事高年。假階學官，流化元元」一段，就其特異處直起，歷敘其德行、學問、文章、材慧。而「爰始在公，尤勤民隱。歲時巡野，存恤孤惸。……羽畎嶧陽，迄于泗濱。昭我由庚，王道便便」一段，由學問轉到事功，追敘其城防保練、疏濬川池、建閘修閘、主書院學堂，建義倉藥局，創恤嫠會、戒烟局、栖流所、賑民災等，卓著功業，寫得有生有色，甚爲生動，此即劉勰所謂「論其人也，曖乎若可覿」（註四三）之意。而「泣涕如漣，素軌載途……死如可贖，願百其身……」自此以下述哀，借傾縣之人舉哀，以寫悲痛之情緒，這些文字讀來令人撕心裂肺，悲而涕零。

他這類作品，敘議結合，重視抒情，多用排偶，情文相生，由此可見。

二、頌贊

他的頌文共四篇，其體製短小，前有短序，可分頌人與稱美物類兩種。頌人之作有三篇，如〈六儒頌〉，稱頌清代六位學者，通過生平學術活動的敘述，突出其於「儒林」、「節義」均有卓越成就。像寫〈崑山顧先生亭林〉稱揚顧炎武既傲骨錚錚，流轉奔波於抗清事業外，且多才多學，在學術上「約禮博文，至道以該，起衰濟溺，繼往開來」，生動地反映了顧炎武這位有血有淚，志行皎然，且開一代學術先河的學者。又如〈太原閻先生百詩〉，就寫他在「云何陋儒，嚮壁虛造，紛然雜淆，僞言破道」環境中，襯托出其人不囿於常說的辨僞才能，所以對他的證同析異，掃除學術迷霧的功績，不禁稱揚道「掃除廓清，功比武事，摘伏發奸，智如獄吏」（註四四）。可見他所寫的學者多根據事實，不流於浮泛，尤其他傾注於文中的情感給人留下深刻印象。

又像〈秀山學宮鄉飲頌〉，特別稱頌秀山余府君，興鄉飲酒禮，「以爲禮樂，政化之本，顛沛猶不可違」一片用心，如此一來，「化民成俗，於是乎在」。而〈郿縣嘉禾頌〉，雖寫有嘉禾瑞象，實際上是應知縣韓階施行德政所致，所以不能片面就文題視爲是稱美物類的頌文。

稱美物類者一篇，即〈江水頌〉，頌美江水「用沖不溢，在弱能剛」的特性，且有「準乎萬物，陰化流行，利用豐財，潤我群生」（註四五）毫無保留，又默默施恩於人群的美德，這更是他立身的準則。

自來意專褒美之文，往往令人難以卒讀，但是，劉師培的頌文善於取材，寫來從容揄揚，涵蓄有致，且行文典雅，音節和暢，頗得頌文體要。

至於贊文共七篇，有像贊與哀贊兩類。像贊，是就有德行者之畫像而贊之，其主要特色是短小玲瓏，詩文結合，重視勾勒形象，借形象抒發感情。如〈倉場侍郎桂公清像贊〉，用「正色立朝，柱天障瀾」一語，勾勒桂清剛毅忠貞精神，並贊揚這種精神「好是正直，百爾在官，是範是則」（註四六）表現出他對桂清的敬慕。

哀贊有二篇，前有序，甚似誄碑之體，如〈何大姑哀贊〉，何大姑即劉師培之妻姊何采蘋，文中首敘其德行「生有令儀，敦詩悅禮，……三族稱焉」（註四七），後言己身之悲哀，讀來令人悽惋。

三、銘箴

他的銘文有四篇，其中三篇爲器物銘，一篇爲山川銘。器物銘如〈溫江李龍邱玉珮銘〉：

龍邱先生堅白質，竺信好古世罕匹。羅列玉英粲璱瑮，潤澤以溫廉不技。珮玉鳴珩節行止，千秋萬世永無毀。

全文僅四十二字，託物寄志，以「廉不技」，「節行止」，「永無毀」喻品格，形象生動，耐人涵詠玩索。又如〈毬盤銘〉第四則云：

惟靜斯嫥，惟動斯直，智圓行方，茲器維則。（註四八）

借物說明爲人要靜專、動直，且應嚴守「智欲圓而行欲方」（註四九）的處世原則。

山川銘如〈函谷關銘〉一文：

丸泥可封，單車莫度。峭壁懸厓，河山信固。赫赫秦中，高屋建瓴。東帶河汾，西澗華陰，楚漢紛爭。隋唐作宅，是爲千險。千仞壁立，恃德者昌，恃力者亡。莽莽關河，佳兵不詳。人世悠悠，興亡千劫。（註五〇）

描繪函谷關之險要，並指出當政者除應借助山川自然力外，更重要的是學習歷史，以德服眾。這是他對歷史和自身經驗的闡發引申，一經點化渲染，辭雖質而意頗深，由於言簡意深，包含他深沉感慨，十分具有可讀性。

箴文，主要特色在「攻疾防患」（註五一），是一種規誡諫誨性文章。劉師培所作箴文只有〈程于直冠子箴〉一篇：

吉月令辰，有翼有儀。勗哉之子，令德孔嘉。古亦有言，成人在始，巨由纖豪，高基覆簣。金木無常，方圓應形。鮑肆先入，蘭蕙不芳。廢興之源，孰云非己。皎皎素絲，無涅而滓。（註五二）

這是給始成年之人的箴言。人的習慣品行易受外在環境影響，所以「成人在始」，應近「蘭蕙」遠「鮑肆」，所謂「廢興之源，孰云非己」。此文是指導如何學習的勉學珍品。

他的銘箴之作，或勉勵，或開導，無不喻之以理，動之以情，情辭懇切，富有說服力與感染力。

劉師培的韻文，由於以詩爲文，語言詩化，句式齊整勻稱，簡潔凝鍊，形象生動，內容豐贍，而且節奏鮮明，聲韻和諧，讀來琅琅上口，富有音樂美。總之，劉師培的韻文，我們應予以充分肯定。

【附註】

註 一 《中國白話報》第四期。

註 二 《警鐘日報》光緒三十年九月十九日。

註 三 〈甲辰年自述詩〉，《警鐘日報》光緒三十年九月十二日。

註 四 〈左盦詩錄〉卷一，《遺書》第四冊，頁二一六一。

註 五 〈左盦詩錄〉卷一，《遺書》第四冊，頁二一六二。

註 六 〈左盦詩錄〉卷一，《遺書》第四冊，頁二一八七。

註 七 《中國白話報》第八期。

註 八 〈左盦詩錄〉卷二，《遺書》第四冊，頁二一六七。

註 九 同上註。

註一〇 〈雜詠〉，《警鐘日報》光緒三十年七月二十日。

註一一 〈雜詠〉二首之一，《遺書・左盦詩錄》卷一，第四冊，頁二一五九。

註一二 〈詠史〉二首之一，〈幽蘭〉，《遺書・左盦詩錄》卷二，第四冊，頁二一六五。

註一三 〈詠懷〉五首之五，《遺書・左盦詩錄》卷四，第四冊，頁二一八八。

註一四 〈雜詠〉二首之一，《遺書・左盦詩錄》卷一，第四冊，頁二一五九。

註一五 同註三。

註一六　〈左盦詩錄〉卷三，《遺書》第四冊，頁二一七八。
註一七　〈癸丑紀行六百八十八韻〉，《遺書·左盦詩錄》卷三第四冊，頁二一八三。
註一八　〈左盦詩錄〉卷一，《遺書》第四冊，頁二一六二。
註一九　〈左盦詩錄〉卷四，《遺書》第四冊，頁二一八七。
註二〇　〈左盦詩錄〉卷一，《遺書》第四冊，頁二一六。
註二一　〈左盦詩錄〉卷一，《遺書》第四冊，頁二一八八。
註二二　《警鐘日報》光緒三十年九月十五日。
註二三　〈左盦詩錄〉卷四，《遺書》第四冊，頁二一九。
註二四　《警鐘日報》光緒三十年九月十九日。
註二五　〈左盦詩錄〉卷三，《遺書》第四冊，頁二一七八。
註二六　〈甲辰年自述詩〉，《警鐘日報》光緒三十年九月十一日。
註二七　〈左盦詞錄〉，《遺書》第四冊，頁二一九九。
註二八　《警鐘日報》光緒三十年四月廿四日。
註二九　同註二七。
註三〇　同註二七。
註三一　〈左盦外集〉卷二十，《遺書》第三冊，頁二一三七。

註三二　〈左盦外集〉卷二十，《遺書》第三冊，頁二一三五。
註三三　〈左盦外集〉卷二十，《遺書》第三冊，頁二一三六。
註三四　〈左盦外集〉卷二十，《遺書》第三冊，頁二一三五。
註三五　〈左盦外集〉卷二十，《遺書》第三冊，頁二一三四。
註三六　〈左盦外集〉卷二十，《遺書》第三冊，頁二一三五。
註三七　〈左盦外集〉卷二十，《遺書》第三冊，頁二一三九。
註三八　〈左盦外集〉卷二十，《遺書》第三冊，頁二一三七。
註三九　〈左盦外集〉卷十九，《遺書》第三冊，頁二〇九〇。
註四〇　〈左盦外集〉卷十九，《遺書》第三冊，頁二〇九四。
註四一　〈文心雕龍・誄碑篇口義〉，《國文月刊》第三十六期。
註四二　〈左盦外集〉卷二十，《遺書》第三冊，頁二一二八。
註四三　《文心雕龍・誄碑篇》，見《文心雕龍讀本》上篇，頁二〇六。
註四四　〈左盦外集〉卷二十，《遺書》第三冊，頁二一四三——二一四四。
註四五　〈左盦外集〉卷二十，《遺書》第三冊，頁二一四三。
註四六　〈左盦外集〉卷二十，《遺書》第三冊，頁二一四四。
註四七　〈左盦外集〉卷二十，《遺書》第三冊，頁二一二九。

註四八　〈左盦外集〉卷二十，《遺書》第三冊，頁二一四一。

註四九　見《淮南子·主術篇》。

註五〇　〈左盦外集〉卷二十，《遺書》第三冊，頁二一四〇。

註五一　《文心雕龍·銘箴篇》，《文心雕龍讀本》上篇，頁一八八。

註五二　〈左盦外集〉卷二十，《遺書》第三冊，頁二一三九。

第九章　劉師培的散文作品

劉師培的散文既爲當世所稱許，又爲後世所矚目，其篇什浩穰，兼備各體，形成典麗多姿，深刻嚴明的風貌。他的散文，篇幅長短不一，長者萬言，短者百字，本文探析其散文時，有兩類散文暫不討論，一是專門著作如〈古曆管窺〉、〈王制篇集證〉、〈論近世文學之變遷〉等，無論長短皆不論述。一是篇幅過長，如〈中國民約精義〉、〈中國民族志〉、〈攘書〉等，爲免割裂之憾，暫不論析，然而亦有長篇如〈周秦學術史序〉等，因其由多篇自成脈絡的短序彙集而成，故仍舊加以探析。以下就其散文之可述者，分由政論、述學、記敘三方面，說明於後。

第一節　議論風發的政論文

章學誠於《文史通義・詩教》上云：「《過秦》、《王命》、《六代》、《辨亡》諸論，抑揚往復，詩人諷諭之旨，孟荀所以稱先王，儆時君也。……曠世而相感，不知悲喜之何從，文人述情深於

《詩》、《騷》，古今一也。」（註一）這說明像賈誼《過秦論》、班彪的《王命論》、曹冏的《六代論》、陸機的《辨亡論》等，以陳述前代得失，爲後世鑒誡，具有「詩人諷諭之旨」，所以政論文向是中國散文中重要的部分。在面對時局動蕩，山崩川潰，劉師培發表過許多石破天驚，振聾發聵的文章，如〈論留學生非叛逆〉、〈普告漢人〉、〈醒後之中國〉，以及他集前聖暴哲的言論所寫的評析按語等文，均以散文議政，其內容大膽評騭現實社會，揭露時政弊端，爲警醒社會大眾，所論無不窮源溯本，引古以籌今，論理析疑，侃侃而談，引起社會人士普遍注目和共鳴。這些政論文以血淚鑄成，擲地有聲，影響晚清一代知識分子的靈魂，而且在表達上，立意新穎，精警峭拔，踔厲風發。以下對劉師培政論文在寫作表現上的幾個特點，加以說明：

一、見解犀利明睿

劉師培自幼飽讀詩書，諳熟歷史典故，同時還汲吮西方文化的營養，形成中西雜糅，兼收並蓄的新思想，故觀察敏銳，思想深湛，分析問題大都具有閎中肆外的氣勢。又由於他直接參與革命活動，對朝廷腐敗，外寇侵擾，百姓困苦有深切感受，指摘時政，透闢精當，揭露弊竇，尖銳犀利。如在反對專制政體方面：日俄戰爭的爆發，事機危逼，關係民眾生死存亡至大，而清廷反宣布「中立」，劉師培在〈論華兵不競之故〉一文痛心指出：

今者日俄啓釁，遼海構兵，中國棄保衛疆土之權，以宣布中立，雖曰政府之怯懦使然，亦未始

非兵力不振之故也。今欲中國兵力之振，必先溯兵力積弱之故，以徐圖改革之方。（註二）

事實上中國軍隊之弱，他認為導源於「政府昧養之義」、「軍士無國家思想」、「不以尚武為立國之本」，所以中國無論施行任何制度，均不能挽救積弱之風，其最根本之因則是「秦漢以來之專制政治不更，斯軍制不能改革耳」（註三）全文開門見山，以單刀直入之勢，闡明主旨，層層深入，步步逼進，斷然否定專制政體，其鋒銳不可擋，其論無不切中時弊，有著強烈批判精神，表現出論政膽略，筆鋒犀利。

〈論中國家族壓制的原因〉一文，主要論述「家族思想」的缺點弊病，以及點明中國革命必經家族革命，以謀求國家之合群與進步。文章首先從家族起原考之，指出出三綱之「名分說」為「家族思想」根源。以下緊承前段「蓋家族思想愈發達，則家族之壓制愈堅」而來，依他實際認識，參證典籍，旁徵博引，具體闡述中國家族的壓制來自三方面：壓制婦女、壓制子姓、壓制庶孽，逐層分說，力圖從這些原因，揭舉弊端，極言家族思想之失，造成各事的不平等的影響，極有說服力。以下，筆鋒一轉，由對史實的剖析轉而從道理上進行分析，指出：

歐美各國，家族之壓抑，較中國為輕，故西人之革命也，不必經家族革命之階級。若中國之民，或於三綱之說，名分相凌，以私德而傷公德，非經家庭革命之階級，則國民公共之觀念，永無進步之期，又安能奏合群之效耶？（註四）

文章論述觀點時，正反結合，並以古今中西對比為文，批判自古以來的三綱之說，以推翻封建體制的精神束縛，文章寫來有如重巒疊嶂，開闔宏肆。同時，其論述方式與語言也有詳略疏密之不同，富於變化。有的鋪陳排比，顯得很有氣勢，如論壓制子姓一段。有的要言不繁，切中要害，如：

> 後世以降，宗親搆禍，日翦日屠，如呂后之遇戚姬如意，魏文帝之遇陳王，載在史編，不可勝記，而庶孽所罹之禍，如江淹朱壽昌之酷者，蓋尤更僕難數矣，能無嘆歟？陋儒不察，盛稱宗族同居之制，以爲敦厚之風，豈其然哉？

以簡潔扼要的語言，揭露庶孽受壓制的史實，然後反詰一句，結束此段論述。由於雄辯的事實，遂使文章神完氣足，理酣意暢，讀來發人深省。

再如〈論中國階級制度〉則更進一步指出：

> 今欲情得其平，莫若……悉行作工自由之制（作工自由即雇工之制也），……亦使之與齊民一體，以同享平等之權，則階級制度消滅無存，（吾謂中國階級制度，仍有當改革者，如「重士而賤商，重文而輕武」，亦不平等之制也。而近人所稱之名詞有所謂上流社會，下流社會者，亦不平等之名詞今宜改革）而中國之民，悉享自由之幸福矣，豈不善哉？（註五）

全文旨在說明：於傳統政治文化浸淫下的中國人，都不過是蜷伏在專制體制下的奴隸，所以，他以「復古求解放」（註六），剖析歷史，隨機啓示，遇事取譬，引導人們看清封建制度的僵化與腐朽，足讓衛道者瞠目結舌。全文圍繞「階級制度是野蠻社會必經之級」的主旨，由漢族、異族兩面兼寫中國人民遭受奴役慘事，反覆申說，指出「此不得不歸咎於立法之失矣」，故應悉行「自由之制」，以此作結，收束全文，深刻有力，鋒芒畢現，書生意氣，充盈字裏行間。

在政治體制方面：清廷對內專制，屠殺愛國青年，阻止改革，對外投降賣國，腐敗至極，希冀清廷自行改弦更張，實行民主政治，擺脫空前危機，是毫無希望的，所以他主張取消帝制，實行共和，於〈中國立憲問題〉中指出：

今日之中國，滿漢之種界未除，君民之權限未定，驟欲施以立憲之政……恐雖布憲法亦難以久持。……然近日人民，其欲望立憲者，固已佔新黨之多數矣；然所以希冀立憲者，不過欲假新政之名，以冀己身之柄用，至如他之鼓吹立憲者，亦不過欲擇一執中之論，介於新舊之間，以避國人之攻擊，其言雖公，其意則甚私也。（註七）

他針對改良派所提「君主立憲」，明確指出他們種種謬論。文中首先敘其事，以下由歷史往跡，以探「憲政」之源，逐步駁議新黨立憲之用心，寫來深刻精嚴，情理相得。此外，尚有〈論中國改革刑法〉、〈論大同平等之說不適用於今日中國〉等文，為革命思想的傳播，作了輿論準備。由於這種敢於堅持眞理，直言抗辯，不向壓力屈服，使得他的文章意旨軒昂，敲響了當世的警鐘。

他的議論文多大膽評騭現實社會政治，文筆縱橫犀利，其論述或繁或簡，或援史以為證，或據理而推闡，均顯示出充沛激情，深刻見解，直切坦率，直入堂奧，一瀉到底，那種只管暢其衷而不顧後果的膽識，使得文章鋒利深刻，而有力量。

二、論證縝密嚴謹

為了闡述道理，劉師培在論述事理上，往往精心構思，巧妙安排，不枝不蔓，一線貫穿，煩而不亂，肆而不流，開闔有法，形成嚴謹結構，如〈普告漢人〉一文，緊緊圍繞「不行仁政，有損於民」這一基本論點，論證好義之士應奮發興起，力掃清廷，以抒萬民之困的重要性。文章開頭由自古迄今聖賢對君主的討論，說明「凡具觀察國家之識者，咸以君主之仁暴判人民之從違」（註八）的道理，强調「今日之討滿，乃種族革命與政治革命並行者也」的重要性。接著論述虐遇士人，大興文獄「張無形之網羅，抑將伸之民氣於語言文字之微」；虐遇平民，奪其民權「非迫民以威，即陷民以律」；虐遇官吏「服官之士，非具官吏之資格也，僅以作滿人隸僕而已」，由此點明「滿洲之對於漢民也，無一而非虐，則漢人對滿洲也，亦無一而非仇」，因此得出必須「奮發興起，力掃胡塵」的結論。文章始終圍繞著中心主題展開論述，結構嚴密，層次清晰，富有說服力。

此外，他寫政論文，往往做到持之有故，言之成理，大多選用史實或典籍作根據，不僅材料明顯，精確可靠，且有時甚至做到一步一個論據，層層推理，層層印證，不由人不信服，就像在〈普告漢人〉中，為證明自己的觀點，一連列舉滿人入關以來數十種史實，說明「滿洲之於漢族也，其虐政既若此，則為漢族之公仇，固無疑義」，水到渠成，由於這種由眞實確鑿的論據，推出的必然結論，是很具論證性的。

同時，他的政論文，在論述方法上，是千變萬化，形式多樣，不拘一格。有的緊扣論點，開門見山，單刀直入地直論其事理，如〈論華兵不競之故〉：

今之論中國兵制者，孰不曰兵制當改革哉？其所謂改革兵制者，亦不過數端，一曰行舉國皆兵之制，二曰步武泰西之兵法，三曰興軍國民教育，四曰製造軍械。其策非不美也，然自吾觀之，乃形式之改革而非精神之改革也。（註九）

就是明顯例證。有的則運用中外對比，通過鮮明對比，突出論點，逐層深入論述事理，如〈論留學生非叛逆〉：

同種者何？即吾漢族是也；祖國者何？即吾中國是也。學生者欲排異種而保同種者也，於此而謂之叛，則希臘之離土亦將以叛目之乎？意人之排奧亦將以叛目之乎？諸君諸君，直未知順逆之理耳，吾何責焉！……吾觀近今學生之所倡者，不過排俄排法二端耳，學生倡之而政府禁之，是政府即爲學生之公敵。（註一〇）

全文以對比手法突顯主旨，表現他反對帝國侵略和愛鄉愛國之情，溢於字裏行間。有的則先從所論事物的反面說起，借以蓄勢，而後再加以論述，如〈論善惡之名無定〉：

中國人之論善惡也，皆以爲善惡之名有定，吾今用一語以反之曰：善惡之名無定，試詳論之。……（註一一）

凡此種種，可見其論證形式變化多端，都能收到相得益彰的表達效果。

三、說理生動活潑

為達到說服人心，宣傳自己的主張，只靠抽象的推理，持之有故，言之成理，容易形成枯燥的說教，使人不能卒讀，所以，他有時採用生動的比喻，引物連類，明白易懂，給人留下深刻印象。如〈論中國改革刑法〉：

> 中國之牢獄（中國牢字從牛，獄字從犬，是中國視犯罪之人本與畜類無異），固以污穢不治聞天下矣。……與巴黎巴士的獄大約相同，而獄吏之逞威者，至較虎狼為尤酷（獄吏之視囚徒，飢不與之食，寒不與之衣，甚至無居住之所，無休息之地，因之致死亡者甚眾）。而牢獄之外，復有班快各房，皆為拘繫囚徒之所，……鞭撻之苦，縲絏之加，私刑之慘，勝於官刑。（註一二）

又如〈說倚賴心〉：

> 何以謂之倚賴？倚者失去自立主義，如久病者，起坐不能自若，如爛醉漢行動不能支，見火則眼生花，迎風則身欲晃，勢不得不有所依附，以少延餘喘。賴者失去自治主義，如窶人子索人餘饞，如借貸家仰人鼻息，勢不得不剝盡廉恥，以偷此餘生。（註一三）

寥寥數筆，畫面生動而喻意畢現。

為闡明事理，增强說服力的作用，他也有用寓言來說明抽象道理，如〈捨舊謀新之問題〉：

主人有愛佳柳者，命童子掃其落葉，童子日趨事而厭其勞，忽而思曰今日枝上黃葉，是明日之落葉也。搖其樹而下之，則明日可以四息。既而又思曰黃葉者青葉之變也，並青葉而摘之，則可以全息。既而又思曰有樹在，明春能不復生葉乎？並其樹而伐之，斯可以永息矣。童子之於物理可謂漸進於高矣，至於主人愛樹之旨則甚悖。世人執新學而廢國學者，無亦類此。今中國學堂林立，無本之士多識俗學爲無用，並欲執古代之學術，刻劃附會，代以新理，雖曰世界進化，不得不捨舊謀新，然吾恐其因掃葉之故，而並殃及於樹也，哀哉！（註一四）

用通俗形象的畫面，結合人們日常生活的體驗，把深奧複雜的變革觀點，變成人人可理解的話題，來喚起民眾的責任感和熱情，深入人心，收到了說理的藝術效果。

同時，可以發現，他爲使說理富有鮮活色彩，常使句式波瀾起伏，錯綜安排，讀起來琅琅上口，富有流暢感和形象性，文章顯得活潑生動，如〈醒後之中國〉：

吾所敢言者，則中國之在二十世紀必醒，醒必霸天下。地球終無統一之日則已耳，有之，則盡此天職者，必中國人也。……時勢之所造，境地之所困，二千餘年沉睡之民族，既爲克虜伯格林放大炮之所震擊而將醒矣。「起向高樓撞曉鐘，人間昏睡正朦朧，縱令日暮醒猶得，不信人間耳盡聾。」值廿世紀之初冪，而親身臨其舞台，自然倚柱長嘯，壯懷欲飛。舉頭於阿爾泰山之高山，濯足於太平洋之橫流，覺中國既醒後之現象，歷歷如在目前。……（註一五）

他以簡潔凝鍊的語言，長短不勻的句子安排，使文句具有跳躍和節奏感，聲韻鏗鏘，上口入耳，顯得氣勢磅礡，有如滔滔江河，一瀉千里，令人讀其文即如聞其聲見其人，充分表現出他的精神風貌。而駢散雜揉的句式，也很常見，在散體之中，雜以偶儷，因而加强了作品的感染力。如〈論中國人思想之矛盾〉：

東三省之民，必有興故國之思，憤異族之侮，捐軀赴難，矢志不渝，以與俄人相抗敵。試觀寧爲南鬼，不爲北臣，非劉思忌之守新野乎？寧爲國家鬼，不爲羌賊臣，非辛恭靖之守河南乎？與其含恥存，孰若蹈道死，則有秦郭質之移檄；悲君感義死，不作負恩生，則有魯廣達之留名，舊史所載，歷歷可稽。（註一六）

散句大多寫得自然清新，或多或少，不受拘束；駢句語言簡鍊，寓意深刻，且多是排比句，整齊勻稱，辭氣流暢，均神韻獨到之筆。

四、情感眞摯濃厚

劉師培處在悲風驟至的衰世，他的政論文無不充滿强烈情感，或褒或貶，或是或非，均產生震聾發聵的效果。如〈黃帝紀年論〉云：

嗚呼！北敵蹈隙，入主中華，謂非古今來一大變遷耶？故當漢族不絕如線之秋，欲保漢族之生存，必以尊黃帝爲急。黃帝者，漢族之黃帝也。以之紀年，可以發漢族民族之感覺。偉哉！黃帝之功！美哉！漢族之民。（註一七）

直接抒寫感情，這裏用了感嘆句、疑問句，以慨嘆情緒感染讀者。

又如：〈論中國對外思想之變遷〉說：

> 草野愚民託言仇外，而世之僞崇新學者，遂無不尊西士爲聖神，崇歐人爲貴種，寡廉鮮恥，莫此爲甚！崑崙蒙羞，江河含垢，民族思想斲傷盡矣。（註一八）

寓情感於形象中，描繪崇新學者的可恥醜行，抒發了對國家前途的關懷，包含著他褒貶之情，使文章情韻不匱。

他的政論文不僅議論精彩，義正辭嚴，尤其他披肝瀝膽，憂國憂民之情，更是洋溢紙上，十分感人。

第二節　淵懿精美的述學文

劉師培不僅是革命活動參與者，同時是譽滿當世的國學大師。在他的大量論學文章，往往把西學內容與傳統學術揉合一起，許多方面突破傳統學術觀點，給學術界帶來鉅大影響。其述學文主要特點有三：

第一、不囿舊說，自立新解。晚清由於嚴重民族危機，迫使有識之士痛定思痛，重新反省傳統學術，帶來學術空氣的活躍。劉師培的述學之作，尤以蒐羅翔博，鮮有空言著稱，是近代學界中之佼佼者。像他對待經學的態度就和古代經師不同，他不再把經書看作萬古不變的聖典和永恆的眞理，他以「降經爲史」立場，說六經是教育課本：

六藝者，孔子以之垂教者也。然例之泰西教法，虛實迥別，學者疑焉。予謂六藝之學即孔門所編訂教科書也。……《易經》者，哲理之講義也；《詩經》者，唱歌之課本也；《書經》者，國文之課本也；《春秋》者，本國近事史之課本也；《禮經》者，倫理心理之講義及課本也；《樂經》者，唱歌之課本及體操之模範也。（註一九）

同時，他對六經形成有新的見解，認爲六經形成時間應上溯到唐虞時代，他說：

近世巨儒推六藝之起，原以爲皆周公舊典，吾謂六藝之學實始於唐虞……《尚書》作於唐虞矣……《風詩》賡於唐虞……古《禮》造於唐虞……《樂舞》備於唐虞……《春秋》亦昉於唐虞。（註二〇）

其說正確與否姑且不論，重要的是他敢於叛道離經，突破陳說，把歷來視爲「聖典」的儒學，當做一般學術來看待。文章鑒古觀今，往往下一、二斷語，從歷史發展上昭示於人，言簡意賅，文情並茂。

又如〈周末學術史序〉一文，也同樣打破舊說，把先秦諸子百家納入近代學科分類中，把「以人爲主」變成「以學爲主」，列有心理學、倫理學、論理學、社會學、宗教學、政法學、計學、兵學、教育學、理科學、哲理學、術數學、文字學、工藝學、法律學、文章學等十六科，他以爲這些學科在先秦時早已齊備，如心理學「惟孔子性近習遠之旨立說最精」（註二一）；倫理學則墨家、老莊、楊朱、商韓、管子均有創見，但是「漢魏以降，學者侈言倫理，奉孔孟爲依歸，視諸家爲曲說，故諸子學術湮沒不彰，亦可慨矣。」其中他最推崇荀子名學思想，認爲其學實具備歸納、演繹等邏輯之法：

歸納者即荀子所謂大共也，故立名以爲界。演繹者即荀子所謂大別也，故立名以爲稱。

其內容，頗具精闢之見，自有其參考意義，而其語言既精潔簡明，又意蘊極深，十分吸引人。

又如，他論太古數學的發展時，說：

上古實用學計分爲三派：一曰數學，民知結繩，即知記數，蓋物生有象，象而有滋，滋而有數。上古之數，只有奇偶，奇偶相加，其數爲三，故記數止於三。厥後以指計數，指止於五，故數亦止於五。及黃帝臣隸首作算數，而數學稍明。然上古之民削骨爲牌，以記算法相加之數。嗣削竹爲籌，用以記數。至於虞代，始用律度量衡，而乘復作規矩準繩，皆數學施於實用之證也。及大禹治水，復以勾股之形，定山川高下，此即測量學之基也。……

並一再申說科學發展實基於實踐：

古學基於物理，故學由實踐而得。……蓋古代學崇實際，故一切學術咸因經驗而發明也。（註二二）

在當時，劉師培這些新解，衝破「天命論」的迷霧，爲學術界創造出嶄新成果。他時時以近乎淺白的文言，而且信手拈來的掌故、軼事、經史典籍等多方引證敷演，文氣跌宕。在淳樸精潔裏表現得頗爲典雅，在析事說理中侃侃而談，流暢深摯，令人深味不已。

他更於〈中國古用石器考〉中，接受西方學者的觀點，以爲遠古社會發展過程，歷經石器、銅器、鐵器時代，人類社會歷經漁獵、遊牧、耕稼、工賈發展而逐漸進化（註二三），對史學研究有新的激蕩。此外，他又對我國古代美術思想有所研究，先後發表過〈中國美術學變遷論〉、〈論美術援地而區〉等文，討論中國古代美學思想，可謂近代美學史研究的開拓者。

他的述學文擺脫了傳統學者狹隘的視界，以宏觀態度，深邃思想，運用綜合性和整體性董理中國學術，其成就是值得肯定的。

第二，結合現實，宣傳政治理念。清廷腐朽，對外導致戰事失利，對內帶來民生疾苦。因此，劉師培大聲疾呼重視新方志的編輯，他說：

> 今也教民之法，略於近而詳於遠，侈陳瀛海之大，博通重譯之文，而釣游之地，桑梓之鄉，則思古之情未發，懷舊之念未抒，殆古人所謂數典忘祖者矣。若一郡一邑均編鄉土志，則總角之童，垂髫之彥，均從事根柢之學，以激發其愛土之心。（註二四）

面對滿目瘡痍的山河，爲免淪爲帝國主義殖民地，新方志的編輯，除要表彰鄉邦前賢教育後人，更重要的是要確立地方自治，推進鄉邦政教。文中他用「略」、「詳」、「侈陳」、「博通」等寥寥數語，極細膩地傳達了他心中的愁苦與憂患，在文章中，也表現了他的愛國愛鄉熱腸。

他還透過訓詁學推闡古代君主之始，如〈政法學史序〉中說：

> 上古之時，衆生芸芸，無所謂君主也，亦無所謂臣民也，其推爲一群之長者，則能以飲食餉民

者也，能以兵力服民者也，並能以神鬼愚民者也，又當此之時，君主即民庶中之一人，故君群互訓。

他撰寫此文目的，是在反對君主專制，他說：

> 及暴秦削平六國，易王爲帝，采法家之說，而飾以儒書，愚錮人民，束縛言論，相沿至今，莫之或革，此則中土之隱憂也。

他是一位既清醒、又博學，且具有歷史眼光的學者，所以析論事理，於嚴峻凌厲中，政治性異常强烈，但讀來不乏味，不生硬膚淺，比那些流於空洞說教的文章要充實，要觸動人心靈。

撰寫〈工藝學史序〉則是爲謀國家富强，科技發展：

> 吾觀東周之時，公輸作木鳶，歐冶鑄劍器，學趨實用，奇技競興，豈得以淫巧目之哉！秦漢以降，士有學而工無學，鄉士大夫高談性命，視工藝爲無足輕重，此工學之精所由遜於哲種也，能勿嘆哉！

中國欲發奮爲雄，轉危爲安，由衰到盛，就須遵循社會發展規律，力求變革，由君主趨民主，才能上下一心，舉國合一。時代風雲在主宰著他的筆，即使是述學之文，也成了一篇飽含政治血淚的篇章，其中眞摯深沉的愛國之情，更深深打動讀者的心靈。

同時，他藉評論先秦諸子，以表達自己的政治思想，在政治上，儒家「以德爲本，以政刑爲末，視法爲至輕」，政權集中於君主之手，卻又不以法律限制之，是「不圓滿之政法學也」；墨家主張平等，「較儒家其說進矣」；法家「雖以主權歸君，然亦不偏於專制」，借此流露他主張平等法治，人民享有應得權利與義務。在經濟上，他最贊成管子的「貸國債」、「稅礦山」的政策，以爲與西方國家「所行之政大約相符」，是各學派中唯一「以富民富國並重者」（註二五）等等，從他的論述中，不難窺見他抨擊封建制度，鞭笞敬天法祖、尊君崇上、重本抑末、禁私禁欲種種謬說，提倡人權、平等、法治的精神。而其說無論據事言理、援古鑒今，均可見他不與現實脫節，論學與論世並重，治學與救國結合。

最後，實事求是研究學理，極富科學方法和懷疑精神。譬如，他反對神化孔子，〈論孔學不能無弊〉一文中指出：

孔子之學爲歷代學者所宗，然智者千慮，寧無一失，則孔子之學豈能盡善而無弊哉？……一曰信人事而並信天事也。……二曰重文科而不重實科也。……三曰有持論而無駁詰也。……四曰執己見而排異說也。（註二六）

〈論孔教與中國政治無涉〉中又指出：

孔子者，中國之學術家也，非中國之宗教家也。……蓋世之謂孔學影響政治者僅三端，一則區等級而判尊卑……一則薄事功而尚迂闊……一則重家族而輕國家……。然皆神權時代之思想，而孔子沿用其說耳。降及後世習俗相仍，以士民之崇信孔學也，於是緣飾古經，附會政治，此則後世之利用孔學，非果政治之原於孔教也。（註二七）

〈論中國人重視儒家之觀念〉中說：

秦漢以來學者，溺於成見，視儒教爲甚尊，而視九家爲甚輕，此學者之第一大患也。夫學爲天下之公器，祇當明是非，不當別門户。……豈知儒家之外，天下非無極精之學乎？（註二八）

他下筆琳琅，旁徵博引，一方面肯定孔子在歷史上的地位，「以周秦諸子數之，則固未有能出孔學之右者也。孔子哉！中國大思想家也。」（註二九）一方面對孔學深入的剖析，說明它不能澤被八方，萬世不衰，有助消除對孔子的迷信和盲從。他所以批判儒學，是希望人們走出僵化的教條，卸下思想的束縛，以免歷史的精華反成今日糟粕，借以砥礪實學精神。

他的論述以事實作根據，經過精思深慮，有獨到見解，不蹈襲往規，發揮「徵實」和「獨創」的特色。而這類探事物之幽微，溯現象之流變的述學文章，由於他個人經歷，加之廣博學識和文學修養，筆力所至，縱橫捭闔，流轉自如，且其文筆峻潔精美，文辭華彩全在不經意中而出，所引經典史籍、詩詞、古跡形勝，摻於文中，文采生，意蘊至，而無晦澀生硬之感，寫來道理簡樸幽深，而情感扣人心弦，具有知識性、哲理性與藝術性。

第三節　清新有味的記敘文

劉師培的記敘文，即是他所謂的「據事直書之文」（註三〇），並且以爲「敘事之文應以《史》、《漢》爲宗」（註三一）所以他的記敘文，自不能不受到史遷的影響。在其作品中，爲數甚多的是那些表彰明清學者志士之學術與氣節的作品，如〈王艮傳〉、〈劉永澄傳〉、〈揚州前哲畫像記〉、〈廣陵三奇士傳〉、〈戴震傳〉等，人物性格鮮明，眞實可信，不僅有深刻內容，而且有其藝術特色，主要表現在三方面。

第一，他所選的人物，在社會現實中有其代表意義。這些人物既具有特出的品格，同時又具有時代中人的相似的氣質，藉描繪代表人物來激勵人心，以便發揮感染力量來教育人們。如〈梁于涘傳〉，文中突出梁于涘的「從容就義」與「耿耿忠心」，依次寫他的效忠朝廷，力敵叛軍，爲敵軍所虜，並詳寫其企圖自殺、絕食、囚之獄中長達五十三日，終於自經而死的過程。其中一段言：

在獄幅巾布袍，日作詩文，客有慰之者，于涘曰：國破家亡，自天子公卿百官北面受辱，余一小令所圖曷濟？然古今忠孝名節在人自立耳。聲恆欲官之，客又來賀，于涘曰：死我者可賀而不可弔，官我者可弔而不可賀，死者形亡，官者神滅，吾豈以神易形哉？復有來勸降者，于涘指鬚眉示曰：此豈靦顏避禍者？九月十三日，談笑賦一詩自經死。詩曰：但知生富貴，誰識死功名，到頭成箇是，方見古人情。其僕梁善、杜忠、龔明、張聰及聰婦徐俱從死。（註三二）

文中詳細描敘梁于涘剛貞孤介，志決身殲的情節，尤其善於用人物言行突出其性格特徵，以客「慰之」「賀之」「勸降」的三個連貫事件出現，描寫梁于渙的三種神態，一是「古今忠孝名節在人自立」，充滿自信之心溢於言表；二是「吾豈以神易形哉」，使人深刻感受到他視死如歸的豪氣；三是「此豈靦顏避禍者」，令人彷彿見到他慨然就義無畏無懼的氣度，有力地刻劃了梁氏性格與風骨，故事情節也隨之起伏發展，至梁氏悲壯自經而死，傳文中仍餘波蕩漾，他所塑造有血有肉活生生的人物，給人留下無限韻味。

〈孫蘭傳〉，其中寫了三個曲折細節。孫蘭「明季爲諸生，因清兵陷揚州，恥事讎國，遂棄諸生籍，以布衣終」突現孫蘭品格高尚，血肉鮮明的個性；「先是西人湯若望以治曆仕明廷，蘭從之授曆法，遂通太西推步之術……當明季時，西人地質學未入中國，蘭從西士遊，獨窺其深」寫孫蘭於天文、曆法、地質學等實學無所不窺，身懷絕學，洞明太西學術，眼界寬廣；「晚年隱居北湖，課子以耕，暇則手一編，哦於清溪綠樹間，時拏舟入城，與二三知己劇談，或歷百日乃反……年九十耳目聰察，膚理融澤，步於衢，群少年捷足不及之，問何能？曰：吾知正心，非世俗所謂引導術者」（註三三）敘述他晚年蟄居隱伏，清正怡然，寬宏廓大的氣度。短短篇幅，詳略得體，敘致精瞻，貌似平淡，但卻有力又鮮明地刻劃了一位「藏器於身」、「不欲以絕學進身」、「深明出處大義」的高士形象。

在這些傳記中，刻劃各個不同人物，對鼎革滅亡深抱悲痛之情，劉師培均能把握其共同心志，鮮活淋漓地加以表現，雖然每篇人物不同，但卻能圍繞特定的現實意義選材行文，因此他的作品中，處處傾瀉愛國熱情，使人感到生動，富有情味。

第二，描寫人物的手法多樣化。由於描寫對象本身的家世、性格、氣質、作風各不相同，所以他必然也以豐富多樣的描述手法去描寫千姿百態的各種人物。如敘武士，寫李長年時說：

長年挺刀躍馬，大呼自名，馳突敵軍，卒挾忠壯尸出，既斂籍其財物，親歸其喪而致之。（註三四）

著重寫其見義色形，蹈仁履德之行，能曲盡其妙，富有眞情。寫徐慕達時說：

徐慕達……農家子也。少好勇，筋骨果勁，能曳牛倒行，長善擊搯，通少林拳法，十人莫當，里閭憚之，性伉直，重氣任俠。知浙東多黨會，偏結其魁，以是數犯法，尤喜事，其趨人急，水火勿避也。（註三五）

著重其不從俗流的特立獨行及其忠勇豪健，赤心憂國，富有深意。

寫剛烈忠直之士，如介紹劉永澄則於其耿介不二，不折腰屈節，趨時媚俗中，特別强調其勇於言事，持論急切，不惜觸怒朝臣，同時遇不平之事，則

攘臂裂眥，不啻若身受，義所獨斷，往往不避形跡，至舉世非之不顧。（註三六）

刻劃其激烈性情，鮮明而深刻。寫王玉藻，則於忠直之中，强調其具大將風範，有謀略，不以窮阨易操，其文云：

適魯王監國紹興。玉藻乃與沈宸荃起兵，魯王授以牒並晉御史銜，仍留慈溪知縣事。玉藻既慕義勇，固請赴江上，自效略謂：以慈溪彈丸之地，當北兵勁銳之鋒，是猶以肉投虎。今國家

所恃以自保者，惟錢唐一江，待北兵渡江而後禦，曷若禦之於未渡之先？臣雖不才，願以一身先之……。（註三七）

後卻因眾將各自為軍，兵餉交訌，莫敢先進，以致事敗機失。他從另一個角度突出人物忠烈節操，感慨遙深。

同是描寫愛國志士，忠貞剛烈之士，但是，人物個性特點各異，劉師培都能把握每個人物精神面貌之異點，采用不同手法，重筆勾勒其獨特性，使人物形象生動而豐滿。

此外，有的傳文致力描寫外貌特徵，如〈林慶鏞傳〉：

君少不好弄，貌矜嚴，豐頤洪聲，立坐無陂倚。（註三八）

以外形特徵表現其精神氣質，有高曠清厲作風。有的傳文致力寫其行為，如〈孝子薛成傳〉：

十齡喪母，匍匐號訴，淚竭繼以血，遂眇一目。越五年，父長輿病風眩成，晨夕持三旬不寢，形體憔悴，貌不可辨，……冬，冒霜雪，徒步往延，足凍墜指，衣盡裂。越六月，父疾少間，越二年，復病背瘍膿血臭惡，家人去側，成獨侍疾，雖夕不離，晨市米肉莫釜，病榻側炊飯瀹肉，跪而進食。……（註三九）

他抓住人物特色，深情地記敘其行動，敘事明順，富於眞切感，眞是傳神妙筆。

第三，有明顯的議論性，做到借人立傳，事理兼勝的境地。他在傳文後，往往以「劉光漢曰」或「論曰」發出大段議論，使人不能不聯想到《史記》列傳後「太史公曰」的作法，使記敘和議論融於一體，刻畫人物與闡發寓意契合無間。如〈孫蘭傳〉末一段議論：

劉光漢曰：明季遺民若黃宗羲、王錫闡、劉獻廷、張爾歧，咸洞明太西學術，然各以高節著聞，抗志不屈。顏元、李塨亦以實學爲世倡，工學、數學導源大秦而睠懷舊都，形於言表。蓋學術之界可以泯，種族之界不可忘也。而孫蘭行適與相符。夫以孫蘭之學得所措施，殆郭守敬、徐光啓之流，乃藏器於身，蟄居雒誦，不欲以絕學進身，非深明出處之大孰克若此？……

他往往巧妙的用贊評文字概括事實，或把記敘、議論、抒情結合起來，給人留下想像餘地，使文章饒有情趣，意味深長。

劉師培藉傳人來記事，敘事簡練明達，文筆生動準確，且寓說理於傳人之中，感情眞摯，並寄寓自已的思想，值得深深體味。

劉師培敘事清新有味的特色，也反映在其他類型的文中，像書信、書序、題跋等即是。譬如〈陳去病清祕史序〉有一段說：

中國之所謂歷史者，大率記一家一姓之事耳。若滿清所存之史，則並其所謂一家一姓事者，亦且文過飾非，隱惡揚善而逢君之惡。如紀昀復摭史通鱗爪之文，以爲隱飾君親亦臣子大義，此論一興，直道不存，清議寖息，顚倒是非，紊亂白黑，邪臣之罪，豈可宥乎？雖然當彼修史之時，亦自謂掩耳盜鈴，可以助愚民之用，然遐方記載，故老傳聞，事有不同，言多徵實，非所謂來者難誣，欲蓋彌彰者耶？今清祕史一書，仿古人別史之體，雖掇拾遺聞間多未備

，然胡廷穢跡，賴以彰聞，則世之奉虜酋爲神聖者，觀此亦可自反矣。（註四〇）

又如〈丁未答錢玄同書〉說：

昨接手書，濟世之忱，溢於言表，處混濁之世，而具高曠之思，此豈醉心功利者所克逮耶？莊生有言，處空谷之中，聞足音則跫然喜，僕於君言亦猶是耳。創報一事，僕蓄念甚久，顧以財政拮据，非倉卒所克集，數旬之內當可告成，惟祈時錫箴言，用匡不逮，則幸甚矣。……（註四一）

其記敘於條理清晰外，或是暢所欲言，夾敘夾議，思之所至，傾瀉而出；或是紆徐從容，婉曲道來，顯得情意綿長，可見他的敘事繁簡適度，用語自然簡鍊，麗而不浮，耐人咀嚼。

綜上所述，劉師培的散文在晚清各家中，無論在思想內容上，還是藝術特色上，都有其獨特風格，既是信腕直寄，又敢打破陳規陋習，其文所以能風靡一時，影響大眾，絕不是偶然的，在近代散文發展史上應占有一席地位。遺憾的是劉師培的文名，往往爲其國學或政治出處所掩，十分可惜。

【附註】

註　一　葉瑛校注《文史通義校注》卷一，頁六二。

註　二　《警鐘日報》光緒三十年三月十九日。

註　三　同上註。

註　四　《警鐘日報》光緒三十年四月十五日。
註　五　《警鐘日報》光緒三十年五月十一日。
註　六　梁啓超語，見《清代學術概論》二一，頁六。
註　七　《警鐘日報》光緒三十年八月十二日。
註　八　《遺書．左盦外集》卷十四，第三冊，頁一九一七。
註　九　《警鐘日報》光緒三十年三月十九日。
註一〇　《蘇報》光緒二十九年六月二十二日。
註一一　《警鐘日報》光緒三十年六月二十八日。
註一二　《警鐘日報》光緒三十年八月二十三日。
註一三　《警鐘日報》光緒三十年六月十四日。
註一四　《警鐘日報》光緒三十年十二月十四日。
註一五　《醒獅》第一期，光緒三十一年九月二十九日。
註一六　《警鐘日報》光緒三十年三月十一日。
註一七　《遺書．左盦外集》卷十四，第三冊，頁一九〇七。
註一八　《警鐘日報》光緒三十年六月二十日。
註一九　〈國學發微〉，《遺書》第一冊，頁五七三。

註二〇　同上註。

註二一　〈周末學術史序〉，《遺書》第一冊，頁六〇三。

註二二　〈中國歷史教科書・古代之學術〉，《遺書》第四冊，頁二四八六——一四八七。

註二三　《遺書・左盦外集》卷十二，頁一八六。

註二四　〈編輯鄉土志序例〉，《遺書・左盦外集》卷十一，頁一八三一。

註二五　同註二一。

註二六　《警鐘日報》光緒三十年十二月十二日。

註二七　《警鐘日報》光緒三十年五月四日。

註二八　《警鐘日報》光緒三十年十一月五日。

註二九　《警鐘日報》光緒三十年十二月十二日。

註三〇　〈緒論〉，《專家文》，頁二。

註三一　同上註，頁三。

註三二　《遺書・左盦外集》卷十八，第三冊，頁二〇五一。

註三三　《遺書・左盦外集》卷十八，第三冊，頁二〇五二——二〇五三。

註三四　《遺書・左盦外集》卷十八，第三冊，頁二〇七八。

註三五　《遺書・左盦外集》卷十八，第三冊，頁二〇八一。

註三六　《遺書·左盦外集》卷十八，第三冊，頁二〇四九。

註三七　《遺書·左盦外集》卷十八，第三冊，頁二〇五七。

註三八　《遺書·左盦外集》卷十八，第三冊，頁二〇七九。

註三九　《遺書·左盦外集》卷十八，第三冊，頁二〇八一。

註四〇　《遺書·左盦外集》卷十七，第三冊，頁二〇二〇。

註四一　《遺書·左盦外集》卷十六，第三冊，頁一九七三。

第十章　劉師培的駢文作品

雖然晚清駢文之氣運，已呈强弩之末，但劉師培仍有開拓千載雄心，其駢文文采斐然，汪洋恣肆，超軼流俗，篇篇凝鍊，堪稱晚清大家。以下自思想內容及藝術特色兩端，加以探索。

第一節　思想內容

劉師培的駢文，沒有專集，〈左盦外集〉卷十六、卷十七所收，以他晚期所寫信函、書序爲多，他以博雅之學，發爲文章蘊蓄富厚，且把自已坎壈生涯中的抑鬱之情寄託其中，這些作品可以做爲他晚期行跡及心境的見證。茲就其所呈現之思想內容略述之。

首先，哀傷自嘆，病困志鬱，情意惻愴之作。比如〈致吳伯竭書〉三首之三寫道：

師培沈綿肺疾，精思遏渫，加以咳逆極成，委弊既乏，收視之術復乖，修生之辨未入。中年百罹，併集孤桐，半生四序，非我秋風。華落是用，悲心方將。（註一）

又如〈與成都國學院同仁書〉說：

> 益以邇來沈綿疴疾，志意衰落，髮白早凋，夙夜悼心。若涉淵水，常恐殞沒，犬馬齒窮，永銜罪責。入於裔土，企心東望，每用依依，一得生還，日見江海，不勝狐死首丘之情。（註二）

尤其他一向重視方志之編纂，卻因疾疴不得不請辭，其〈答桂蔚丞二書〉之一云：

> 承示屬總纂江都續志，古者誦訓掌方志，所以知地俗，道方慝也。旌別淑慝，業之大者，自非卓爾之姿，孰能不惑？猥以寡薄，委付大任，得展萬一，亦庶幾以竭吾才，不意邇來志意衰落，如膺疾疛，力不從心，慮有不瘳，永歸溝壑，將令鮮克有終之嘆。（註三）

文中寫其降志辱身，迍邅流頓，苦悶搖落之感，時而實寫，時而虛擬，記事與抒情交織，鋪陳渲染而又不失分寸，無所矯飾，辭意眞摯，益覺其情之可悲。

第二，對百姓疾苦表現極大關切。劉師培晚期雖然生活飄蓬蹭蹬，心情窒悶難當，卻仍憫時憂世，希冀主政者能施仁於民。如〈與四川都督尹昌衡論川邊書〉說：

> 今也與百倍之役，發不訾之費，縣糧千里，以廣封疆，雖有尅獲，曾弗補害，卒有不虞，當更徵發。……士卒疲勞，轉相洿染，疾疫夭命，物故大半，上逆時氣，下傷農業，人用弗康，何以示遠？況今荒秏，杼柚將空，人飢流冗，寇攘浸横，彌亘山澤，充斥滋甚。如復擾動，虛內給外，使患役之民，相聚爲非，黨輩連結，必更生患。夫危眾舉事，仁者弗爲，違義要功，智者所恥。近思征伐，前後之計，宜有罷兵。安人之道，誠能權輕重之數，存萬安之福

，忍赫斯之怒，抑賁育之勇，收疲民之倦，以恤久役之士。……（註四）

論敘事理，闡微稽深，愜人心意。篇中歷舉史實，隨即束以論斷，以精審整齊之句，概括豐富之理，揣情度勢，切理當心，尤其篇末連下「權」、「存」、「忍」、「抑」、「收」、「恤」六個動詞，句法矯健，筆鋒恣肆，全文酣暢峻急。他那種剛正難奪的凜然正氣，讀來令人回腸蕩氣，掩卷之餘，令人不得不佩服他那種勇於奮舌說利害，以救民膏肓的氣魄。

又如〈與四川都督胡景尹書〉則是勸其愼刑薄罰，文云：

蓋聞五教在寬，著於帝典，與其失善，寧失不經，故以唐虞之明，猶愼四凶之獄，欽哉刑謐，愼之至也。竊見江安朱昌時，……乃有司卒然見構，用墜禍辟……卒迫吏議，齎恨幽冥，上令國家獲殺士之名，下令學者喪師資之益，恐臨河之嘆，復章於世。師培弗敏，慮國失賢，雖無祁老知人之哲，竊慕范宣聽言之美，豈敢避咎，不盡悽悽，願垂明恕，廣量山藪，俾從三宥之科，以示無諱之美。（註五）

儘管時事嚴酷磨損他的鋒芒，但他仍能保持一貫憂患悲憫，矜恤民瘼的初衷，且公然傾吐，行文造語猶不失豪邁英爽之氣，實是難能可貴。

第三，與學者往復論學，重視闡揚歷史國故。劉師培畢生以治經考據爲主要事業，自然重視學養根柢，以爲在道微文弊，世變日亟之際，更應以振起國學，發揚國光爲務。如〈答賀伯中書〉云：

接來教，承示武昌師範學校，將設國學專科，幸甚幸甚。國丁多故，經籍道息，流訓上庠，遺宗易簡，亦惟甄業許書，課型蕭選，就勵受繩，俾有正論，庶離詞殊號，通其指歸，沈思翰藻，得其楷則。……執事漸漬德淵，研幾道藝，宣流休風，軌訓囂俗，抗先民之皇烈，反斯文於遙日，使江漢文德，無爽昔談，荆衡杞梓，允彰茂實。……（註六）

又〈答康寶恕書〉也說：

接來教，知有雅言雜誌之刊，甚休甚休。往丁喪亂，絕蔑微學，常恐南金已盡，此道遂絕。……（註七）

學術文化是立國之本，禮俗教化之基，所以他對修述故業，發揚國學者，都給予熱烈頌揚。此外，像〈答江炎書〉與友人論小學；〈與廖平論天人書〉論哲理；〈與人論文書〉、〈駢文讀本序〉論文學等，凡此均是與友人商量舊學，闡揚幽光之作。

《文心雕龍・情采篇》云：「情者，文之經；辭者，理之緯。經正而後緯成，理定而後辭暢，此立文之本源也。」（註八）觀劉師培駢文，不論表哀、議政、論學等，皆爲情眞意摯之作。他歷經坎坷遭際，沉疴煎熬，羈旅篇牘，暢敘胸懷，即使是論學述志之作，寫來亦搖筆波濤，生氣遠出，不失爲優秀的駢文範例。

第二節　藝術特色

文章之美，姿態萬千，誠如《文賦》所謂「紛紜揮霍，形難爲狀」。因此對於劉師培駢文藝術特色，基本上可從字句、用典、偶句、聲律來探究。

一、字句

「駢」爲並列之意，駢文最基本特點是句式勻整並列。劉師培駢文句式，有以四言句爲主者，如〈與廖平書〉，多爲四言，其文云：

> ……文王既歿，剛柔始交。山梁之秋，仲尼所愼。玄業未遠，宜有斐然。七十從心，庶豐此慶。某不敏，進思黃髮之詢，而退懷索居之恥。常恐隕歿，犬馬齒窮，既竭吾才，仰鑽官禮，深惟大義，欲罷不能。每用悼心，坐以待旦。興言攻錯，思我九臯，輒誦鶴鳴。……（註九）

語句簡短，達意精練，其間雜以三、六言句型，使得長短參差，故文章雖辭句勻整，卻氣勢疏暢，而不呆板。

又如〈吟蕙堂詩集序〉一文：

> 吟蕙堂詩集二卷，金壇李君哲甫作也。惟君神姿高徹，標寄清遠。風流推其高致，成德目其開美。穆如之譽，嘖甚家邦。……至若游心內運，導達元微，事出神思，獨秀眾品。濠梁濮水之間，魏闕江湖之表，玄關咫尺，時有會心。……（註一〇）

除前二句爲散行單句提領外，其他全以四言爲主，但文中亦雜有六言，間以虛詞提振，使文氣靈活而不板滯，文理精確，讀來更覺勁健。

除四言句外，他的駢文句式多以四六句爲常，如〈致吳伯揭書〉之三：

半生四序，非我秋風，華落是用，悲心方將。儔田仲子於陵，從梁生於海曲。望前軌而致策，抱磏仁以歿世。若夫典掌舊文，沙汰眾學，紬芳絢於金匱，綜逸緒於石室。塵露之微，靡裨山海；提衡一隅，允資鄉耋。執事洞精墳籍，剖判藝文，軼湛思於子雲，識絕言於翁孺。雖復耽景巖壑，慕情玄渚，然動寂同遣，事等神鈎，語默不殊，理歸元感。尚祈稅轍廣都，祐術爨序，煦陽韶於伶管，運神鋒於郢斤。庶幾七經播業，同風齊魯，奕世載英，炳靈江漢。（註一一）

如將其中「若夫」、「執事」、「然」、「尙祈」、「庶幾」等虛詞或附加語剔去，可看到只有四六兩種句式交互變化使用，形成錯綜之美，由於句法的轉變，也使文氣隨長短急徐而具跌宕之姿。其他像〈答賀伯中書〉以四六句爲主，其間雜以五言八言句，可知，他的駢文四言句多予人古樸之感，而於四六定型之駢文，行文亦富於變化，生動有致，搖曳多姿。

劉師培之駢文，人多評之爲「蒼邁古拙」（註一二），這種婉約雅飭，超逸流俗的特色，實是基於選字造句所致。曾國藩於《家訓》上曾說：「雄奇以行氣爲上，造句次之，選字又次之，然未有字不古雅而句能古雅，句不古雅而氣能古雅者。亦未有字不雄奇而句能雄奇，句不雄奇而氣能雄奇者，是文章之雄奇，其精處在行氣，其麤處全在造句選字也。」可知字句之選用，實爲一篇之關鍵。劉師培駢文字句，略可得而言者有二端：

首先，其造句多取用經籍、諸子、史傳之文。如〈與某君書〉：

自嬰迍僿，久寡歡笑。顧茲玄髮之謝，知近西山之薄，彼茹朮延年，揀蘭續魄，直虛冀耳。所幸莊生齊物，均彭殤於一致；賈生賦鵩，識遲數之有命。委心以俟，境亦滋適。（註一三）

又〈書曝書亭集後〉：

文避北山之移，經誇終南之捷，甚至軺車秉節，朵殿承恩，仕莽子雲，豈甘寂寞，陷周庾信，聊賦悲哀。（註一四）

文中所涉及古籍有《詩經》、《爾雅》、《莊子》、《楚辭》、《漢書》、《後漢書》、《十洲記》、《梁書》、《北齊書》等，文字皆有來歷，令人不得不佩服其博聞强記之能力。

其次，其文多化用古籍詞語，讀之往往可見其推陳出新之工。有或襲其文意而稍更其辭者如：〈與四川都督胡景尹荐陳度書〉中有「三臺學生陳度，早有濬齊之譽」句，則用《史記．五帝本紀》：「黃帝生而神靈，弱而能言，幼而濬齊，長而敦敏，成而聰明」之語，以「濬齊之譽」形容陳度其人才智周偏而辨給。「雖無東里潤飾之美，庶幾裨諶草創之計」（註一五），則用《論語．憲問篇》：「裨諶草創之……東里子產潤色之」之文，而略易其辭。而〈與謝旡量書〉二首之一：「抒揚清穆，吉甫作頌」句，則易《詩經．大雅．烝民》：「吉甫作頌，穆如清風」之語序而成。

或摘用其辭，而稍變其意者，如〈與朱雲石箋〉中有「天眷邦人，南風其競」（註一六）句，「

南風其競」用《左傳》襄公十八年：「南風不競，多死聲，楚必無功」，本意喻戰爭失利。此處反用其意，指戰事獲勝。又如〈答諸貞壯書〉中有「木門之託，有愧於子鮮，西河之歌，靡聞於卜夏」（註一七），亦反用《左傳》、《史記．仲尼弟子列傳》之意。

孫德謙於《六朝麗指》中曾說：「六朝文士，引前人成語，必易一、二字，不欲有同抄襲……蓋引成語而加以翦裁，以見文之不苟作，斯亦六朝所長耳。」何止六朝文士，劉師培也是改易古籍的能手，以示文不苟作，也因此形成他爾雅可鑒的駢文特色。

二、用典

所謂隸事運典，無非借用古人、古事、古語，敘述或議論今人今事。此即《文心雕龍．事類篇》所說：「事類者，蓋文章之外，據事以類義，援古以證今者也」之意。以典實或古語以申說心意，表達事理，能收到婉曲蘊藉之效。然用之太過，和語太浮華，則易流於複沓晦澀或穿鑿附會之病。劉師培駢文於隸事運典時，含而不露，頗耐尋味，其特色如下：

首先，運用典故，曲傳志意，點到即止，含義深長。劉師培晚期羈留異地，局促難堪，如〈答諸貞壯書〉有云：

執別淞濱，用增勞軫。……向因履涉，牽役太原。亟徙炎涼，遂奪星歲。植橘於冥朔，策玄黃於榛險。木門之託，有愧於子鮮；西河之歌，靡聞於卜夏。青春駘蕩，弁土苦寒。結軫坰郊，策杖廣澤。平蕪帶天，非陸迴薄。胡馬警節，候雁代飛。亭皋搖落，怳睹秋容。覽遲暮於歲時，感悲忻於臯壤。東南天塹，逝水如斯。西北浮雲，長安不見。是知劉琨積慘，弗假聞笳。趙孟偈陰，非關視日。

身居如此逼仄之境，隨之而來的是「加膺疾疢，力不從心」，以及「自乖譚宴，亟徙炎涼」，羈旅冷遇，在忍辱吞聲之餘，不禁發出淒涼感嘆。

事實上，這段話還有更深刻之意，文中以橘柚的移植，玄馬的病革事例用以自況，寄託自己即使遭遇挫折仍心向鄉土的情感。同時，並以「橘柚」暗寓內在品德，「玄黃」寓其外形憔悴，正將其在困厄後之心情，似說而不說，不說而說。此不便顯言而隱言，底蘊豐富，半吞半吐，欲說還休，妙在婉曲喻之，語近情遙。

在這裏，他又以「木門之託，有愧於子鮮；西河之歌，靡聞於卜夏」，喻指其雖託身於山西，但魂魄仍時時向南飛回，以見其報國之志，然而心中最爲悵然的是，拘留不遣之際，卻未能倡揚國學。他用的古代人事所包含的事理非常豐富，但卻與原典意旨有所不同，亦是一種靈活表現。

其次，直用其事對照現實，表明事理。如〈與四川都督胡景伊書〉，文中論證訟獄決疑時，應該以《尚書・堯典》：「五教在寬」、「惟刑之恤」爲準。並以《尚書》中之事例爲喻，說明朱昌時如此一位「少懷邁世之略，逴爾清厲，有高世君子之度，立言振辯」，尚且「未蒙臯陶惟允之察，橫被共工滔天之惡，卒迫吏議，齎恨幽冥」。把勢位相逼，直道孤立，而產生的危機意識，闡發得極爲透徹。後面再以明朝不殺方孝孺，孔子臨河之嘆事，加以反證，讀來至易明白。由於用典得當，增加了文章的論據和說服力。

第三，通過用典，啓發同類聯想。如〈書曝書亭集後〉，文中寫朱彝尊「甲申以還，蟄居雒誦，高栗里之節，卜梅市之居」，而其後卻「獻賦承明」，甚至「軺車秉節，朵殿承恩。仕莽子雲，豈甘寂寞；陷周庾信，聊賦悲哀」，意謂朱彝尊雖有陶淵明的高節與梅福棄家遁隱之志，但其後仍不免於棄隱出仕，如楊雄雖曾投閣卻仕莽，庾信雖哀江南仍仕周，其事正相類似，事如直接說出來，反費許多語言，而子雲、庾信之事，記在史冊，人所共知，只此兩個典故，便使人聯想到往古人事，並進一層感慨其「先後異軌，出處殊途」之難堪況味。這樣可收調動記憶，觸發聯想，事半功倍之效。

三、偶句

偶句，爲駢文特徵之一，所謂「神理爲用，事不孤立」。劉師培撰文自不能免，他的駢文偶句，有單句對和複句對兩類，茲各舉一例以明之。

單句對的類型有：

四言對句，這一類最爲普遍，如：「甄業許書，課型蕭選」〈答賀伯中書〉

五言對句，如：「哲人之驪淵，嘉論之林藪」〈答賀伯中書〉

六言對句，如：「恥元亮之飢驅，甘子雲之寂寞」〈書汪小穀先生遺書後〉

七言對句，如：「孟生進喻於鎡錤，蘇子興言於牛後」〈與朱雲石箋〉
八言對句，如：「未蒙皋陶惟允之察，橫被共工滔天之惡」〈與四川都督胡景伊書〉

複句對的類型有：

上四下四，如：「峻城三仞，樓季莫踰；泰岱凌遲，跛羊可牧」〈與朱雲石箋〉
上六下六，如：「慕蜚遯之休貞，笠明夷之勿用；樂十畝於桑閑，休役車於歲暮」〈答羅芸裳書〉
上四下六，如：「叔子好鶴，慚不舞之貽譏；盈川喻麟，恥無文之見誚」〈書汪小穀先生遺書後〉
上六下四，如：「聲子班荊之雅，寫以丹青；季鷹思土之情，託之索素」〈孫犢山春湖餞別圖序〉
上四下五，如：「春山之輝，匪徑寸之珠；藍田之寶，非盈尺之璧」〈答賀伯中書〉
三三七七，如：「涉洛伊，越河洓；登軒轅候氏之道，訪洛陽汴京之墟」〈孫犢山春湖餞別圖序〉
四四六六，如：「典掌舊文，沙汰眾學；紬芳絢於金匱，綜逸緒於石室」〈致吳伯揭書〉
六六四四，如：「雖悟四衢之幻，鮮開三達之朗；六滯未祛，五情終旭」〈致圓承法師書〉
可見劉師培之駢文，單偶參用，枝對葉比，行文回環往復，感情婉曲動人。文句之精麗，讀來眞覺錦綉珠璣，熠熠生輝。

特別值得一提的是，劉師培往往借助形象的描繪溶入駢文偶句，吟謳出一種深沉的情韻，如：

冷落青門，憶否故侯之宅；蕭條白髮，難沽處士之稱。（註一八）

又如：

風飄合殿，青鎖門空，露冷園林，黃山宮遠。梧桐夜雨，孤燈話南院之秋；蒲柳春煙，舊殿弔曲江之跡。（註一九）

凡此等等，不必深究其中典故，也能感受其中的形象，從這些優美的文字，可以看到劉師培在駢文上的造詣，和清新透逸的風貌。

同時，他于駢偶句中又善於運用想像，營造蘊藏深厚的意境。像以景物敘別情，如：

依依柳態，縈別緒於清風；汎汎蘋波，鑒流光於逝水。（註二〇）

情味至爲雋永。描繪圖景，如：

林木依然，如親濠濮；江山遼落，居然萬里。春朝秋夕，展卷欣然，蕭瑟泓澄，並饒佳致。此時魚鳥，頓覺親人，不假撫弦，便臻衆響。（註二一）

他以精潔之筆，給人展現出一片優美光景，山水狀貌，四時朝夕，聲色音容，盈溢乎讀者的耳目。

四、聲律

意義相對，平仄和諧，讀來琅琅上口的駢文，是中國語文所獨具的，此即是劉師培所說：

儷文律詩，爲諸夏所獨有，今與外域文學競長，惟資斯體。（註二二）

而其駢文聲律特色，可自平仄、音節得之。

在平仄上，駢文要求語言平行，平仄諧和，讀來琅琅上口，以展現此體固有之典雅。他的駢文不乏平仄相諧的好例子，如：

甄業許書，

課型蕭選。〈答賀伯中〉

選歆向之才，

就老彭之業。〈請立京師圖書館呈〉

徒增采葛之慨，

無復浮瓜之宴。〈與謝无量書〉

甘棠之聲所由衰，

子衿之刺所由作。〈蜀學祀文翁議〉

良玉輝山，潤及草木。

明珠在淵，崖岸不枯。〈答羅芸裳書〉

察天心之觀復，憲風教之臧否。
鼓芳風而扇物，設神理而景俗。〈容拙齋文鈔序〉

叔子好鶴，慚不舞之貽譏。
盈川喻麟，恥無文之見誚。〈書汪小穀先生遺書後〉

聲子班荊之雅，寫以丹青，
季鷹思土之情，託之索素。〈孫犢山春湖餞別圖序〉

由以上諸例，可見劉師培駢文注重聲調之安排，對立循環，以求輕重分明，聲調和諧，但有些平仄安排寬鬆，並未拘守平仄格律之式，使其駢文具有多重變化。

至於在節奏上，駢文與詩詞一樣講究節奏，以與平仄配合，舒短疾徐，抑揚頓挫，以利吟誦出其韻味。

四言句節奏通常是二二型，如：「良玉—輝山，潤及—草木；明珠—在淵，崖岸—不枯」（〈答羅芸裳書〉）

五句節奏有一四型，如：「高—栗里之節，卜—梅市之居」（〈書曝書亭集後〉）或為二三型，如：「羽翮—之妙用，群士—之楷式」（〈與四川都督胡景伊書〉）

六言句節奏有三三型，如：「哀明妃─於青塚，弔李陵─於虜臺」（〈書曝書亭集後〉）也有二四型，如：「軍有─連征之費，民有─彫殘之損」（〈與四川民政長張修爵論川邊書〉）

七言句節奏有二五型，如：「墨子─興喻於素絲，呂氏─裁篇於當染」（〈答羅芸裳書〉）

這些文辭，句法節奏低昂交錯，抑揚往復，與整齊的句式及平仄相配合，構成整練而和諧的韻律，富有音樂的美感，讀來情韻抑揚，體現了駢文藝術美的特點。

在中國駢文學史上，劉師培是一位不容忽視的重要作家。他的駢文不論體物寫志，抒發性情，都具有豐富的內容，在形式上，丰美工整，句法駢整，典故繁富，平仄相間，聲律和諧，都極具情文並茂的特色，這些都恰當說明劉師培在駢文史上的重要地位。

【附註】：

註一　〈左盦外集〉卷十六，《遺書》第三冊，頁一九八三。

註二　〈左盦外集〉卷十六，《遺書》第三冊，頁一九八七。

註三　〈左盦外集〉卷十六，《遺書》第三冊，頁一九九〇。

註四　〈左盦外集〉卷十六，《遺書》第三冊，頁一九八五。

註五　〈左盦外集〉卷十六，《遺書》第三冊，頁一九八六。

註六　〈左盦外集〉卷十六，《遺書》第三冊，頁一九八九。

註　七　〈左盦外集〉卷十六，《遺書》第三冊，頁一九九一。

註　八　見《文心雕龍讀本》，下篇，頁七八。

註　九　〈左盦外集〉卷十六，《遺書》第三冊，頁一九七七。

註一〇　〈左盦外集〉卷十七，《遺書》第三冊，頁二〇三二。

註一一　〈左盦外集〉卷十六，《遺書》第三冊，頁一九八三——一九八四。

註一二　見《近代二十家評傳》，頁二九五。

註一三　〈左盦外集〉卷十六，《遺書》第三冊，頁一九八四。

註一四　〈左盦外集〉卷十七，《遺書》第三冊，頁二〇二六。

註一五　〈左盦外集〉卷十六，《遺書》第三冊，頁一九八六。

註一七　〈左盦外集〉卷十六，《遺書》第三冊，頁一九九〇。

註一八　同註一四。

註一九　〈天寶宮詞序〉，《遺書・左盦外集》卷十七，第三冊，頁二〇三〇。

註二〇　〈孫犢山春湖餞別圖序〉，《遺書・左盦外集》卷十七，第三冊，頁二〇三四。

註二一　〈呂玄屏江左臥游圖序〉，《遺書・左盦外集》卷十七，第三冊，頁二〇三四。

註二二　《中古文學史》概論，頁一。

第十一章　劉師培的白話作品

世人但知劉師培於學無所不窺，而不知他曾撰寫許多白話文作品，這許多白話文，在《遺書》中全不收錄，僅在〈國文雜記〉和《辛亥革命前十年時間時論選集》中收有少數的作品。

大致說來，劉師培作的白話文多集中發表於《中國白話報》，鈎稽整理，共得作品四十五篇，就質量而言，堪為白話文學中的先導，值得重視。以下首先說明其體類與取材，其次對其作品中心思想進行分析，再次探究其作品寫作特色，最後進行評議。

第一節　白話文的體類

文章各有其體，欲學為文，不能不講文體，文體是文章的法式，所以「文章必先體裁而後可論工拙」。然而隨著社會人生、思想潮流與文學發展，文體也受到感應而及時變化。白話文即是在晚清政治與文學革命運動驅策下解放出來，別創新體，與當時矜鍊拘謹的桐城古文、八股文、駢體文等截然不同，呈現出前所未有的開廓橫放之姿。劉師培白話文的體類，大致可分爲傳記、論說、敘述、遊記四類，茲分述如下。

1.傳記體白話文

指記載人物主要生平事跡的作品。在近代文學中占有相當的比重，其中道理，正如阿英所云：「在辛亥革命的文藝鬥爭中，還非常突出的運用了『人物傳記』的表現形式，通過人物的介紹與論評，獲得了很大的宣傳效果。我們不能忽視當時文史工作者在這一方面投入的巨大勞動。用歷史教育了人民，宣傳了革命。……當時的作家們，在各種白話報上，編寫的白話傳記有：〈黃帝傳〉、〈孔子傳〉、〈中國革命家陳涉傳〉、〈中國排外大英雄鄭成功傳〉等……都是宣傳民族革命、愛國主義和武裝起義的。」(註一)其中〈孔子傳〉、〈中國革命家陳涉傳〉、〈中國排外大英雄鄭成功傳〉即出自劉師培手筆，他這類作品在《中國白話報》上尚有〈攘夷實行家曾襄閔公傳〉(註二)一篇。

四篇傳記全都根據歷史上眞實人物爲描寫對象，其內容卻並非止限於以人物爲中心來反映歷史，而是抱著「居今之世，志古之道，所以自鏡」的態度。他介紹陳涉時說：

> 我說這話的意思，是教現在想革命的人，把陳涉的好處，用做自己法子，把陳涉的壞處，當做自己的儆戒，這革命就自然成功了。(註三)

即是立足現實，面向未來，具有勸戒與經世致用的深意。這種說理氣息濃厚的表達方式，在作品中經常出現。例如：

中國排外大英雄，多得了不得……但他們只能夠盡節，不能立功，這還不算做排外，所以中國眞排外的大英雄，也只有鄭成功一個。（註四）

再如：

漢魏以前，沒有一個提孔教兩字的，隨後因爲有道教佛教，這班讀書人，也要說孔子是儒教，到了現在，又把孔教共耶教並言，眞眞是愈出愈奇了。（註五）

從隨處說理述志的內容來看，可以感受到他希望喚醒大眾，有所導正勸說，因此，有意識地運用傳記體的形式，寓寄自己的思想，反映出傳人與說理並進的特點。

他所寫的傳記都是根據史書改寫，如〈中國革命家陳涉傳〉、〈孔子傳〉據《史記》改寫；〈中國排外大英雄鄭成功傳〉，根據《從征實錄》《南明史》改寫；〈攘夷實行家曾襄閔公傳〉則又改自《南明史》。但與一般翻譯不同，對於那些艱深複雜又不易明白的戰事、學說、思想等，他都費心整理、分析、歸納，呈現出文字淺顯，內涵精要，一目了然的風貌。除了寫陳涉起義的戰爭事蹟外，對中國最尊崇的孔學，寫來也是簡明精闢，例如他寫孔子的學術說：

拈一箇仁字出來，說各種倫理，都是從仁字生出來，又提一箇禮字出來，說各種倫理，都要用禮字聯絡。但由我看起來，孔子的宗旨，還是著重私德，不是著重公德，他說的話，大約都是個人對個人的倫理，所以他對齊景公說道：「君君臣臣父父子子」，可見孔子的意思，不過想人人完全個人的私德，就可以叫做好人了。但私德裏面，又把孝字看得頂重，所以孝經裏面，全是講孝字一箇字，就是論語禮記幾部書裏面，很有孝順父母，叫人把公眾大事，都一點兒不做的，這就是沿用中國祖先教的思想了，所以家族倫理一樁是孔子講得最完全的。（註六）

劉師培所要教育的對象主要是普通民眾，他卻能在通俗的白話文中，融合了「通識」與「精湛」，把客觀而具代表性的事實，精簡地連貫排列，使大眾對原本陌生的問題能夠迅速清楚的有個輪廓，足以達到「一索引千鈞」的效果。

他雖然繼承了前人優良傳記的創作經驗和創作題材，不過，他並沒有「記事多相襲」（註七）的轉述，而是自覺地以時代精神去詮釋歷史人物，以見其與國家、群體的關聯，對後人所產生的示範作用，作了新穎的探討，創新的闡釋，如他分析孔學獨尊的道理：

> 孔子的話共他們所行的專制政體很有相近的地方，又有各分尊卑的話頭狠可以壓制百姓，所以把孔教尊的了不得。讀書的人迎合這政府的意思，也狠來崇拜孔子。……就是夷狄入主中國，也要用孔子學術來愚弄中國人民，所以孔子的學術就一天一天大起來。（註八）

可謂深中肯綮。

劉師培傳記體作品有其明顯用意，始終回旋著反封建，求獨立的主題，通過他的創作，傳記體散文成爲一種獨具風格、文史結合的文章體裁。此外，這四篇傳記打破了史書傳記體的形式，採用章節敘述的方法，對人物一生的各個方面和整個過程盡可能敘述完整詳盡。劉師培以他包舉中外的博學爲基礎，輔以融會貫通的長才，總結已往，開創未來。其中有些遠見卓識，經得歷史驗證，至今仍為人稱道。

2. 論說體白話文

指以論說為主要方式，以明辨是非為目的的作品。這類作品在散文中占有很重要的地位，在劉師培的白話文中份量也最重，且多偏於政論，這是因為政治與社會生活關係密切，文章反映客觀現實，實不能不涉及政治。其作品以「論」命題的有八篇，以「說」命題的有三篇，以「講」命題的有三篇，以下分項說明。

(1) 論

指對問題作整體的、正面的、全面的論證（或論述），各部分間邏輯嚴密。這類文體又可分為論證和論述兩類。論證類是在證明什麼，必須提出一個觀點，通過論證證明，以說服人接受。如〈論激烈的好處〉提的論點是：救國須用激烈的手段，世界上許多國家的革命自强都是以激烈手段取得的。為證明這一論點，他從正反兩面論證，先反面論證「平和」的弊端，駁流俗鄙見，翻歷史舊案，再正面論證激烈的好處，筆勢雄峻夭矯，筆底時露感情。論述類是在說明什麼，提出一個論題，通過闡述使人明白這一論題，如〈論列强在中國的勢力〉、〈論中國沿海形勢〉、〈論亞洲北幹山脈〉等便是。如〈論列强在中國的勢力〉通過闡述列强在中國的舉動，具體說明俄日戰爭前後列强勢力的明顯改變事實，使大眾認識列强瓜分的嚴重情況，明白「中國眞是要亡國了」，而心生警惕。

(2)說(講)

說是從古代策士游說之辭發展而來，要求能打動人，說服人。在劉師培白話文中有〈說君禍〉、〈說立志〉、〈說法律〉等均是。有時文題改「說」爲「講」，如〈講民族〉、〈講普及教育的法子〉、〈講教授國文的法子〉，從行文寫法來看和「論」「說」(講)並沒有區別。如〈說君禍〉首先評論維新派與守舊派對中國政體認識都不夠深刻，以致不能具體引導全民革命，其次歷述各代學者說君禍的言論，以見中國通人也富進化思想，進一步得出結論：

革命兩個字，也是中國的通人很贊成的。就是顛覆政府的事情，也就可以有人做了。

援古證今，洞幽析微，深具可讀性。

3. **敍述體白話文**

指記述歷史文獻、典章制度、人物思想學說，以開人智識，導人爲善的作品。劉師培這類文體除轉述成說外，並自立新意，如〈教育〉、〈學術〉、〈刑法〉、〈兵制〉、〈宗教〉、〈中國歷史大略〉、〈上古期〉、〈黃黎洲先生的學說〉、〈中國理學大家顏習齋的學說〉、〈泰州學派開創家王心齋先生學術〉、〈劉練江先生的學術〉等均是。文章多以記述爲線索，間有評論，或者評論夾在記述中，或者評論就體現在歸類縷述中。記述的線索，有以時間遞進，或思想遞進等。〈學術〉屬時間遞進關係，歷述中國學術發展，分神學、官學、諸子競爭、儒學專制、老釋雜興、理學興盛、考證學大興、西學輸入等八個時期，以見中國歷代學術的大略，各時期依內容特色不同劃分，並加以評論。

〈中國理學大家顏習齋先生的學說〉則屬思想遞進關係，以七點分述顏習齋學問的精華。另外有一點需要注意，他在這類敘述體文章中，雖然客觀地條分縷述，但並不是「述而不作」，其中都貫穿著他自己的觀點，這也是文章的靈魂。

4. 遊記體白話文

指以記述遊覽經歷和見聞爲主的作品。這類文章僅有兩篇，即〈長江遊〉、〈西江遊〉，寫作目的在使國民認識神州大地，山川壯麗，物產富饒，激勵熾熱的愛國感情，並增進歷史、地理學知識，給人有益的啓迪。

兩篇遊記都是按時間先後，空間轉換爲線索，記敘所見、所聞、所感，隨著遊蹤用移步換形的方法，一一寫來，條理昭暢，如〈長江遊〉依遊歷順序，先寫長江源頭、方位，再寫沿途海岸、地形、河流、礦藏、風土人情，他說：

> 這布壘楚河，從西藏的東南，流入雲南省境，過了麗江府，河身就漸漸的寬起來了。人家又稱他做金沙江，因爲這條江所過的地方，都是中國出產黃金的礦地。

〈西江遊〉則介紹西江流經貴州、雲南、廣西、廣東等地。他說：

> 西洋江到了這地（按：廣西），就改名叫做鬱江，一直向東南流，北岸受了泗河的水，南岸受了泓滄江的水，這兩岸的地方，現在有會黨盤踞，都是想傾覆滿洲政府的，去年王之春做廣西的巡撫，怕會黨的了不得，想共法國借兵去平他，幸而留學生力爭，王之春削職，這法兵

才不到廣西來，但現在鬱江兩岸，會黨還是很多的。

往往於字裏行間裏，穿插歷史的考據，記敘地理沿革，古跡由來，記載精詳，鑿鑿可稽，質實詳密。文字清新淺白而略見厚重，摹狀景物，也寫來樸質清鮮，頗為動人。他又於山川形勝的自然美中寄託國家處境，人民生活及列強割據，蘊藉深刻，啓人反思。他深盼在遊記中，介紹地理知識，激發愛鄉愛國之情。

第二節　白話文的取材

題材多半來自作者耳之所聞，目之所見，身之所歷，再經其芟除枝葉，截取主幹，以表達思想感情和時代精神。中國波譎雲詭的近代，在政治、思想、文化領域中的急劇變化，也推動了文學進一步發展，從封建束縛中解放出來，使得文學題材比以前廣闊。劉師培的白話文題材有社會性、歷史性、地理性、學術性等，茲分述如下。

1. 社會性題材

劉師培的白話文，以社會改革和教育國民為當務之急。他一反傳統文人代聖賢立言的心態，更摒棄專事抒發閑情逸致的習氣，而注意反映他所處的社會現實，抓住民眾切身問題，撰寫文章，發表議論。如〈說君禍〉公開舉起反封建旗幟，寫專制政體的不合理，促使國人對政治的覺醒。〈說法律〉

提出建立共和國的方案，為民主政體立下基石。〈說立志〉以國民奴隸性為題材，對民眾自發性作深入探討。此外，〈論中國沿海的形勢〉寫帝國列强侵略事實，清廷畏敵如虎，一味犧牲國家利益和尊嚴，暫時滿足侵略者的慾望以求苟安，由於這種畏事息事的心態，結果反付出更多更大的喪師失地賠款等事。他選擇題材多與現實生活有關，表現了社會化傾向，具有鮮明時代特色。這些嶄新的題材，或伸張民權、或反對專制、或指斥奴性等等，所佔比例甚大，顯示出與陳腔濫調的傳統題材迥然不同的風貌，閃爍著愛國與民主的精神。

2.**歷史性題材**

在晚清反帝救亡，爭取民族獨立，維護國家歷史文化上，許多人士十分注重史學對社會所產生的功用，都有意識的運用歷史來宣傳愛國教育，把自身的愛國心和歷史上救國救民的人物結合，給民眾深刻感染力，以激發强烈愛國熱忱，並從中吸取教訓，劉師培的白話文就充分體現出這種特色。在這許多古人古事的歷史性題材中，歸納他的創作意圖有二：一方面是古德幽光不容沉晦，應該廣泛地宣傳他們言行事跡，以見志士們的本心。一方面是系統介紹古代典章制度，議古論今，託喻己意，使今人受到陶染，激勵民心士氣，促進排滿抗敵的鬥志，雖是歷史性題材，卻具有通權達變的內容。他贊頌鄭成功、曾襄閔公、劉練江、黃黎洲、顏習齋、王船山等人，借明末種族抗爭的歷史事跡，進行排滿宣傳，他們所作所為共同特徵是有崇高的民族氣節，堅忍為國，勇負重任，敘述他們頑强的抗爭和犧牲個人成全民族的光輝事跡外，更引導人們向他們學習，在大敵當前，能義無反顧地去反抗。作品中充滿種族革命思想，所以他十分不滿那些偷生的軟骨頭，他說：

由我看起來，這種沒有知識的人，叫做下等動物；這種沒有熱心的人，叫做涼血動物；這種沒有風骨的人，叫做無脊骨動物。現在的中國，都不外這三種的人，那裡能夠獨立呢？（註九）

他認爲「國事爲重，家事爲輕」，因此推崇鄭成功，並指出：

成功的起兵，看一家的事情，是箇很輕不過的，既然要爲民族盡力，這等區區的家族，那裡能彀顧情呢？又那裏能彀不破壞呢？（註一〇）

鄭成功置民族大義於親人私情之上，在受壓迫的情況下，爲保衛民族故土而死戰，他雖犧牲了，但是那威武不屈的人格與才幹卻給後人以鼓舞和激勵。其他如〈中國革命家陳涉傳〉歌頌陳涉把矛頭指向封建君主，藉以抨擊統治者爭奪天下時，對人民生命財產的血腥破壞，和取得天下爲滿足其獸慾而對人民殘酷壓迫剝削，表現了他對被殘害被奴役的人民的深刻同情，至於像〈板蕩集〉、〈板蕩集詩餘〉等則是藉古代詩詞宣揚「攘夷的思想」（註一一），〈民勞集〉藉演述古詩鼓勵百姓擺脫專制政體。

在典章制度方面，他著重揭示傳統史家很少涉及的：

歷代政體之異同，種族分合之始末，制度改革之大綱，社會進化之階級，學術進退之大勢。（註一二）

他打破偏重政治的傳統，比較注意社會生活各個方面進化發展的情況，像〈教育〉一文說：

我看外國的史書，除得政治史而外，就是教育史作重。我們中國的史書，雖有道學儒林傳，但所記的話，都是箇人的教育，不是國民的教育，所以共教育史不同，但現在的中國人既曉得教育作重，從前的教育，也是不能不研究的，我深望列位曉得教育，所以把中國歷代的教育演出來，給你們列位看看。

其他如兵制、學術、刑法、宗教、中國歷史大略、上古期等，以白話文體來寫中國歷史，是極富意義的嘗試。

3. **地理性題材**

中國自古以來認爲是居世界中央的唯一大國，造成獨我獨尊與鄙視四夷的虛驕心理。不過，西方列强以雷霆萬鈞之勢，使得清廷喪權辱國，從此打開門戶，中國面臨一個全新的國際形勢。開明知識分子睜開眼觀察這經緯萬端的世界，重新認識世界，重新估價中國在世界中的地位。不過，劉師培卻覺得：

> 近世巨儒，精研地學，詳於考古，略於知今，以考證標其幟，一城一邑，辯及千言，故地理之書日增，而地理之學日晦。（註一三）

所以他在《中國白話報》上，有系統的介紹我國疆域版圖、地理山川、風土人情。例如：

> 中國北邊的地方，是處處共俄國相連的，所以俄國時時共中國有許多轇轕，我們要曉得俄國爲患的緣故，必要先把中俄交界地方分得清楚。但中俄交界的地方，很難查得明白，惟獨亞洲

北幹山脈，是箇中俄交涉的大綱。

再如：

這滇池北邊，就是雲南的省城，從前叫做滇國。明末的時候，吳三桂共韃子到雲南，就在這地方建王府，厥後他又共滿洲爲難，就被滿洲打破了，這漢人遭滿洲殺擄的，共總卻有幾百萬，這也是南盤江旁的紀念了。……這雲南省的南境，東邊叫做安南，是法國的屬地；西邊叫做緬甸，是英國屬地。現在英法兩國，個個想取雲南的地方，所以法國的鐵路線想由海防河內到雲南府，又由雲南府到四川敘州；英國的鐵路線想由緬甸到大理，又由大理通四川，由這樣看起來，南盤江兩岸的地方，可不是早歸外國人麼？（註一五）

文章或由地理普及人文歷史，或由政情風俗涉及地理形勢，無不反映出他迫切企盼民眾「均從事根柢之學，以激發愛土之心」（註一六）認識列強的侵略性，提高愛國意識，爭取國家主權，乃至樹立新的世界概念。

4. **學術性題材**

劉師培國學根柢極深，因此作品中學術題材特別多，藉以「反省自身本有的文化價值」（註一七），挖掘其中能適應新時代現實需求的寶藏，尤其是與西方文化相吻合的部分。譬如他闡發明末先賢黃黎洲的否定君權；顏習齋的重視軍備；王夫之的主張排滿；劉練江的忤時抗俗，以及彰揚王心齋等在學術上衝破陳見的獨創自立；撰述用心可說是「談學術而兼涉革命」。他在學術性題材上論述重點，舉其要，大致有三方面：一是崇尚民族氣節。當異族入主中國，山河變色之際，對於那些奴顏無骨的文人極爲鄙視。他說：

> 是這曾國藩左宗棠幾個逆賊，雖曉得刻王先生（按：王夫之）的遺書，但書裏面的道理仍是一毫兒不曉得，所以當咸同的時候，他又幫助這犬羊的賤種，把我們漢族的太平天國朝就白白的弄亡了。（註一八）

對這些品格卑下之士的深惡痛絕，正是昭顯民族節操，借以宣揚其民族革命意識。

二是表現銳意改革社會的經世之志。爲了挽救社會危機建立「共和國」，在政治上，他主張「自由平等」，抨擊封建制度，企圖透過立法，强兵、設校等來實現政治理想。在思想上，鼓吹曾銑、劉練江、顏習齋等人，個性解放，肯向前，敢擔當，不趨利避害。在倫理道德上，否定三綱五常，君尊臣卑的關係，主張還孔子原本地位。而在批判各種禁錮人性的陳規陋俗時，也積極提出各種興利革弊的方案。

三是注重務實之學。治學必須執著於經國濟世，他認爲：

> 我們的學問，總在那經世上面，除了經世，便沒有別的事情了。

堅決反對

> 把天地間的事情，一概不管，天天坐在凳子上面，開口說空話。（註一九）

他鄙棄瑣碎割裂談玄蹈空之學，關注現實社會，體現出重實踐，重驗證的新學風。從以上三點可以看出，劉師培可貴之點在於能立足現實來看待中國學術，他雖以「保存國粹」爲尙，但並未流於迂腐守舊，評論大率以現實爲尺度，以民族革命思想爲主論，誠如白話道人所言：

其富於歷史之知識，種族之思想，字字有根據，而復寓論斷於敘事中。（註二〇）

其精闢論學之見，自有其積極意義。

第三節　白話文的中心思想

大凡爲文，以確立主題爲先。主題者，即貫穿全篇之中心思想。由於作者的立場、觀點、情感或創作目的不同，往往作品呈現的思想內容亦不同。才華奔放的劉師培，身處風雨如晦的社會，引導他把焦點集中於政治、社會與民生疾苦上，從一意治經走向輔時濟世之路。他在《中國白話報》所發表的白話文，是革命精神的旺盛期，所寫多集中於學術、論說、歷史、地理、歌謠、傳記，教育等幾個門類，多爲反映社會現實、國計民生、救時輔教的思想，期能做一個舊時代的抨擊者，新時代的探索者。以下從政治革命論、社會教育論、文化重建論三方面加以觀察。

一、政治革命論

1. 推翻滿清政府

清廷「生機已盡」，一如垂危病人「百竅迷塞，內潰外入，朝不保夕」，在位者麻木不仁到了「禍亂已至而不聞，傾廈將及而不知」（註二一）的地步，既不思銳意更革，復死守權勢不放。先進的知識分子幡然覺醒，於是，有思想者「因新仇以記舊怨，共提倡逐滿主義。」（註二二）其後庚子年唐才常（字佛塵）漢口勤王，留學生多人從死（註二三），有知識者，方知滿漢二族利害關係，全然相反，從此漢滿種族問題叢生，而排滿風潮舉國四起，寄望把行將傾覆的腐舊房子拆除破壞，方能建起新廈。當時革命志士普遍認爲「終古無革命，則終古成長夜。」（註二四）唯有排滿革命，中國始能擺脫任人宰割，積貧積弱的命運。

劉師培受到這種政治思潮的鼓舞，除參加許多政治活動，積極發揮許多穎銳識見外，首先揭露清廷對平民殘害與壓迫的種種醜行，並給予嚴厲批判。他說：

> 滿清的刑罰，是箇頂慘毒不過的，況且滿漢的刑罰，決不平等，滿人欺負漢人，到了告狀，都是漢人理曲，滿人打死漢人，滿人……可以不抵命，這一種不合理的刑罰，眞眞是五洲萬國未有的了。（註二五）

大多數國民的民權受到不堪聞問的蹂躪，卻「還不曉得抵抗，這眞是效忠守正太過的了。」（註二六）他一針見血地指出這種在封建專制扭曲下的心理，習慣於受壓迫，受剝削而不自覺。所以他大聲呵斥說：

> （滿清）這個朝代，叫做異族竊佔時代，異族既然將漢土竊佔，吾們的中國，算早經亡國的了

，那裡等到外國瓜分才算亡國呢？（註二七）這正和他在《民報》發表〈普告漢人〉一文，激越的看法一樣：

滿洲之對於漢民也，無一而非虐，則漢人之對漢洲也，亦無一而非仇。（註二八）

以啓導國人自覺排滿保種，强化民族主義觀念，並强調「有民族主義，就能夠動漢族光復思想。」（註二九）清廷爲了壓制知識分子的反滿思想，文網嚴密，羅織苛細，前所未有，劉師培深刻地指出，如文字忌諱繁多，「把中國人的心思才力，都耗在無用地方去了」，使得「中國學術就只剩下考證學一門」，而造成一般讀書人「沒有一個有理想的」；在教育上則是「滿清不許讀書人講學，所以教育一門就衰的了不得。」（註三〇）對外來文明則因「滿清政府裏，不喜歡這種學術（西學），所以西人最新的思想，不能輸入中國來，這就是新學的阻力。」（註三一）壓制思想與愚民統治收到相當效果，以致無法衝決專制的羅網，阻礙社會進化，結果：

這夷狄的賤種反得作威作福，無所忌憚，把漢族的百姓，弄得民窮財盡，一點生機都沒有。（註三二）

最可悲嘆的是人民受專制奴化之害，卻仍望風覘景，喪失了本有剛正之氣，他嘲諷地批判這種卑下齷齪，頑懦無恥的心態。說：

不說牛馬是人，還要把牛首當菩薩，天天向他面前叩頭，一點不敢違拗。（註三三）

他在抨擊清廷腐敗的同時，更積極促請國人警醒，參加排滿革命，他毫不避忌地指出：

> 夷狄既然害我們中國的人，就不應把他當做人類看待，殺夷狄不叫做不仁，滅夷狄不叫做不義，儻若不把這賤族滅盡，這種狠子野心的畜生一定要共我們中國爲難的。（註三四）

他藉著通俗淺白的文字，散播「排滿保種」的革命思想，使一般百姓能從封建束縛下逐步解放出來，他痛斥滿清爲「極野蠻下賤的種族」，也流露出焦慮與關心，具有相當的震聾發聵的作用。

2.反對帝國侵略

自鴉片戰爭爆發後，中國近代史上的悲劇就此展開，閉關自守之局於焉打破，清廷統治早名存實亡，外患紛來，恥辱沓至。兵燹連綿，軍需費貲，清政府由於條約賠償又不得不依賴外債，列強更加利用清廷貧弱危機，挾制勒索，要求割地，以圖建立在中國的勢力範圍，創巨痛深，莫此爲甚，迄美國海約翰提出中國門戶開放政策時，全國僅剩華中小部分（河北、河南、陝西、甘肅）及青海未遭瓜分（註三五）。有心人不禁大聲疾呼：

> 方今強鄰環列……蠶食鯨吞，已見效於踵接，瓜分豆剖，實堪慮於目前……中國一旦爲人分裂，則子子孫孫世爲奴隸……倘不及早維持，乘時發奮，則數千年聲名文物之邦，累世代冠裳禮義之族，從此淪亡，由茲泯滅。（註三六）

他們認清爲避免帝國主義瓜分鯨吞，根本之道就反帝國侵略。

劉師培目睹列強凌辱，國不成國之餘，爲喚起民衆認清民族危機的嚴重，利用介紹各省地理的機會，臚舉帝國列強種種侵略事實，使大衆能覺醒國家利權已遭瓜分之禍。他以〈論山脈〉、〈論列強在中國的勢力〉、〈西江遊〉、〈長江遊〉爲題，用通俗語言指出帝國列強正在：

把中國當西瓜一樣一塊一塊的分割，況且他們來分瓜，又不是光明磊落的。處處用狐媚的手段暗暗的將中國的利權一同兒取去，把中國弄得貧弱不堪，豈不是共亡國一樣的麼？（註三七）

極歎列強的侵淩。他引導民眾觀察「日俄戰爭」，開戰前：

遼河松花江流域是俄人的勢力範圍；黃河流域是德人的勢力範圍；長江流域是英人的勢力範圍；西江流域是法人的勢力範圍；長江流域是日本的勢力範圍；西江長江中間是美人的勢力範圍。

可是，日俄開戰後，列強形勢卻迥然不同，他分析道：

從前列強的政策，是個均勢，現在列強政策，是個紛爭。……可見從前的列強，是指定某處爲某國範圍。現在的列強，是以數國爭一地的，倘或共俄日一般，開起戰來，我們中國百姓，可不是都要被外人殺盡麼？漢族生在今日，眞眞是倒煤得很了。（註三八）

他又以中國的土地被割，利權被占，主權被奪等大量事實，說明中國已出現各種「亡國」現象，帝國主義的侵略已成爲民族生死存亡最大威脅，如重慶：

做了外國通商的碼頭，出口的貨物很多，就是那鴉片煙共繭綢兩件，更是大幫的貨物了。

漢口：

俄國在漢口的權力，一天大似一天，他的製茶廠共總也有好幾處，就是銀行生意，也大半被俄

國人招攬去許多了，所以在漢口通商各國，都有些妒忌俄國。（註三九）

雲南是「現在英法兩國，個個想取的地方」英法鐵路線想伸入雲南爭勢力，就是基於江南兩岸礦產如銅、鐵、錫、鉛和黃金、寶石等，「不過雲南人不曉得開礦，所以南江旁邊的物產，都不曉得經營，你說可惜不可惜？」廣東有石灰與鐵兩大物產，且風氣開通，維新派康有為曾在此講學，革命領袖孫逸仙也生於斯，不過廣東人卻「當外國人的奴隸，又喜歡賭錢，多有傾家破產的」是頂壞的風俗，而廣州雖然商務繁茂，又有堅固砲台，但是：

廣東的省城被英人奪過兩回，香港九龍的地方都做英國的屬地，可不是廣東的大恥麼？（註四〇）

介紹中國沿海形勢時，不禁嘆道：

中國雖有這等良港，都不曉得經營，所以沿海的地方，被外國取去的卻也不少，這眞是頂可惜的事情了。（註四一）

在在顯示，帝國列強強設租界區和劃分勢力範圍，而且憑藉不平條約的保護，大肆投資，在通商口岸任意設立工廠，開發利源，壟斷航道，控制鐵路運輸線，中國領土支離破碎，朝不保夕。在國勢危急，列強橫行之際，清廷懦弱闇昧，節節退讓，喪權棄土，並有心勾結列強勢力（註四二）打擊國內反對力量。在當時條件下，一個十九、二十歲的青年，能夠看清事實是不簡單的。他注意到帝國列强的武力侵略的浩劫，更揭示出其經濟侵略和掠奪，促使國人需心懷戒愼，認清他們的居心。

3.主張激烈破壞

政府夢瞀於上，百姓怨懟於下，列强脅迫於外，如何脫離國亡族滅的命運？劉師培認爲非有空前絕後「不怕殺頭的破壞」的激烈手段，社會斷乎不能徹底療救。他說：

> 現在的中國，除得激烈兩個字，無論用那種主義，都不能好起來。

但怕人們

> 把激烈兩個字，當做壞字面。（註四三）

所以又在〈論激烈的好處〉一文解釋：

> 國裡頭的政府，既壞得不堪，十八省的山河都被異族人佔了去，中國的人民不實行革命，斷斷不能立國。

很顯然，他主張的革命與過去不同，是驚心動魄破壞，「中國的事，沒有一樁不該破壞，家族上的壓抑，政體上的專制，社會上的束縛」，因此破壞要從家族、政體、社會上同時進行，他分析道：

> 沒有人出來破壞，是永遠變不好的，雖破壞的時候，各事擾亂，中國的百姓都要吃虧，但不吃這種小虧，是斷斷不能享福的，所以由我看起來，無論甚麼暴動的事情都可以出來做，就是把天下鬧得落花流水，也不失爲好漢。

他這種激烈革命主張，其積極意義是不容低估的。

在法律方面，劉師培强調訂定法律與內政外交密切配合。君主個人權力過大，就是由於中國長期沒有法律，因此他在〈論法律〉一文中詳論其重要性，歸納其言有以下幾個重點：一、法律必須遵照全民共同意思製定，立法與司法權各自獨立，不受任何權勢干涉，每個人都享有公平完整的權利義務。二、可參用西方法律，但絕不允許西人製定中國法律，「因為歐美的人，把這國當做屬地一般，然後才代他定法律，所以共本國的法律比較，就大大的不平等。」，因此，訂定法律的權限，斷不可聽外人干涉，以免淪為他人屬地，受到不平待遇。三、要從實實在在的地方下手研究，先設法學學堂培育人才；其次開設法學研究會，科學地研究中國舊法律，那條當改，那條不當改，外國新法律，那條可采，那條不可采；再次公舉法律起草員，一絲不苟，斟酌周全，把憲法和各種法律，一條條定出來。這些識見，沒有革命家的膽略不敢說，沒有剛勁的筆力也寫不出。

在內政方面，他以為只懂軍事，而不懂內政，充其量只是個「莽夫蠢將」（註四四）。他剴切指出內政需以全民福祉為依歸，來訂定法律，開墾土地，開設學校，振興文化等。譬如鄭成功由於施政得當，「才能夠創建海外新中國」，且「大有泰西各國政治的氣象」（註四五）。孔子在內政上的高明，把魯國治理得有聲有色（註四六）。謀國家長遠利益，良善的內政是社會治安之策。時代變遷，國局危殆，劉師培深刻體會外交手腕的重要，這是頗具世界性眼光與新國際知識。他了解國際間國與國可以相互屏蔽，聯結他國可做國力後盾，他說：

想脫外族的羈絆，都要藉鄰國的助力，所以希臘獨立，先要求援俄國，義國獨立，先要求助於法國，未有不求外國援助，就能夠光復己國的。（註四七）

世局嬗變，政治上自我閉錮或狹隘民族主義，國家反易積弱孤危，他這種外交思想則是超越「天朝臣服中外，夷夏咸賓，蕞爾夷邦，何得與中國并論」或是「徒知侈張中華，未睹寰瀛之大」（註四八）對世界認識模糊概念，能以世界眼光看本身所處地位，以及尊重了解他國的觀念，是具有現代政治眼光的。

二、社會教育論

造成深重的民族危機，清廷當局殃民誤國固當深責，若舉國國民盡爲旁觀者，缺乏社會責任感則中國仍有亡國隱憂，所以劉師培認爲完成救國救民的艱鉅偉業，不能單靠少數熱血愛國志士的奮起，要「民心可用，民力可恃」，唯有從推動社會教育著手，喚起全民自我意識與政治激情，增加反帝反滿情結，始可達成。具體來說，他這方面的思想有四個重點。

1. 否定君權獨尊

中國專制統治的嚴格束縛，強調人際間服從關係，致使個人的思索和欲望完全抹殺。劉師培一針見血地指出其影響關鍵：

> 禮制兩字，本是專制時代的護符。倫理道德不僅得到法的保護，而且變成法的本身，導致中國最重君權、父權、夫權的，把臣權、子權、女權，弄得一點兒沒有。（註四九）

所以，首先批判君權過重，赫然以〈說君禍〉爲題，指出：

做皇帝的人，把天下當做自己的家產，要做百姓們的主人翁，所以做皇帝的人，是箇天下的大患。

然而過尊的君權，反而使得：

人人的心裏頭，都得一句君尊臣卑的套話，百姓看皇帝，如同天神一般，一點兒不敢違拗他，有一個倡革命的人，就說他是大逆不道，無父無君了。（註五〇）

形成國民普遍存在盲從依賴和因循守舊的病態心理，可是百姓雖然如此百依百順，仍然「受制於專制政體，沒有一樁不受苦的。」（註五一）例如，在法律地位上待遇極不平等，一方面「皇帝就是法律」，把人民視爲草芥，把官吏變爲奴僕；一方面「做皇帝的人，不受法律拘束，聽他無所不爲，所以國裏面的法律，都是共皇帝有利益的，不是共百姓有利益的。」（註五二）法律只是威脅人民，摧殘士氣的工具，處處扼殺國人對政治的思考，整個國家全繫於君主一人的意志。長此以往，中國焉有不衰之理？

其次，揭露官民對立。在「朕即國家」的情況下：

無恥的大臣，迎合皇帝的意思，來壓制百姓，多一條法令，就多一樁弊竇，添一箇司法官，就添一箇民賊。（註五三）

一條條戒律，嚴重抑制人民的權益與自由。不僅如此，「做官的作姦犯科，做胥吏的舞文弄法」（註五四）使得百姓「寧遇著盜賊，不情願遇著官吏」（註五五）他們生活在封閉窒息的環境中，失去國民應有的獨立自尊精神，忘卻本身權利義務，國家民族還有什麼希望呢？劉師培曾在《警鐘日報》上，對這種情形發出，沉痛地嘆惜：

> 中國之所以孱弱不振者，徒以人民有依賴之性質耳。有依賴即有憑藉，有憑藉即尚因循，而奴隸之性質，遂一成而不可復變矣。（註五六）

所以他直接了當地表達對君權的蔑視，用黃帝紀年來取代光緒年號，以引導社會價值觀念的變化。又其次，反對壓抑民智。「君令臣必恭，父命子必宗，夫唱婦必從」（註五七）成了中國人的共性，把忍氣吞聲，視爲固然，雖凌蹴踐踏，猶不敢存牴忤之心，是以在君主的絕對權威下，「凡思想有一點新奇的，他都說是大逆不道」，致使中國安於貧弱而不肯吸取別人的長處。他對封建弊端的分析批判，使革命具有豐富內涵，產生極大感召力。

2.倡導民權平等

數千年來的君主專制，使百姓把國家與君主聯爲一體，將國事國權和國家榮辱視爲「度外之事」，是中國弱亡的根源之一。改革之道即在「民權興則國權立，民權滅則國亡」（註五八）。劉師培對於這個問題的看法是，以自由民權衝破「君國一體」的陳腐觀念，使人人認清國家是百姓共有的。首先他教導國民認識本身應享有思想、言論、出版等天賦權利。他說：

> 有權三椿，第一椿叫做思想自由，第二椿叫做言論自由，第三椿叫做出版自由，無論抱甚

[illegible]者可以取代[illegible]不出來。（註五九）以民權平等打破封建君權尊嚴，促使民主意識覺醒。其次，宣揚人民主權的概念：國家絕不是皇帝一人所私有的，「皇帝是百姓立的」，使大眾了解君權來自民權，「皇帝的存亡，都是係在做百姓的身上」，徹底否定天子其神聖不可侵犯的依託。同時，他指出「現在的文明國，沒有一箇人不守法律的」，在法律之前，所有的人只需服從法律而不必服從其他任何權勢，也只有通過法律，人民享有一切公平的「權利義務」，這才合乎「公理」，可見中國專制政體，已不適合世界潮流，民權平等自主已成為一股不可逆轉的客觀趨勢。隨後，他以歷史發展作思想觀念的建設：他說「在上古時代，本來沒有君主」，只是：

因為天下的人只曉得自私自利，到了公眾的事情，就沒有人做，所以大家商議立起一位皇帝起來，把天下人事情，都叫他一人管理。（註六〇）

誰知「到了後世，做皇帝的人，把天下當做自己的家產」，反成為大患，尤其君主把人民「當做奴隸看待，看他們的生死，是同畜生一樣的。」（註六一）因此，他激勵百姓不應再做奴隸，君主既不能履行百姓付託的職責，把國家據為己有，任意欺凌人民，應該起來反對它，改革它，國人能去陳謀新，才能邁向新生活，所以民主民權是救時良策。

3. **宣揚進化觀念**

十九世紀末二十世紀初，嚴復發表《原强》及翻譯《天演論》、《群學肄言》等書，把達爾文進化論輸入中國，對近代中國社會發生重大影響。嚴復在書中强調一個觀念：世界就是一個競爭場所，「物競天擇，適者生存」是天演的規律，中國已面臨亡國滅種的危險，再也不能妄自尊大，必須「與天爭勝」，用「以人持天」的「人爲淘汰」，避免「自然淘汰」，國不亡，種不滅，始能立足世界向前發展。這些思想强烈震憾國人之心，形成一股强大社會思潮。

劉師培清楚了解國家民族的生存和發展，必須不斷進化和自强，他指出要禦侮自强，唯有革新和變古，因此他反對泥古。他批評最受後人推崇的孔子，其學術缺點即在「沒有一樁不泥古的」，既然泥古，各事就都要守舊，事事受制於古人，歷史的包袱和桎梏，反而減弱中國前進的動力，其中最可怕的莫過於教育上不知變通，不能適應新社會的需求，他說：

教書先生還是用從前的舊法子，一點兒不曉得新學，把中國的小孩子，就都誤盡終身了。

而教師本身則因

不曉得隨時變通，拿優勝劣敗的公理推起來，一定是要餓死的。（註六二）

他極力講求進化的觀念，是因爲「天下的大患，是因循兩個字」，在因循固隨之下，學術上易造成「成見」；政治上必不知變通，所以他强調歷史終究要向前發展，社會變革是勢所必然，必需要掌握變法的主動權。深閉固拒，排斥變革，在他看來都與進化公理背道而馳，因此「天下的事情，沒有一樁不能改的。」（註六三）可見，他把進化變法視爲自强保國途徑。在時代潮流下，他以「窮變通久」的進化觀念驅策國人培養進取心，使一般人認識到要自存其生命，自立於世界，必需適應客觀環境，開創新局。

4. 鼓吹獨立自主

國難日深固然危急，但國民在大禍臨頭時麻木不仁，則是更深的國家危機。所謂自辱而後人辱，自助而後天助，劉師培認爲要國民都能「凌重辱，冒萬死」富有新時代國民意識，消弭渙散的人心，須從民心志氣著手矯治才行。他指出：「人的志氣，是箇做事的先導」（註六四）中國民德卑、民力弱、民智塞，一切皆肇因於「沒志氣」，所以他痛言沒志氣者是個「廢物」、「奴性」，由於失去志氣，「不能爭勝」「不能獨立」，到了這地步「中國的人就眞眞不能救藥了」。他進一層鞭笞「沒志氣」的弱點，首先是不知進取獨立。他說：

天下的事情，都共自己無涉，就是自己不如人，也一點兒不慚愧，把爭強奪勝的心，都弄得一概沒有了。

既沒有憂憤的心情，又不知恥，「可不是共動物一樣麼？」。其次是畏葸懈惰。很多人「把自己看得太輕」，並不是好現象，他揭露其中病態心理，這種人：

並不是謙虛，實在是懈惰，既然把自己看得太輕，就可以不做事，就可以藏拙，把高尚的思想，就弄得一點兒沒有了。（註六五）

其三是不敢負責任，他們「各事都要自諉，既要自諉，那裡能夠有志氣呢？」缺乏獨立的理性，只知有自我，趨利避害，是造成中國衰敗最大的病根。最後他針對這些人的心態，抨擊道：這種一「遇著有事情的時候，便沒有一箇肯向前的，東躲西避，一些兒擔當都沒有。」（註六六）他們「不是怕有禍，就是怕壞名，所以全是一團私心。」（註六七）「只曉得謀一身一家」，更下者則「同流合污一點兒骨幹都沒有，無論甚麼無恥的事情，他都是沈溺不返。」（註六八）使得人缺乏實踐精神與持久毅力，而常懷無志之心。他的救治之道是要從學問、膽識以及毅力來培養國人「立志」（註六九）不僅是在「有志氣的人，就有希望，有望的人，就有作爲」（註七〇）而且是在「能立志方能獨立」，才能有「不假他人」（註七一）的擔當，如此一來有獨立自營的人格，具備了「人的資格，然後能夠合群」，「才能結社會的團體」（註七二）他期望通過個人人格的再造，而達到改良民族精神的目的。

國人獨立自主的精神，還需與强健體魄相調和，因此，劉師培更積極主張「尙武精神」即「軍國民精神」。中國統治者向來爲了自身利益，從不提倡也不注重尙武精神，鎭日高談「文質彬彬」、「仁者無敵」。劉師培指出歷來「中國人看文官很重，看武官很輕」，倘使中國早重兵事，「何至如今被人家這樣欺負呢？」所以，他主張：唯有重視軍事才能保住國土（註七三）。他在編選〈出車集〉歌謠時，特別偏重尙武作品，「教唱歌的人，個個曉得軍國民精神」（註七四）他更舉出明末曾銑懂軍事，曉戰爭，成爲抵禦外侮的英雄；鄭成功也因擁兵權，才能爲民族盡力，成爲排外大英雄。陳涉起義失敗，其根本原因即在「沒有兵器」，武力不及秦兵（註七五），使人深刻體認到一個民族如果缺乏軍事實力，是難以立足於世界的。

……，勇敢地反抗帝國列強和奮身革命。他有系統的介紹中國地理的山脈、水道、良港、海權以及國防要塞等，明晰指陳其中軍事性知識，無一不是希望大眾能了解「山脈共戰爭的關係」（註七六）尤其能在了解地理大勢後，更珍視自己的國土。

中國的貧弱，民德的卑下，歸結其原因，有識者莫不認爲是教育不善，民智未開所致。劉師培就指出：「近世以來，凡士之稍具知識者，莫不知教育之爲急。」（註七七）「爲中國前途計，必先籌教育普及之方」（註七八），並提出三項建議：一、設置公立學堂，由當地百姓「擔任這地方的學費」。二、普設學堂，如「分東西南北中區，每區裏面，共總設八個小學堂」，由於學區均勻，學童則不必越區就學。三、師資訓練，先「設幾處小學師範速成科」訓練師資以備延聘。（註七九）言簡意賅，反映出先進的見解。

三、文化重建論

內憂外患，迫使國人在風雨飄搖之際去思考傳統文化，提出因應之道。有的面臨西方文化的衝擊，雖有「新舊調和」的看法，不過，偏向固守傳統者，仍「以聖教爲宗，以藝能爲輔，以禮法爲範圍，以明倫爲實效。」（註八〇）有的膜拜於西方文化腳下，認爲「新必勝舊」，「一革從前，搜索無剩，唯泰西是效」「一切制度，悉從泰西」（註八一），徹底否定中國傳統一切，全面吸收西方文化。前者，因遷就傳統，終不能擺脫貴古賤今的弊病；後者，則一味摧毀舊體，易流於以偏概全，文化失落的危機。

難能可貴的是劉師培尚能開拓視野，對西方文明和中國傳統抱持實事求是的態度，「學其醇而避其醨」，去疵存璞地以爲己用。

1.保存發揚國粹：

劉師培以爲：

> 現在的中國人，雖曉得說愛國，但中國從前的好處，還是一點兒不曉得，那裏能夠愛國？（註八二）

所以一般大衆能夠：

> 箇箇都曉得保存國粹，曉得保存國粹，就能夠曉得愛國了。（註八三）

同時《中國白話報》就是抱著保存發揚國粹的宗旨創辦的。劉師培在《中國白話報》發表的白話作品，也多「偏重國學」，如：〈講教授國文的法子〉、〈刑法〉、〈教育〉、〈兵制〉、〈宗教〉、〈學術〉、〈孔子傳〉、〈中國排外大英雄鄭成功傳〉、〈陳涉傳〉等都作系統介紹，爲的是讓一般民衆知道中國從前也有闡發民主、自由的道理，「未必是外國人造出來」的，所以，只要「中國通人說的話，凡牽涉平權自由的」，他都引述出來，人民就曉得：

> 革命兩個字也是中國的通人很贊成的，就是顛覆政府的事情，早就有人做了。（註八四）

鼓勵民眾效法，如此一來，「中國的政體或者有改革的日子」（註八五）。在介紹教育時，他也指出：

現在的中國人，既曉得教育作重，從前的教育，也是不能不研究的。（註八六）

極力宣揚大眾學習中國悠久歷史和優良文化，以增進愛國情操，克服妄自菲薄的觀念，建立民族自信心。

劉師培提出保存發揚「國粹」，並不是食古不化，他反對「古人的學問，吾們都不能及」的思想，必須要根除這類「學界的奴性」、「沒有人格」的心態；並積極培養「要有智識」，才能不「崇拜古人」，始可「箇箇都自主，箇箇都平等」，在學問上展現「無所憑藉」、「無所依賴」，「自立做主，別無杜撰的地方」（註八七），眞正的學問，不是來自學術專制，而是來自事實。當然，治學問最重要的是不「空口說白話」（註八八），但是紮實的學問並不就是指「約略看幾本古書，記得幾句古人的話語，就可以算箇通人的。」（註八九）他在《警鐘日報》上曾云：「近世以來，教育一端，復生二弊：一曰崇歐化而遺國粹；二曰輕實科而重理論」（註九〇）於此不難看出他保存發揚國粹的深意了。

2. 採擷西學優點

「西學」，劉師培有時又稱做「新學」，它在客觀條件上成爲推動中國近代化變革的一股動力。劉師培重視它，並非一時好異喜新，而是鑒於傳統文化日益暴露出空疏、封閉的劣性，而西方文化包涵的時代內容，促使他「闊視遠想，統新故而視其通，苞中外而計其全」（註九一）。他首先指出教育上應與時變通，學習新學。「如不知新學，會把中國的小孩子，就都誤盡終身了。」（註九二）因爲時代潮流不斷更新，如果只讓一般民眾停留在「蒙昧無知，鮮能遠慮」的階段，絕不能自我更新，改造社會。所以學校應當適時教授新學以爲配合。其次，在長期冷僻、沈悶的中國社會中，他觀察到大量西學書籍報刊引進先進知識，改變了原有的知識結構，萌發新的世界觀。西學與中國傳統文化進行一次思想交鋒，所以他主張立足現實，順應潮流，擷取與中國社會實際需要的西方文明，從而奠定學習西方文化的基調。

吸收西學，並不是指全盤西化。對於那些「抄襲舊話的人與摽竊新學的人」他嚴厲的加以鞭笞，因爲他們有的是「無以爲學」者，如：

守舊的人，不曉得看新書，又不能發揮舊學的大義。

有的是「藉西學以自大」者，如：

維新的人，得一點兒新學的皮毛，無論甚麼舊學，他都一概看不起，把中國固有的學術，弄得點沒有了。（註九三）

這些都不符合時代潮流，不能喚起大眾覺醒和革新。對於當時的學術發展，他做了形象性譬喻：

中國的學術，就共種田的遇著青黃不接的時候一般。（註九四）

面對全新的西方文化，「全盤否定」與「全盤接受」的態度都令人無法適從，他認爲「取外人之長技，以成中國之長技」，才是克服西方文化弊端，審愼認眞的態度。

3.重新評價孔學

儒家學說對中國有重大影響，但是，到了近代，自古所尊的綱常禮樂，反而成了思想嚴重束縛，阻礙中國進步的絆腳石。孔子最重禮教，歷代帝王無不利用儒學强化統治力量。隨著革命主張日益高張，有識之士多起而議論孔學，劉師培是其中旗幟最鮮明的一位。在《警鐘日報》任主編時就撰有〈論孔學不能無弊〉、〈論孔教與中國政治無涉〉。在《中國白話報》撰有〈孔子傳〉。他本著：「既不屑隨聲附和的恭維，也不肯無理取鬧的亂罵」（註九五）的立場，既不反對孔子本人，也不全盤否定儒學，認爲孔子只應該「當做儒家看待」，「是九流裡面的一種」。

他獨具隻眼的分析孔學的優缺點：在政治上，康有爲、梁啓超往往附會孔子重民權，但他，卻爲孔子「最著重君權」，並舉《易經》：「君子以辨上下定民志」；《論語》：「臣事君以忠」等爲重君權的憑藉。不過，也公正指出孔學「雖重君權，卻不准皇帝虐待大臣，也不許皇帝賤視百姓。」其中最可惜的是：孔子「於君由民立的道理，卻一點兒不曉得的」，且不看重法律，反而「把道德當做法律」很不合現實。劉師培是用近代政治精神和平等觀念來衡量孔學。

在學術上，孔子的成就有兩方面：一是兼有師儒之長，自成一派；一是體用合一，其學不架空，句句著實；對後世學術界影響至鉅。他更通過西學與孔學比較，分析孔學弊端有四：一是泥古。凡事都守舊，要求敬宗法古，則造成現在「中國不肯變法，也是中這話的大毒的。」二是迂闊。孔子所言都「把德性看得重」，而把「事功」「政刑」看輕，以致「中國從古代以來，不但沒有實功，亦且沒有實學」。三是迷信。孔子主張「祭如在，祭神如神在」。再者，「禮記上所講的祭祀」，泰半爲孔子的話，而「春秋一部書……喜談災異」，「把中國的通儒，都弄愚了」。四是自尊。孔學排斥異學，唯我獨尊，「沒有一椿不執一的，也沒有一椿不自尊的，把學術的範圍，就弄得愈小了」。劉師培的批判是爲了大眾能不盲目於國粹，不致守缺抱殘，以沙爲金，其中有不少精闢見解。他是以復古爲創新來發揚國粹，復興古學的。

以上就發揚國粹，採擷西學，重評孔學三端立論，足徵劉師培並非爲宣傳封建文化，復古思想提出一個漂亮名目，其探求眞理的路已不是再向古代回歸，而是面向現實世界，開拓中國學術文化未來契機。

第四節　白話文的寫作特色

在晚清散文領域中，古文已瀕臨末路，一種爲了急於用世，平易流暢，辭氣清新的白話於焉興起。它在形式上，自由活潑，不拘一格；在內容上，自然表達情意，抒發心靈智慧，反映現實生活；在體類上，樣式豐富多采，足以滿足讀者要求。劉師培爲了因應時變，在寫作時，擺脫古文，走向白話，予人耳目一新之感。以下論劉師培白話文的寫作特色。

一、謀篇布局井然有序

劉師培指出：

> 無論研究何家之文，首當探其謀篇之術。謀篇者，先定格局之謂也。（註九六）

這是因爲謀篇布局，有如「工師之建宅」「何處建廳，何方開戶，棟需何木，樑用何材」（註九七），必需事前籌劃。否則，再多的磚石木料，也砌建不成精緻的八寶樓台，所以曾國藩即云：「謀篇布勢，是一段大功夫」（註九八）劉師培的白話文結構可從整體與分篇謀篇來說明。

1.整體謀篇布局

劉師培專門爲《中國白話報》撰寫文章，第一篇寫於光緒二十九（一九〇三）年十二月，最後一篇寫於光緒三十（一九〇四）年十月，前後十個月，寫作時間很集中，其內容也很集中。從這四十五篇白話文的構思來看，其先後安排，基本上大致以歷史文化與現實社會參照結合爲依據，提出社會改革觀點或方案。首先以縱式結構，整體性鳥瞰本國歷史，系統介紹〈兵制〉、〈刑法〉、〈宗教〉、〈學術〉、〈中國歷史大略〉等各專題，順序說明其發展變化，言而有序，脈絡清楚，層次分明。如在〈學術〉一文中，把先秦至近代學術凡分八期，以析論中國歷代學術各期特色；在〈教育〉一文，則將三代至晚清教育發展分三期說明，層層剖析，作歷史的回顧，顯現出作品的深度。其次，以橫式結構，局部性逐一進行探討，如在總體論述過中國學術發展流變後，以下分別介紹各期重要代表思想家，像顏習齋的講究實學，黃黎洲的崇尚自由，王船山的攘夷排外，董仲舒的限君權、張民權等等；或輯錄相關重要思想，如民主思想的言論，名之曰〈論責任〉；羅列中國通人民權自由的言論，稱之爲〈論君禍〉等。又如綜述〈中國地理的大勢〉後，以下則分水道類，如長江、西江及沿海等；山脈類如中幹、南幹、北幹、山幹等子題論述。縱橫網羅，經緯交織，篇與篇間有脈絡可尋，彼此照應或關涉，都是經過作者的構思和安排，從不同側面結合現實，針砭時弊，以達宣傳革命的目的。可見，作者寫作時已有完整的構思布局，對於各篇內容如何安排，都有通盤設計，在寫作過程中也有所透露，他在〈刑法〉一篇後指出：

> 所以（中國）所用的刑罰，大抵還是野蠻，中國果然要光復，要改定法令，若改定法令的方法，我於前兩期的國民意見書，已做了一篇講法律的論說，你把他看下去，這法律的大旨，自然能夠曉得了。（註九九）

又如他在論山脈（南幹）中說：

> 我前一冊白話報上，做了一篇中幹山脈，都是窮頭至尾的，但中幹山脈是箇江北的山脈，不是江南的山脈，江南的山脈，叫做南幹山脈。（註一〇〇）

很明確指出其篇與篇間都相互承接，於是這四十五篇白話文雖各自獨立成文，卻不拉雜散漫，而是環環相扣的整體結構，呈現出一組完整的有機體。

2.分篇謀篇布局

〉一文，依據文章主題層層開展，布置精當，正符合《文心雕龍·附會篇》所說：「驅萬塗於同歸，貞百慮於一致」的原則。開篇他提出「人人平等」的民權觀，確定了法律的內涵，爲全文立論張本。以下從命令、政體、道德、刑罰等方面，縱觀三代，俯察秦漢，指點明清，評說當世，反復申論中國法律的不公平。接著參酌西方民主思想，指斥中國法律三椿代表性野蠻行徑，以作爲「中國的法律，斷斷不能不改革」的論據，最後提出定訂法律具體措施與前述之批判相互呼應。文章自始至終貫穿一條主線，安排井井有條，妥帖縝密，渾然一體。〈劉練江先生的學術〉闡述國民須以激烈破壞求得國家民族獨立的道理，鞭撻當時趨利避害的順民性格。第一、二段說明激烈手段的必要性和重要性，以及劉練江生平功蹟，比較簡略。第三段以下敘寫較爲詳細，通過「恨人平和」、「恨人中立」引述劉練江的言論，駁斥私心、中庸、圓通等性格弊病，夾敘夾議有力地論證激烈破壞的益處。末段轉到作者的議論。全文作數層寫，流暢自如，詳略分明，文勢圓轉。而〈西江遊〉一文以敘事入題，扣緊「水道是頂重要的」的題旨，記敘暢達而周詳，耐人咀嚼，記事層次分明，條理清晰。作者爲免平舖直敘，枯躁呆板，設計四位人士：貴州、雲南、廣西、廣東，藉由四位生動的講述，依次說明西江所流經的區域，期使化深奧道理爲淺近易懂，極富感染力，使一般民眾從史實的陳述，了解文章的觀點，如：

這黔江經過的地方，叫做潯州，這旁邊的地方，就是金田村，前五十年，我們漢族有幾個絕大的英雄，名字叫做洪秀全、楊秀清，因爲恨滿洲不過，就在這金田村起兵，光復了十幾省，把滿人都殺盡了，這南京的太平天國朝，就是我們建的了，由這個看起來，紅水河旁邊的人，可不都是英雄好漢麼？（註一〇一）

這些敘述，表面看都是在談各地歷史，但卻隱含著「鑒於往事，有資於治道」的用意。

二、語言運用多采多姿

劉師培的白話作品，匯萃眾流，歸於實用，造語平淺。但時有誇飾之辭。這種誇飾，强調了他的論點，寫出了他的感情，如用「現在的列强，是以數國爭一地的，倘或共俄日一般，開起戰來，我們中國的百姓，可不是都要被外人殺盡麼？」（註一〇二）形容列强橫掃中國的强大聲勢；用「況且他們夷狄，都是畜生種，我們不把他逐得遠，恐怕連我們漢族，都被他腥羶賤種帶壞了」（註一〇三）揭露封建統治者的顢頇與腐敗；用「這學堂裏邊的人，都是可以議論國家的大事，共皇帝違拗的」（註一〇四）說明學校教育的應乘勢崛起；用「現在的官人，沒有一箇不做奴隸的，所以他們奏的摺子，都稱自己做奴才。」（註一〇五）刻劃出無恥奴顏的醜像；用「這種不合公理的刑罰，眞眞是五洲萬國未有的了」（註一〇六）突顯不能不革命的急迫性；凡此等等，都明顯帶有渲染的成分，帶有相當的感情色彩能給一般民眾具體的印象。

[illegible]使得文章明快而易達。比如〈說君禍〉：

現在的新黨，天天說自由，天天說平權，天天說中國政體專制，但這種守舊的人，都說他是離經畔道，看他同蛇蝎一般，一點兒不相信，爲什麼原故呢？

開頭一段文字，以誇張又形象的語言，排比的句式，酣暢淋漓，繪聲繪色的說明新黨的膚淺不學。又如：

你看日本的吉田松陰，意國的馬志尼，豈不是破壞的人？法國的巴黎革命，奧國的馬加分立，那一箇不破壞的事況？（註一〇七）

以排比的句式來說明外國獨立靠破壞的事實。又如：

揚州學界，更有三椿大壞處：一是看古人太重，說古人的學業，沒有一椿是錯的；一是看自己太輕，說自己的身分，都是不能抬高的；一是看百姓太卑，說鄉野的愚民，都是不足聯絡的。（註一〇八）

一氣呵成斥責學界的奴性深重。我們讀這一類句子，明顯感到一些特點：第一，它們偶奇相間；第二，在排比中時時變化句式；第三，加敘加議使章有氣勢卻不呆板，流暢而又富贍。

在作品中，他還常常使用反詰、感嘆和疑問的語句，造成鮮明突出的效果，如：

中國人讀書的，平日一點事不肯做，偶然碰著一兩件事體，不是打算躲開不管，就是一箇箇驚慌，連手腳都忙亂了，弄得一點法子都沒有，只好聽那異族來欺負了，這豈不是讀書人，大大的罪過嗎？（註一〇九）

感嘆之語往往流露剴切眞摯的情感，如：

中國的人，如若不曉得保衞種族，把夷狄放進來，眞眞是不如畜生的了。（註一一〇）

疑問句，又往往可避免文章平直，如：

中國的史學家，只曉得記學校，不曉得記教育，這是甚麼緣故呢？（註一一一）

他善於運用比喻說理，文章具有形象性。本來很抽象的道理，經由比喻引起人們的想像，產生具體生動的效果，如感嘆科舉教育腐敗不堪：

就各府各縣的學宮，都是有名無實，共孔子的祠堂一般，做學官的人，也同冷宮一樣，一點兒事情都不做。（註一一二）

用「毒藥猛獸」比太監的可怕，還極盡諷刺幽默的斥責皇帝寵信太監：

所以宮裏的太監都要一概不用他纔好，若果能依黃先生（按：黃黎洲）這話行，現在的李大叔（按：李蓮英）是一定不能共太后拼頭的了。（註一一三）

以及用「邪症的傳染」（註一一四）形容夷狄風俗鄙陋；用「大店裡做管事」（註一一五）比皇帝的地位；用「種田的遇著青黃不接」（註一一六）比中國的學術亟待改進等等，如此善用比喻，使人們夠獲得親切深刻的認識。

他的文章有意識的運用民眾口頭詞匯，變化多端，毫無拘束，參差錯落，搖曳多姿。如〈說立志〉中的：

俗語說道：丈夫自有沖天志，不傍如來行處行。

又如〈說法律〉中的：

俗語說道：只許國公放火，不許百姓點燈。

在作品中有許多口語如：了不得，眞眞的、頂、共、話頭、獃話、洋鬼子、廢物、狗屁不通……等一類詞匯，在他的白話文中俯拾即是。

他在引證古書時都盡量改古語爲白話，做到以平淺代艱深。例如〈說君禍〉引古人之語，改作白話：

余存吾先生說道：皇帝共宰相都是被百姓用的，並不是用百姓的，現在治民的人，開口說百姓卑賤，但沒有百姓，這治民的人，也就沒有依賴了。〈民貴篇〉

不過，也有少部分是直引古語的，如：

阮雲台先生說道：「聖賢之教無非實踐。」（註一一七）

大都較爲淺明易懂的語句。另外，他還常用外國典故或翻譯的新語詞。如〈陳涉傳〉中引外國典故：

陳涉雖然失敗，還是不失爲英雄本色，法國的那坡崙說道：「失敗者成功之母」，如若沒有陳涉的失敗，項羽劉邦那裏能夠成功的？

其他翻譯新語詞如社會黨、進化公例、帝國主義、殖民、白種、黃種、法治國、共和國等不勝枚舉。他把古語、俗語、和外來語融入到自己的白話文中，使得語言豐富而多樣，增加作品說服力、感染力及親和力。

三、風格獨具平易深長

從文學作品來說，作家將精神個性鎔鑄於作品中，再藉由作品的內容與形式反映出來獨特性就是風格。所以，劉勰《文心雕龍．體性篇》說：「夫情動而言形，理發而文見，蓋沿隱以至顯，因內而符外者也。」

劉師培生性敏悟，加之篤志力學，弱冠後，會試落第，與革命黨人相與往還，萌生排滿復漢之志，著書撰文，他白話文的風格，就是將來自天生的性情，和後天的學養與時代精神，融入於文字之中。因此，我們大致可以用「平易深長」四個字來概括他白話文的風格。

他在〈論白話報與中國前途之關係〉一文中，說到「俗語感人」，而且通俗之文有助「覺民之用」，所以，他標明「詞取達意」、「文體平易近人」「智愚悉解」的原則作爲寫作方向。我們讀他的白話文，最突出的印象，便是明白曉暢。無論是思想文化的政論，或遊記傳記，以及涉及學術考證文章，莫不說得具體、生動、鮮明、通俗。

「平易」的風格，是來自他爲文多從事實入手，或直接用事實達意的具體寫法。如〈講教授國文的法子〉、〈講教育普及的法子〉等文，都抓住現實教育中的事例，充分的說明教育的重要，普及方法及教授原則。他又善於選取代表性事例來說明問題，如〈論列强在中國的勢力〉一文裏陳述日俄戰爭前後，列強在中國的瓜分的情況，令人們清楚地意識到：割地賠款絕不能解決問題。把問題說得明白清楚，使人們容易明白。其他的許多論說、遊記、傳記就更不待言了。

劉師培的白話文大量用民衆的俗諺俚語，也是他文章明白通俗的一個重要因素。如：「空口說白話」、「共洋鬼子一樣」、「這一種狗屁不通的人」、「但這種說頭，實在是不承認的」、「大凡靠著心裏頭空想，嘴裏頭亂說，筆底下隨便寫寫，自己不肯實實在在去做，這種人都叫做無用」、「並不是一些兒事情不做，坐在家裏，閉目養神，共和尚坐禪一箇樣子的」、「我見現在的人，沒有一箇有志氣的，想起來很覺傷心，所以把古人講立志的話，一句一句的講出來，我自己再加些注釋，列位要看了，再沒有一些兒感動，那就眞眞對不住我的苦心了。」、「吃也不得吃，住也沒處，就同畜生一般……共法國的巴士的獄比起來，還要壞得萬倍，眞眞是十八層阿鼻地獄了」（註一一八）等等，在他的文章中俯拾即是，平實暢達，理氣條貫，自由活潑，易於理解。

「深長」的風格，則是在於他爲文博洽精深的思想。劉師培隨著政治上投入，生活閱歷日深，對事物的觀察分析常有獨到之處。他不僅看到人看不到的層面，而且常把感人的愛國情思注入到細若草芥的事物之中，而透露出時代精神。如〈軍國民的教育〉是篇深刻的作品，隨著時間的推移，又具有新的詮釋。「軍國民教育」，是教育的一環，這樣的教育，人人都知道，但卻沒有認眞想過。劉師培思想敏銳，情思無限，他從平凡的事物中挖掘出耐人深思的道理。他說：

軍國民的教育，是現在教育中頂要緊的，但教育一層，又要著重精神教育。

他認爲第一要有國家思想，德國軍士讀愛國歌，法國百姓誦國恥歌，日本軍士有太和魂，中國軍人企待建立此種精神。第二要具備普通學問，所以應重視學校教育，這其中包括體育、衛生、智育等項，而其中又應著重教育「本國的軍備」、「海防陸防的要務」、「戰爭的歷史」、「名將勇士的傳記」。第三要存名譽心。第四要有勇壯體魄。時至今日，我們重溫〈軍國民的教育〉仍感到有深刻的現實意義。

此外，以深遠的含意，賦予作品强大生命力。他寫黃宗羲時，借用黃宗羲來說明學生可干政：

譬如天下有一件事情，皇帝一個人說他好，是靠不住的，皇帝一個人說他壞，也是靠不住的，都要學堂裏邊人說他好，纔算是眞好，學堂裏邊人說他壞，纔算是眞壞，這學堂裏邊的人，都是可以議論國家的大事，共皇帝違拗的。（註一一九）

文中從自由平等的角度來闡釋此深刻道理，援古証今，把古今事理說得很融洽淺明，無怪作品有旺盛的生命力。再如他宣揚激烈破壞的觀念說：

從前法國有兩個文豪，一箇叫盧梭，一個叫做孟德斯鳩，他說的話，都是激烈不過的，那巴黎的革命，就是被他鼓動起來的。又日本有兩個志士，一個叫高山正之，一個叫做蒲先秀實，他說的話，也是激烈不過的，那日本的尊王攘夷，也是被他鼓動起來的。（註一二〇）

以例證激勵大眾實行破壞。這樣的寫法，在他的文章中比比皆是。他生平涉獵甚廣，博聞强記，寫作時信手拈來，如數家珍，讀他的文章如入寶山，開卷有獲。

劉師培的白話文著重寫重大題材，表現壯闊時代新精神與新見解。他的文章或批評封建專制，或稱頌革命英雄，或描畫膚淺學人，或追求法治平等，或針砭國民弱點，多能從新的角度，新的方法，把記事、議論、抒情熔於一爐，令一新耳目。

第五節　白話文的評議

劉師培於學無不窺，爲文又善於指事類情，他的白話文在內容上，第一個特點是思想解放，暢所欲言。無論是說君禍、論革命，都敢想敢講，無所顧忌。毫不畏縮的批判君主專制；義正辭嚴的訓斥國民的奴性；苦口婆心的告誡民眾應自立自强；剴切入理地分析如何制定法律；不厭其煩的講解教授國文的方法等，形成晚清學界突出的特色。劉師培的文章，表達了當時人們欲說而不能說，不敢說，甚至說不出的心意。第二個特點是大膽抨擊現實，切中時弊，極富批判精神。文章善於在對比中論說事理，或用平和待時與激烈破壞相比；或以中外法律刑罰制度相論；或以實學與空學相較等，這種對比論證，便於說明事理，表示愛憎，贊成與否定鮮明，以致使民眾是其所是，非其所非，充分表現敢於正視現實，面對問題的精神。第三個特點是直陳政見，暢論理想。在批判中提出自己的主張，且目標集中，簡明凝煉，容易被群眾理解，富於動員輿論，動員力量。

劉師培通過本身的實際創作，破舊造新，體現他自己的白話文主張，作品通俗化，而且智愚共賞，與當時艱深古奧的陳腐氣，或間雜以外來語法的洋化氣作品截然不同，而能建立獨樹一幟的特色。不過，劉師培的白話文尚有不完善的地方，那就是文白夾雜，在他作品裏，常可見到「嘗在項燕軍裡面視日，又事過春申君」（註一二一）或「將安平各地的城池，悉行墮盡」（註一二二）或「與其故意艱深，何如出之淺易」（註一二三）等很不自然，這是白話文嘗試期往往不可避免的現象，從整體來看，他的白話文語言已擺脫古文的窠臼，而且具有口語的韻味。

至於他的白話文何以沒有引起後人的關注，推其緣由：

首先，近代文學萌芽之日，正値戰爭變革之際，社會動蕩不安，多數作家作品散在四方，況且有許多作品經常不署名，導致「近代文學資料，有三個特點：繁、碎、亂，而且還有相當一部分手抄孤本，仍流存在一些專家個人和作者親屬手裏。」（註一二四）爲研究者帶來不少困難。

其次，劉師培雖曾大力鼓吹革命，其後卻因與章太炎有隙，轉而爲兩江總督端方收買，爲清廷秘密偵刺革命黨人資料而遭人非議；民國初年更著〈君政復古論〉勸進袁世凱稱帝。二次變節，爲識者所鄙。使得許多研究者多著眼其游移不定，依違兩可的政治態度，而忽略了他在白話文學上的貢獻（註一二五）

第三，劉師培重要論述向以經學、駢文著稱，白話文的成績遂爲所掩，以致學界在列舉他代表作時，對這些白話作品幾乎都隻字不提。

劉師培一生讀書撰述，留下宏富的著作，在辛亥革命前他的白話文乍然出現，給人留下鮮明清新的印象。用他自己的話來說，他是一位「先時人物」（註一二六）且是一位積極的政治家，對外患日逼，內亂頻仍，社會黑暗，時局險惡有相當的認識，時時爲國家民族的安危而不安。寫白話文，對他來說，並非感情的寄託，而是以筆代舌，和時代同脈動，與百姓共呼吸以批判現實，實現理想的工具與手段。他的白話文多著眼於「群體」、「國家」、「民族」，所以在內容上不僅豐厚深刻，在語言與形式上有大幅革新，在藝術上也有相當成就。

一般說來，新文體不避俗言、俚語，使古文白話化，使文言白話的距離比較接近，但它既不是純粹文言，也不完全是白話，只是新舊文體的折衷；加上文中吸收外來語與文法，難免出現生澀與複沓的毛病。劉師培的白話文則銳意革新，一改文言與外國語法的渣滓。在思想內涵的開拓，題材的寬廣，情感的表達，技巧的鍛鍊上，都開創出另一高峰，成爲現代白話文必經的橋樑。劉師培在白話文上努力的成果，在晚清文學發展上，是很值得注意的。

【附註】

註一　引文見阿英〈傳記文學的發展〉，《中國近代文學論文集》頁二九九。

註二　見《中國白話報》第二十一二三四期。

註三　〈中國革命家陳涉傳〉，《中國白話報》第十九期，頁十二。

註四　〈中國排外大英雄鄭成功傳〉，《中國白話報》第二十期。

註　五〈孔子傳〉，《中國白話報》第十三期。

註　六　同上註。

註　七〈中國歷史教科書〉凡例云：「讀中國史書有二難：上古之史多荒渺，而記事互相歧，後世之史咸浩繁，而記事多相襲。……西國史書多區分時代，而所作文明史復多分析事類。」，《遺書》第四冊，頁二四六三。

註　八〈孔子傳〉，《中國白話報》第十期。

註　九〈劉練江先生的學術〉，《中國白話報》第九期。

註一〇　同註四。

註一一〈板蕩集詩餘〉，《中國白話報》第十二期。

註一二　同註七。

註一三〈中國地理教科書序〉，《遺書》第四冊，頁二五六八。

註一四〈論亞洲山幹山脈〉，《中國白話報》第二十一二三四期。

註一五〈西江遊〉，《中國白話報》第八期。

註一六〈編輯鄉土志序例〉，《遺書．左盦外集》卷十一，第三冊，頁一八三一。

註一七　王爾敏〈清季知識分子的自覺〉，《晚清政治思想史論》，頁二八。

註一八〈王船山先生的學說〉，《中國白話報》第七期。

註一九　〈中國理學大家顏習齋先生的學說〉，《中國白話報》第五期。

註二〇　〈崑崙吟〉後附記，《中國白話報》第四期。

註二一　康有爲〈上清帝第一書〉。

註二二　陶成章《浙案紀略》，頁一四——一五。

註二三　同上註。

註二四　〈中國革命史論〉，《民報》第一號。

註二五　〈刑法〉，《中國白話報》第十三期。

註二六　〈民勞集〉，《中國白話報》第二十期。

註二七　〈中國歷史大略〉，《中國白話報》第十九期。

註二八　〈普告漢人〉，《遺書・左盦外集》卷十四，第三冊，頁一九二三。

註二九　同註一一。

註三〇　〈教育〉，《中國白話報》第十五期。

註三一　〈學術〉，《中國白話報》第九期。

註三二　同註一八。

註三三　〈講民族〉，《中國白話報》第十五期。

註三四　同註一八。

註三五　郭廷以《近代中國史綱》上冊，頁二九六——二九八。

註三六　孫文〈檀香山興中會成立宣言〉，《辛亥革命》第一冊，頁八五。

註三七　〈論列强在中國的勢力〉，《中國白話報》第二十一二三四期。

註三八　同上註。

註三九　〈長江遊〉，《中國白話報》第五期。

註四〇　同註十五。

註四一　〈論中國沿海的形勢〉，《中國白話報》第二十一二三四期。

註四二　劉師培曾舉其例云：「去年王之春做廣西的巡撫，怕會黨的了不得，想共法國借兵去平他，幸而留學生力爭，王之春削職，這法兵才不到廣西來。」見〈西江遊〉，《中國白話報》第八期。

註四三　同註九。

註四四　同註四。

註四五　同註四。

註四六　〈孔子傳〉，《中國白話報》第十四期。

註四七　同註四。

註四八　見《仁宗睿皇帝實錄》第二〇二卷，頁三；魏源《聖武記》卷十三。

註四九　同註二五。

註五〇〈說君禍〉，《中國白話報》第十一期。
註五一　同註二六。
註五二〈黃黎洲先生的學術〉，《中國白話報》第六期。
註五三〈說法律〉，《中國白話報》第十一期。
註五四　同註二五。
註五五　同註二六。
註五六〈論中國人民依賴性之起源〉，《警鐘日報》光緒三十年四月三十日。
註五七　見魏源《默孤・學篇》。
註五八《飲冰室文集・愛國篇》。
註五九　同註三一。
註六〇　同註五二。
註六一　同註二六。
註六二〈講教育普及的法子〉，《中國白話報》第十三期。
註六三〈中國思想大家陸子靜先生學說〉，《中國白話報》第十八期。
註六四　同上註。
註六五〈說立志〉，《中國白話報》第二十一二三四期。

註六六　同註一九。

註六七　同註九。

註六八　同註六五。

註六九　同註六五。

註七〇　同註六五。

註七一　同註六三。

註七二　同註六五。

註七三　同註一九。

註七四　見《中國白話報》第十一期歌謠。

註七五　同註三。

註七六　〈論山脈〉（南幹），《中國白話報》第十五期。

註七七　〈論中國古代教育之秩序〉，《警鐘日報》光緒三十年四月四日。

註七八　〈教育普及議〉，《警鐘日報》光緒三十年四月二十日。

註七九　同註六二。

註八〇　見《清末籌備立憲擋案史料》下冊，頁一〇〇一。

註八一　見《湘報類纂》甲編，卷上。

註八二　同註七四。

註八三　同註七四。

註八四　同註五十。

註八五　同註五二。

註八六　同註三十。

註八七　同註六三。

註八八　〈孔子傳〉，《中國白話報》第十四期。

註八九　同註一九。

註九〇　同註七七，四月四、五日。

註九一　見《嚴復集》第三冊，頁五六。

註九二　同註七九。

註九三　同註三一。

註九四　同註三一。

註九五　同註五。

註九六　〈論謀篇之術〉，《專家文》四，頁一四。

註九七　見李漁《閑情偶記，詞曲部，結構第一》。

註九八　見曾國藩《曾文正公日記》卷下。
註九九　同註二五。
註一〇〇　同註七六。
註一〇一　同註一五。
註一〇二　同註三七。
註一〇三　同註一八。
註一〇四　同註五二。
註一〇五　同註五二。
註一〇六　同註二五。
註一〇七　〈論激烈的好處〉，《中國白話報》第六期。
註一〇八　〈泰州學派開創家王心齋先生學術〉，《中國白話報》第十七期。
註一〇九　同註一九。
註一一〇　同註三三。
註一一一　同註八六。
註一一二　同註八六。
註一一三　同註五二。

註一一四　同註三三。

註一一五　同註五二。

註一一六　同註三一。

註一一七　〈孔子傳〉，《中國白話報》第十三期。

註一一八　同註五二。

註一一九　同註一〇四。

註一二〇　同註一〇一。

註一二一　〈中國革命家陳涉傳〉，《中國白話報》第十七期。

註一二二　〈中國排外大英雄鄭成功傳〉，《中國白話報》第二十一二三四期。

註一二三　〈講教授國文的法子〉，《中國白話報》第十四期。

註一二四　〈中國近代文學大系編輯構架〉，《中國近代文學爭鳴》，頁一。

註一二五　例如：葉易《中國近代文藝思想論稿》說：「甚至對劉師培這樣爲滿清官僚端方做密探的頑固文人，章太炎也盡力庇護。」，頁一六〇。又如〈近代中西文化論爭的歷史反思〉一文云：「……並針對林琴南、劉師培之流『保存國粹』反對新文化的主張，給予了尖銳的批駁。」見《近代中國與近代文化》，頁一四五。再如《中國現代文學辭典》國粹派條；「封建復古主義派別之一，五四新文化運動的反對派。代表人物有劉師培、黃侃、林紓等。因籌辦《國粹叢編》而被稱爲國粹派，又叫封建復古派，封建守舊派。」頁三五七。諸如此類，不勝枚舉。

註一二六　同註三。

第十二章　結　論

翻開一部中國近代史，面對列强憑陵，民族危亡，狼烟兵燹，時事多艱的時代，中國在硝烟血淚中，蹒跚步入覺醒、蛻變、開放的社會。劉師培就在這樣一個苦難歲月中，活躍於人生的舞台。其間，他一方面參與革命活動，以其非凡功績，名噪一時；一方面扮演叛逆失節角色，遭世人嘲弄與唾棄；然而他在學術研究上，又爲後人留下足資參鏡的成果。可見他是一位相當複雜的人物。因此，有必要先探討他一生論定的問題。

綜觀他的一生，大致說來，家學、交遊及時代影響，構成他曲折紛繁的生命之歌。

在家學方面，除他本身天秉至高外，更重要是來自家學淵源，世代傳經，幼受其教，打下深厚國學根基，終其一生，以倡導研究國粹爲職志。他於中西文化接觸，新舊交替之時，能得風氣之先，不默守傳統，以振興國學爲反帝救亡，攘夷保民之途。他以深厚的家學，橫溢的才華，犀利的筆鋒，旁徵博引，左右逢源，使革命學者揚眉吐氣，使清廷爲之竦懼震慄。在他的著作中，既可看到深厚的國學實力，又可發現符合新時代的思想內涵。

在交遊方面，回顧他曲折反複的一生，與其交遊有密切關聯。早年因家風陶染，冀望借科舉進入仕途，但在家境衰落和會試失敗後，卻因友人慨然引介，開始他人生與思想的轉折。他和當時一群蒿目時艱的知識分子相濡以沫，抨議時政，芥視權幸，褒貶人物，眞可謂驚世駭俗。例如他與章太炎爲商榷學術，切磋道義的忘年之交，其中甘苦曲折，成爲學界佳話；在張繼的援荐下，踏上無政府之路；與蔡元培定交，對於他一生政治、學術均有影響。亦妻亦友的何震，推陷他走上背食盟誓，變節勸進的不歸路，遭人排抑，以致輾轉北國，間關道路，不與時偶，終至悲苦不可自拔。與黃侃雅志相投，師生歡洽，其學遂得以賡傳；與錢玄同、桂南馨友誼深厚，在其沒世後，歷經艱辛，刊布遺著，流露友情的光輝。我們看到他因友朋而寫下生命史上絢麗的樂章，亦因交遊而拂逆輿情，陷入矛盾牽連的煉獄。就思想而言，他依然是眞誠的愛國者，因閱世未深，受二三朋輩牽制，即改變自己追求方向，甚至慘遭踐踏與屈辱，懷著極端沉重的心情，告別往日踔厲奮發的生涯，但我們不應忽略潛藏在他內心的憂時憂國和不甘墮落的痛苦靈魂。

在時代方面，中國陷入半殖民地的泥坑中，民生塗炭，每位愛國志士，都抱著反清反帝，救亡圖存的決心。面臨連串巨變，他於憂思低徊中，走出書齋，面對社會，緊隨時代脈搏，成爲革命的先鋒，這一切不能不說是拜時代所賜，帶來他生命中噴薄飛躍的光彩。他敏銳地覺察到國家深重危機根源，以前無古人的氣魄，會通中外，指陳救亡之路，時代驅策著他，而他也譜下了時代的心聲。

當他誤入端方之幕後，在袁世凱翻雲覆雨之際，他卻成爲「籌安會」的附和者。雖然他們之間有相當距離，但他坐昧先機，作繭自縛，捲入時代政局的漩渦，再次被推到舞台，陷入難以自拔的泥沼。在社會時局五花八門，新陳代謝的急促步伐中，是聽命感情的驅使，還是順應時代發展？對於一個思想單純地讀書人而言，他的抉擇給後人留下許多警醒的教訓。

他一再遷變的心靈軌跡，也反映了中國近代變遷發展的曲折性與豐富性，在時代强力的漩渦中，他欲肆力學術，卻猛志常存；欲革新政治，卻無能爲力；欲遠棄宦海，卻難以超拔，對這樣一位歷史人物，理解比評價更重要，因此，把他政治和學術混爲一談的任何說法，皆不足爲訓。

雖然劉師培受到來自各方的影響而屢變，我們還是應該注意到他於國家危難之際，自始至終所流露的憂患意識。他對生靈塗炭的悲憫，對神州陸沉的痛惜，生發出改造社會的宏偉抱負，擔負起時代責任。其次，具有批判精神，不僅對現實批判，對傳統學術亦以批判眼光去研究，散發出科學、民主的時代光芒。又其次，實踐情操，投身革命潮流，勇於赴難，探求改革社會方案，並且思索、比較、選擇合適的東西方思想學說，用舌與筆，掃除社會和學界的蔽障。

在近代中國，許多人或用生命、或用智慧，一點一滴澆灌著自由的花朵，一絲一縷塗抹著生命的霞彩，以迎接一個繽紛的新世界，而劉師培也就在這裡完成他個人的生命意義，寫下他短暫而璀璨的一生，以及許多值得我們深思的地方。

晚清既是傳統文學的總結，又是新文學誕生孕育的時期。其間雲蒸龍奮，名家迭出，創作和批評論著汗牛充棟，各種文體名篇不斷問世。而人們評價劉師培的成就時，總只說他是著名國學大師，政

治活動家，教育學者，無人提及他傾注心血且成果斐然的文學，無怪乎錢基博慨嘆道：「其生平文章之譽，掩於問學。」（註一）

實際上，他在文學研究上提出許多別出機杼，發前人所未發的見解，取精用宏，頗多創獲，爲中國近代文學的發展做了開拓性貢獻。就文論來說，他重視文學特質，力倡儷偶韻語之文，提出俗語文學的重要性等，均給後世文壇留下深刻地啓示。至於以地理背景論區劃南北文學之不同，更是別開生面，另闢蹊徑之說。其他像創作論、文體論、文學史研究等，都提出精湛見解，無論就理論的深刻性，思想的系統性來說，都開源發流，翔瞻而簡易，典顯而精鑿。雖是對古代文學的研究，他卻力圖擺脫舊說，推動古代文學研究的現代化，確有許多新穎可取的意見，尤其對現代文學理論的建設，不乏多方面、多角度的啓示，可供我們採擇。

就創作而言，他用力甚勤，成果豐厚，作品富有表現力，異彩紛呈，所以黎錦熙稱其：「文采麗都，晚更典則。」（註二）他的散文，具有獨特思想內涵，汪洋恣肆，且絢麗多姿。韻文則眞情坦露，無所矯飾，同時兼善駢文，情韻綿邈，紛紜萬狀。最難得的是，創作大量白話文，鼓動風潮，動員輿論，無論在內容或形式上，都是晚清白話文學的先導。可見劉師培在文學上的造詣，是全面而又富獨創性的。

劉師培之所以在文學上取得卓越成就，歸納而言，有幾個特點可供參考：

第一，「精勤鑽研」、「浸潤自得」（註三），是他研究文學一貫遵循的方法。他一生治學施教，以「涵詠久之」、「沉潛自得」爲依歸，而批評那種淺嘗輒止，輕率從事的態度。所以，他對所有的作品都能熟讀成誦，潛心鑽研，得其神髓。

第二，從本文入手，求其本義，究其底蘊。譬如《中古文學史》、《漢魏六朝專家文》等，就掌握大量原始資料，得出許多深刻見解，而沒有牽強附會之弊，因而，他一系列的論述，都能深中肯綮，給後人開啓治學門徑。

第三，善於通觀全面，抓住關鍵。他能從紛紜萬象中，提煉其綱領，運用系統分析，與清晰的表述，將難以言傳的妙旨，一一點出，論析入微，提高了研究的精確度與深廣度。

第四，理論與創作並濟，創作可爲理論驗證。他秉持其理論，爲文學創作活動灌注生命活力，其作品之成功，正因實踐理論而得，所以，內容與形式相輔相成，文辭與質實相得益彰，形成典麗雋永的特色。

劉師培學殖贍博，著述等身，他的文學研究和文學創作，涉及範圍廣闊，且提出許多創發性見解，開啓無數法門，沾溉後學無限，在晚清文壇是一位承先啓後，力挽狂瀾的巨匠。因此，我們不能忽視他在文學上的開拓與創發之功；尤其在近代世變日亟，文風轉易之關鍵上，劉師培文學成就所具之時代意義，誠不可低估。

【附註】

註一　見錢基博《現代中國文學史》，頁一〇七。

註二　《遺書》第一冊，頁三三。

註三　見《專家文》，頁五二、八。

註四　〈近代漢學變遷論〉，《遺書・左盦外集》卷九，第三冊，頁一七八四。

劉師培生平年表

清光緒十年（一八八四年　甲申）　一歲

六月二十四日（農曆閏五月二日）生於江蘇儀徵縣。曾祖文淇，祖毓崧，伯父壽曾，父貴曾，母江都李祖望次女李汝諼。

是年，父年三十九，晚年得子。

七月，法軍入犯閩海，福建水師敗於馬尾，傷亡七百餘人。

十月，法軍再進攻台灣基隆。

是年，梁啓超十二歲。康有爲醞釀編著《大同書》。

清光緒十一年（一八八五年　乙酉）　二歲

六月，李鴻章與法國代表於天津簽訂《中法新約》，中法戰爭結束。

十月，福建省台灣府改爲台灣省，劉銘傳爲第一任台灣巡撫。

清光緒十二年（一八八六年　丙戌）　三歲

十一月，廖平撰成《古今學考》付梓。

清光緒十三年（一八八七年　丁亥）　四歲

母李氏授以《毛詩》，琅琅上口，解釋《爾雅字義》，無一錯誤。

二月，光緒皇帝載湉親政，頒詔天下。

十二月，清廷與葡萄牙簽訂《里斯本議定書》，承認澳門為葡萄牙殖民地。

是年，李鴻章組織「天津鐵路公司」。

清光緒十四年（一八八八年　戊子）　五歲

歲末家人為其備小桌，置門前，上列筆硯，為人書春聯，能作擘窠大字，一時有神童之稱。

伯父富曾應鄉試中舉人。

康有為到北京應「順天鄉試」，十月，第一次上書光緒皇帝，請求變法維新，提出「變成法」、「通下情」、「慎左右」三條綱領。

清光緒十五年（一八八九年　己丑）　六歲

父貴曾中副貢，侯選直隸州州判。

二月，光緒皇帝行婚禮大典。

三月，慈禧太后宣布「歸政」，光緒皇帝正式「親政」。

清光緒十六年（一八九〇年　庚寅）　七歲

四月，湖廣總督張之洞在武昌創立兩湖書院。

是年，康有爲在廣州聚徒講學，並從事著述。

清光緒十七年（一八九一年　辛卯）　八歲

學《周易》變卦之法，日變一卦。

八月，康有爲在廣州設立學堂，《新學僞經考》一書刊行。

九月，湖北發生「宜昌教案」，英、美、法等九國公使聯合將各國軍艦駛至漢口、宜昌恫嚇清廷。湖廣總督以判處民眾，賠款結案。

清光緒十八年（一八九二年　壬辰）　九歲

從父顯曾及進士第，官甘肅道監察御史。

七月，孫中山畢業於香港西醫書院。

是年，鄭觀應增訂《救時揭要》爲《盛世危言》。

清光緒十九年（一八九三年　癸巳）　十歲

十二月，中英簽訂《藏印續約》。

清光緒二十年（一八九四年　甲午）　十一歲

一月，湖廣總督張之洞奏設湖北自强學堂。

六月，孫中山上書李鴻章，要求改革，遭拒。

七月，中日戰爭爆發。

十一月，孫中山在檀香山創立興中會。

清光緒二十一年（一八九五年　乙未）　十二歲

讀畢四子書、五經和試帖詩。後又隨母學習《毛詩鄭箋》、《爾雅》、《說文解字》等。

四月，李鴻章與伊藤博文簽訂《中日馬關條約》。

梁啓超等人紛紛上書，力言台灣不可割讓。

五月，康有爲發動公車上書，提出拒簽和約、遷都抗戰、變法圖强三項主張。

八月，康有爲在北京創辦《萬國公報》，後改名爲《中外紀聞》。

十月，上海强學會成立，黃遵憲、陳三立、汪康年、章太炎等均參加。

清光緒二十二年（一八九六年　丙申）　十三歲

八月，《時務報》於上海創辦，梁啓超任主編，汪康年任經理，以變法圖存爲宗旨。

是年，張之洞奏派二人赴日留學，爲中國遣留學生的開始。

清光緒二十三年（一八九七年　丁酉）　十四歲

從兄師蒼中拔貢，舉於鄉。

十一月，嚴復、夏曾佑等在天津創辦《國聞辦》，嚴復所譯《天演論》在此報連載。

十二月，康有爲所著《孔子改制考》一書刊行。

是年，梁啓超與黃遵憲一起提倡「詩界革命」。

清光緒二十四年　（一八九八年　戊戌）　十五歲

三月，父貴曾病卒，年五十四。

三月，康有爲在北京成立「保國會」，以保國、保種、保教爲宗旨。

四月，嚴復譯英人赫胥黎《天演論》出版，以「物競天擇，適者生存」等觀點，換起國人救亡圖存。

張之洞發表《勸學篇》，主張「舊學爲體，新學爲用」。

六月，譚嗣同《仁學》出版。

光緒皇帝下詔「明定國是」宣布變法，「百日維新」開始。

八月，清廷設立譯書局，以備博選通才。

九月，慈禧太后再出「訓政」，幽禁光緒皇帝於瀛台，下令通緝康有爲。

「戊戌六君子」譚嗣同、楊銳、劉光第、林旭、楊深秀、康廣仁在北京菜市口被殺害。

十一月，梁啓超在日本橫濱創辦《清議報》，並陸續於《清議報》上發表《戊戌政變記》。

清光緒二十五年　（一八九九年　已亥）　十六歲

九月，美國國務卿海約翰提出「門戶開放」政策。

十一月，法軍入侵廣州灣，與清廷訂立《廣州灣租界條約》。

是年，康有爲派梁啓超到檀香山辦「保皇會」，梁氏自此開始使用「飲冰室主人」的筆名。

章炳麟著《訄書》木刻本出版。

清光緒二十六年（一九〇〇年　庚子）　十七歲

六月，八國聯軍進攻北京。

八月，慈禧太后挾光緒皇帝逃往西安。

十月，帝俄占東三省。

十二月，列强向清廷提出《議和大綱十二條》，清廷竟一概照允。

是年，中國留日學生在東京成立「勵志會」。

清光緒二十七年（一九〇一年　辛丑）　十八歲

應揚州府試，補縣學生員。

一月，清廷下詔變法。

五月，王國維等在上海創辦《教育世界》。

九月，清廷派奕劻、李鴻章等與十一國代表在北京簽訂《辛丑條約》，中國賠款白銀四億五千萬兩。

清光緒二十八年（一九〇二年　壬寅）　十九歲

秋，至南京參加補行庚子辛丑恩正並科鄉試，得中舉人。從兄師蒼親送其應省試，至縣境泗源溝，不幸落水身死，時年二十九，士林痛惜之。
冬，師蒼遺腹子崇儒生。
二月，梁啓超在日本橫濱創辦《新民叢報》，鼓吹君主立憲。
四月，孫中山、章炳麟、秦力山等在日本橫濱舉行「中夏亡國二百四十二周年紀念會」。
蔡元培、黃炎培等在上海成立「中國教育會」，推蔡元培爲會長。
十一月，成立「愛國學社」，蔡元培爲總理，章炳麟、黃炎培等爲教員。

清光緒二十九年（一九〇三年　癸卯）　二十歲

春，至開封參加會試，不第。在王鍾麒、林少泉攜帶指引下來到上海。結識章炳麟、蔡元培、鄒容、張繼、陳獨秀、蘇曼殊等愛國學社革命志士。鄒容並贈送親筆隸書「中國自由神出現」七個大字。
三月十、十一日，於蘇報發表《留別揚州人士書》，決心革命，後因回揚州宣傳革命，遭追捕，逋逃至上海，自此先後爲《蘇報》、《國民日日報》等報刊撰稿。
夏秋，與蔡元培、葉瀚、陳競全、王季同、陳去病、林獬等共同發起「對俄同志會」。
十二月，參與創辦《俄事警聞》，反對帝俄侵略中國東北，宣傳俄國虛無主義。
是年，改名「光漢」，表示「攘除清廷，光復漢族」之決心。撰著《攘書》、《中國民約精義》等篇。

二月，浙江留日學生孫翼中、蔣方震等在東京創辦《浙江潮》。

三月，江蘇留日學生秦毓鎏、黃宗仰等在東京創辦《江蘇》。

四月，俄國妄圖永久控制東三省向清廷提出七項要求，上海各界招開拒俄大會。在東京，五百餘人中國留日學生組成拒俄義勇隊。同時，上海愛國學社百餘人也組成拒俄義勇隊。清廷勒令通緝蔡元培、章炳麟、吳稚暉等。

五月，黃興、陳天華等將義勇隊改組爲「軍國民教育會」，以「養成尚武精神，實行民族主義」爲宗旨，上海拒俄義勇隊也同時改名爲「軍國民教育會」。

鄒容《革命軍》在上海大同書局出版。

六月，章炳麟在《蘇報》公開指斥光緒皇帝「載湉小丑，未辨菽麥」，並詈罵清廷爲「野雞政府」。清廷逮捕章炳麟，《蘇報案》發生。

七月，鄒容以《蘇報》案自投入獄。

志士沈藎首先揭露《中俄密約》遭捕，隨即被杖死。

八月，章士釗、張繼等在上海創刊《國民日日報》。

十一月，高天梅在松江創辦《覺民》。

十二月，林獬在上海創辦《中國白話報》，以「鼓吹愛國救亡」爲宗旨。

清光緒三十年（一九〇四年　甲辰）　二十一歲

一月十二日，以光漢署名，給湖廣總督端方措詞激烈的勸降書。

三月，「對俄同志會」改名「爭存會」，《俄事警聞》改名《警鐘日報》，與林獬等共同擔任主編。

其後，又相繼參加蔡元培等主持的「軍國民教育會」、「暗殺團」。六月，回鄉與何家輅之妹何震結婚，攜妻急返上海，何震隨即入愛國女社就讀。

十一月，參與策劃萬華福謀刺廣西巡撫王之春，行刺未成，黃興等幾十名革命志士被捕。

年底，參加鄧實、黃節發起的「國學保存會」。並爲《中國白話報》撰稿，加入「光復會」。

何震從父母兩姓，自署何殷震。

五月，清廷判處章炳麟監禁三年，鄒容監禁二年。

十一月，陶成章、龔寶銓、蔡元培等在上海成立「光復會」，推蔡元培爲會長，以「光復漢族，還我山河，以身許國，功成身退」爲宗旨，以暗殺和暴力爲革命手段。

清光緒三十一年（一九〇五年　乙巳）　二十二歲

年初，至台灣。

二月，與鄧實在上海創辦《國粹學報》，以「發明國學，保存國粹」爲宗旨。

三月，《警鐘日報》因責斥德國侵略而遭租界當局封禁，逃至嘉興革命黨「浙西大俠」敖嘉熊處避難，協助溫台處會館事約半年。

年底，投奔蕪湖安徽公學，任歷史與倫理教員。爲避清廷耳目，化名金少甫，繼續從事革命活動，並受陳獨秀邀荐，到皖江中學教書。

四月，鄒容不堪虐待死於上海英租界獄中。蔡元培與中國教育會同仁在愚園舉行進悼大會。

八月，同盟會在東京開成立大會，公開《同盟會宣言》，推孫中山爲總理，製定「驅除韃虜，恢復中華，建立民國，平均地權」政治綱領。

徐錫麟、陶成章等在紹興創辦「大通師範學堂」，以「師範」名義，在國內祕密建立第一個訓練會黨成員的學校。

十月，袁世凱請廢科舉，設學堂。

吳樾炸清廷出洋考察憲政的五大臣，吳樾壯烈犧牲。

《醒獅》月刊在東京創刊。

十一月，同盟會機關報《民報》在東京創刊。

清先緒三十二年（一九〇六年　丙午）　二十三歲

年初，以教員爲掩護，在蕪湖展開革命活動，在校中發展百多位光復會員，影響最大的是「種族革命論」，省內外思想進步的青年咸慕名而來。夏，又邀蘇曼殊至皖江中學任教，當時陳獨秀、陶成章、柏文蔚、鄧繩侯等聚於是。同時，陳去病應徽州府中學之聘任歷史教員，經蕪湖遇師培，師培介紹他加入光復會。

六月二十九日，章炳麟三年監禁期滿，與蔡元培、柳亞子等人至河南路工部局迎候。受章炳麟之邀同赴日，當晚登輪船赴日。

七月十五日，在東京錦輝館舉行歡迎章炳麟大會，會後，與章太炎同住新宿。

十一月，自日本歸國，擬在上海籌辦國粹學堂，預計明春開學，終因經濟無著而告失敗。

四月，《民報》發布《〈民報〉與〈新民叢報〉辯駁之綱領》十二條，全面披露革命派與改良派之間的原則分歧，展開激烈論戰，革命派與改良派的海外二十多份報刊，全部投入論戰。

六月，五大臣考察歸國。

九月，慈禧太后下令準備「仿行憲政」，任命端方爲兩江總督。

清光緒三十三年　（一九〇七年　丁未）　二十四歲

二月中旬，攜妻母、姻親汪公權，以及蘇曼殊東渡日本，抵達馬關，謁見孫中山，加入同盟會，應章炳麟之邀爲《民報》編輯。結識幸德秋水、堺利彥等日人。

四月，加入章炳麟等在日本發起組織的「亞洲和親會」，同時入會者有張繼、何震、蘇曼殊、陳獨秀等數十人。

六月，何震發起「女子復權會」。同時，劉師培夫婦二人創辦《天義報》，鼓吹無政府主義。蘇曼殊離開民報社，搬入天義報社，與劉師培夫婦同住，約住兩個月。

八月三十一日，與張繼在日本東京成立「社會主義講習會」。

十一月，端方廣出財帛，以羅偵探，收買何震與汪公權，脅迫劉師培淪爲端方密探，夫婦回國。

十二月，祕向端方上書，獻弭亂之策。

是年，提議改組同盟會，並想援引日人北輝次郎、和田三郎二人入同盟會爲幹事，但爲劉揆一拒絕。

冬，遊上海，與柳亞子、黃節、陳去病等聚會，醞釀成立「南社」。

二月，俞樾卒。

六月，吳稚暉、李石曾等人發刊《新世紀》，在巴黎創刊，宣傳無政府主義。

七月，光復會徐錫麟於安慶起義，事敗，慘遭殺害。秋瑾也在紹興謀起事，事泄被捕。

清光緒三十四年（一九〇八年　戊申）　二十五歲

二月，劉師培夫婦赴東京。

四月，爲避清廷注意，《天義報》停刊，決改出《衡報》，托名在澳門發行。

章炳麟私下告訴劉師培，何震與汪江權私通事，但劉師培沒有醒悟，卻與劉失和，並由劉之住處搬回《民報》社。

十月，《衡報》出刊。《民報》遭日本政府查禁。

十一月，劉師培夫婦歸。「社會主講習會」收場。

十二月，爲端方密探，身份尚未暴露。

一月，張繼因參加幸德秋水的講演會，被日警追捕，逃亡法國。

五月，孫詒讓卒。

八月，章炳麟、陶成章與孫中山有隙。

十一月，光緒皇帝、慈禧太后死。

十二月，宣統皇帝溥儀即位，定明年爲宣統元年。

清宣統元年（一九〇九年 己酉） 二十六歲

夏，密告江浙革命黨人聯絡機關所在地，張恭被捕。事發後，王金發斥責劉師培變節賣友，劉師培以保全張恭自贖。不久，王金發處決汪公權。

八月，上海不能立足，移居南京，端方聘爲兩江督署文案兼三江師範教習。

冬，端方調赴直隸總督，上海報刊發表隨員名單，劉師培在其中。

是年，上書端方，建議仿照湖北、蘇州設立「兩江存古學堂」，培訓「國學教員」。

香港《中國日報》、巴黎《新世紀》等報刊先後公布章炳麟給劉師培、何震夫婦的五封信，引起軒然大波。

六月，直隸總督楊士驤卒，清廷命兩江總督端方爲直隸總督兼北洋大臣。

十月，大學士軍機大臣張之洞卒。

十一月，陳去病、柳亞子、高旭等在蘇州創立「南社」。

端方因在東陵拍攝慈禧葬儀，爲監國攝政王載灃以「恣意任性，不知大體」爲由，予以免職。

十二月，張謇等發起由江蘇、浙江等十二省諮議代表在上海成立「國會請願同志會」，發表通電，請求清廷速開國會，建立責任內閣。

清宣統二年（一九一〇年　庚戌）　二十七歲

年初，赴平津，任直隸督轅文案及學部諮議官職。

春，得女，名熲，不久，罹疾而幼殤。

二月，光復會正式從同盟會分裂出來，重在東京成立總部，章炳麟、陶成章爲正副會長。

十月，清廷成立資政院，行開院禮。

清宣統三年（一九一一年　辛亥）　二十八歲

九月，辛亥革命發生，端方帶兵至四川鎮壓保路運動，劉師培以參議官身份追隨前往。

十一月二十八日，端方在資州爲鄂軍起義官兵所殺，劉師培爲軍政分府拘留。

十二月一日，章炳麟發表保釋劉師培「宣言」。

一月，上海《國粹學報》停刊。

四月，同盟會在廣州起義，失敗。死難烈士七十二人葬黃花崗。

五月，清廷派督辦大臣端方前往籌理奥漢、川漢鐵路問題。

六月，川漢鐵咯代表成立四川保路同志會，推蒲殿俊、羅綸爲正副會長。
十月，武昌起義，各省紛紛響應，宣告獨立，清朝從此被推翻。
十二月，攝政王載灃退位，南北議和代表在上海英租界會議。

民國元年　（一九一二年　壬子）　二十九歲

一月十二日，章炳麟，蔡元培聯名在《大共和日報》登載《求劉申叔通信》。
一月二十六日，又共同聯電請求南京臨時政府設法營救，孫中山即電資州分府保釋，加之新督蒲殿俊與劉師培相沆瀣，遂獲釋。獲釋後，隻身逃往成都。
至成都，經謝旡量介紹到四川國學院任教，廖平主講經學，二人時相往還論學。
十二月二十二日，從兄師愼，以國家多故，行登南門譙樓仰藥自盡，年三十三。
一月，孫中山在南京宣誓就任臨時大總統。
二月，清宣統皇帝退位。
孫中山辭退臨時大總統職。
三月，袁世凱在北京就任臨時大總統。
七月，教育總長蔡元培等辭職。
十月，梁啓超自日本歸國。
十一月，《中國學報》於北京刊行。

民國二年（一九一三年　癸丑）　三十歲

赴山西，投入閻錫山幕下，充任高等顧問，何震到閻府擔任家庭教師。

創刊《國故鉤沉》。

三月，袁世凱派人於上海暗殺宋教仁。

六月，袁世凱向五國銀行借「善後借款」。

七月，李烈鈞宣布獨立，舉兵討袁，二次革命爆發。

九月，二次革命失敗。

十月，袁世凱以武力强迫國會選其爲正式總統。

十二月，袁世凱召開諮詢性質之政治會議，以代替國會，任李經羲爲議長。

民國三年（一九一四年　甲寅）　三十一歲

經閻錫山推荐給袁世凱，任「公府諮議」。

一月，袁世凱下令解散國會，停止參、眾兩院議員職務。

三月，設清史館，趙爾巽爲館長。

五月，章士釗主編《甲寅》雜誌，於東京創刊。

國史館成立，王闓運爲館長。

七月，第一次世界大戰爆發。

九月，袁世凱率各部總長、文武官員至北京孔廟舉行「秋丁祀孔禮」。明訂九月二十八日，中央與地方一律舉行「祀孔典禮」。

十二月，袁世凱至北京天壇祭天，並自封「終身總統」。

民國四年　（一九一五年　乙卯）　三十二歲

袁世凱任劉師培爲教育部編審。

八月，楊度發起「籌安會」爲復辟帝制，楊度、孫毓筠任正副會長，劉師培任理事。

十月，袁世凱明令劉師培署理參政院參政。

十一月，授予上大夫。

五月九日，袁世凱正式承認日本提出的「二十一條」要求。全國教育聯合會規定各級學校以每年五月九日爲「國恥紀念日」。

八月，袁世凱的憲法顧問美國政客古德諾發表《共和與君主論》鼓吹帝制。

十月，籌安會改組爲憲政協進會。

十二月十二日，袁世凱宣布承受帝位，旋改國號爲「中華帝國」，以明年爲「洪憲」元年。

二十五日，蔡鍔等組成護國軍，出兵討袁。

民國五年　（一九一六年　丙辰）　三十三歲

一月，與康寶忠等重組《中國學報》，任編輯，五月停刊，共出五期。

六月，袁世凱死後，淪爲帝制犯，狼狽遁入天津租界。

三月二十二日，袁世凱申令撤銷「承認帝位案」，仍稱大總統。

三月二十三日，下令廢止洪憲年號。

六月六日，袁世凱在全民聲討中去世。

七月，黎元洪就任大總統，章炳麟獲釋。黎元洪申令懲辦洪憲帝制罪犯，「籌安會」的發起人除嚴復外，均被通緝。

十二月，蔡元培任命爲國立北京大學校長。

民國六年　（一九一七年　丁巳）　三十四歲

流寓天津，幾無以爲生。幸經李經羲疏通，以「人才難得」獲保免罪。其後，蔡元培念舊情，聘劉師培爲北京大學中國文學門教授。

一月，胡適在《新青年》發表《文學改良芻議》一文。

五月，北京政府任命李經羲爲國務院總理。

七月，張勛等在北京擁戴清廢帝溥儀復辟，旋告失敗。

民國七年　（一九一八年　戊午）　三十五歲

三月，南北戰開始。

九月，徐世昌任總統。

十一月，第一次大戰停火。

教育部公布注音字母。

民國八年　（一九一九年　己未）　三十六歲

一月，任《國故月刊》總編輯。

三月，致函《公言報》否認與《新潮》對立。

十一月二十日，因肺病去世。死後，何震神經病發作，曾在北大校門外伏地痛哭，後削髮爲尼，法名小器，後不知下落。

五月四日，北京大學等十三校代表在天安門前集會並舉行示威遊行，反對巴黎和會決定，五四運動由此開始。

六月三日，全國相繼罷工罷市。

十日，曹汝霖等遭免職。

二十八日，拒絕在「巴黎和約」上簽字。

主要參考書目

本文所列資料凡分五類：首列劉師培專著資料；次為新聞資料；三為史料傳記；四為文學論著、文論專著；五為單篇論文、學位論文。除單篇期刊外，各書之出版年代，一律以民國為準。

一、

劉申叔先生遺書　劉師培　華世出版社　民國六十四年
中國中古文學史　劉師培　育民出版社　民國六十八年
漢魏六朝專家文研究　劉師培講述　羅常培筆記　中華書局　民國五十八年

二、

浙江潮　黨史會　民國五十七年
江蘇　黨史會　民國五十七年

蘇報　黨史會　民國五十七年
蘇報　學生書局　民國五十四年
國民日日報彙編　學生書局　民國五十四年
俄事警聞　黨史會　民國五十七年
警鐘日報　黨史會　民國五十七年
中國白話報　北京圖書館、上海圖書館
醒獅　北京圖書館
民報　黨史會　民國五十七年
國粹學報　文海出版社　民國五十五年
天義報　東京大安株式會社　民國五十五年
國故月刊　北京圖書館
中國學報　北京圖書館
國文月刊　北京圖書館

三、

史記　司馬遷　藝文印書館　未著年代

漢書　班固　藝文印書館　未著年代
後漢書　范曄　藝文印書館　未著年代
宋書　沈約　藝文印書館　未著年代
南齊書　蕭子顯　藝文印書館　未著年代
梁書　姚思廉　藝文印書館　未著年代
北史　藝文印書館　未著年代
隋書　魏徵等　藝文印書館　未著年代
史通通釋　浦起龍注　里仁書局　民國六十九年
文史通義校注　葉瑛校注　仰哲出版社　未著年代
清史稿　趙爾巽　新文豐出版公司　民國七十年
清史列傳　台灣中華書局　民國五十一年
光緒朝東華錄　朱壽朋纂修　臺灣銀行出版社　民國七十二年
續修江都縣志　錢保祥　成文出版社　民國六十四年
近代中國史綱　郭廷以　香港中文大學出版社　民國六十九年
中國近代史四講　左舜生　香港友聯出版社　民國五十一年
拒俄運動　楊天石　王學庄　北京中國社會科學出版社　民國六十八年

戊戌政變記　梁啓超　文海出版社　民國五十五年
辛亥革命（八冊）　柴德賡等編　上海人民出版社　民國七十年
辛亥革命　吳玉章　北京人民出版社　民國六十一年
辛亥革命　林增平　郭漢民　林育民　四川巴蜀書社　民國七十八年
辛亥革命史稿　金沖及　胡繩武　上海人民出版社　民國七十四年
辛亥革運動史稿　章開沅　林增平　北京中國人民大學出版社　民國七十七年
辛亥革命回憶錄　沈瓞民等　北京人民出版社　民國五十九年
革命逸史　馮自由　商務印書館　民國五十八年——六十六年
孫中山與辛亥革命　吳雁南　貴州人民出版社　民國七十五年
晚清政治思想史論　王爾敏　華世出版社　民國六十五年
中國近代思想史論　王爾敏　華世出版社　民國六十六年
近代中國思想史　郭湛波　香港龍門書店　民國六十二年
近五十年中國思想史補編　郭湛波　香港龍門書店　民國五十五年
晚清政治思想研究　小野川秀美著　林明德　黃慶福譯　時報文化公司　民國七十一年
從鴉片戰爭到五四運動　胡繩　上海人民出版社　民國七十四年
袁世凱與中華民國　白蕉　上海人文月刊社　民國二十五年

中國無政府主義史　徐善廣　柳劍平　湖北人民出版社　民國七十八年
中國無政府主義史稿　路哲　福建人民出版社　民國七十九年
論清末民初中國社會　蔡尚思　上海復旦大學出版社　民國七十二年
近代中國思想人物論（晚清思想、民族主義、保守主義、社會主義、自由主義五冊）　周陽山　楊肅獻　時報文化公司　民國七十一年
中國近三百年學術　梁啓超　華正書局　民國七十三年
清代學術概論　梁啓超　華正書局　民國七十三年
中國近代文化探索　龔書鐸　北京師範大學出版社　民國七十七年
近代中國與近代文化　龔書鐸主編　湖南人民出版社　民國七十七年
中國留學日本史　實藤惠秀著　譚汝謙　林啓彥譯　香港中文大學出版社　民國七十一年
中國報學史　戈公振　學生書局　民國七十一年
中國近代報人與報業　賴光臨　商務印書館　民國六十九年
中國新聞史（古近代部分）　北京中央民族學院出版社　民國七十七年
中國現代出版史料　張靜廬輯注　北京中華書局　民國五十九年
中國近代教育史資料　舒新城　北京人民教育出版社　民國五十年
清財政考略　吳廷燮　未著出版者　民國三年

儀徵劉孟瞻年譜　小澤文四郎　大華書局　民國五十八年
續碑傳集　繆荃孫等　藝文印書館　民國五十九年
碑傳集補　閔爾昌等　藝文印書館　民國五十九年
清代樸學大師列傳　支偉成　藝文印書館　民國五十九年
清代七百名人傳　蔡冠佑　香港遠東圖書公司　民國五十一年
清儒學案　徐世昌　世界書局　民國五十一年
民國人物小傳　劉紹唐　傳記文學出版社　民國六十四年——七十三年
民國人物傳　李新等　北京中華書局　民國六十七年
民國百人傳　吳相湘　傳記文學出版社　民國六十年
近代二十家評傳　王森然　北京書目文獻出版社　民國七十六年
中國近代人物論叢　北京三聯書店　民國五十四年
蘇報案紀事　章士釗　黨史會　民國五十七年
同光風雲錄　邵鏡人　鼎文書局　民國六十七年
辛亥革命前的蔡元培　周佳榮　香港波文出版社　民國六十九年
新文化運動前的陳獨秀　陳萬雄　香港中文大學出版社　民國六十八年
籌安會六君子傳　陶菊隱　北京中華書局　民國七十年

袁氏盜國記　黃毅　文星出版社　民國五十一年
洪憲慘史　復辟詳志　王建中　張贛盦　文海出版社　民國五十五年
南社紀略　柳亞子　上海人民出版社　民國七十二年
端忠敏公奏稿　端方　文海出版社　民國六十三年
黃遵憲詩評論（附年譜）　錢仲聯　文海出版社　民國五十八年
章太炎　姜義華　東大圖書公司　民國八十年
章太炎年譜長編　湯志鈞　北京中華書局　民國六十八年
章太炎思想研究　姜義華　上海人民出版社　民國七十四年
梁任公先生年譜長編初稿　丁文江編　世界書局　民國四十七年
蘇曼殊評傳　李蔚　北京社會科學文獻出版社　民國七十九年
胡漢民先生自傳　胡漢民　傳記文學出版社　民國五十八年
魏源集　北京中華書局　民國七十二年
曾文正公全集　世界書局　民國五十二年
張溥泉先生全集　張繼　中央文物出版社　民國四十年
劉忠誠公（坤一）遺集　歐陽輔之編　文海出版社　民國五十八年
魯迅全集　魯迅　北京人民出版社　民國七十八年

陳獨秀年譜　唐寶林　林茂生　上海人民出版社　民國七十七年
汪旭初先生遺集　汪東　文海出版社　民國六十三年
世載堂雜憶　劉成禺　文海出版社　民國五十五年
洪憲紀事詩本事簿注　劉成禺　文海出版社　民國五十五年
古春風樓瑣記　高拜石　新生報社　民國五十一年——六十六年
閻錫山早年回憶錄　閻錫山　傳記文學出版社　民國五十七年
魚千里齋隨筆　李漁叔　台灣中華書局　民國四十七年
早期三十年的教學生活　楊亮功　傳記文學出版社　民國六十九年
辛亥革命前十年時間時論選集　張枬　王忍之　北京三聯書店　民國六十七年
辛亥革命時期期刊介紹　北京人民出版社　民國七十一年
清代揚州學記　張舜徽　上海人民出版社　民國五十一年
子雲鄉人論稿　殷孟倫　山東齊魯書社　民國七十四年

四、

楚辭注八種　世界書局　民國七十年
楚辭集注　朱熹　華正書局　民國六十三年

文選　蕭統　華正書局　民國七十三年
全上古三代秦漢三國六朝文　嚴可均輯　日本中文出版社　民國七十一年
漢魏六朝百三家集題辭注　殷孟倫輯注　木鐸出版社　民國七十一年
曹集詮評　丁晏編　商務印書館　民國六十七年
阮籍集校注　陳伯君校注　北京中華書局　民國七十六年
庾子山集注　許逸民注　里仁書局　民國七十二年
陶淵明詩文彙評　臺灣中華書局　民國六十三年
王右丞集箋注　河洛圖書公司　民國六十四年
河東先生集　廣文書局　民國五十七年
劍南詩稿校注　錢仲聯校注　上海古籍出版社　民國七十四年
揅經室集　阮元　世界書局　民國五十二年
宋六十一家詞選　毛晉編　馮煦重刻　文化圖書公司　民國四十五年
飲冰室文集　林志鈞編　臺灣中華書局　民國六十七年
文心雕龍註　范文瀾　香港商務印書館　民國七十五年
文心雕龍讀本　王更生　文史哲出版社　民國七十四年
詩品注　汪中　正中書局　民國六十四年

文鏡祕府論校注　王利器　中國社會科學出版社　民國七十二年
六朝麗指　孫德謙　新興書局　民國五十二年
滄浪詩話校釋　郭紹虞　東昇出版社　民國六十九年
中古文學繫年　陸侃如　北京人民出版社　民國七十四年
漢唐文學的嬗變　葛曉音　北京大學出版社　民國七十九年
韓柳文研究　林紓　廣文書局　民國六十九年
柳文探微　章士釗　華正書局　民國七十年
文論十箋　程千帆　黑龍江人民出版社　民國七十二年
文論講疏　許文雨　正中書局　民國六十五年
照隅室古典文學論集上編　郭紹虞　上海古籍出版社　民國七十二年
藝概　劉熙載　華正書局　民國七十四年
談藝錄　錢鍾書　北京中華書局　民國七十三年
文體論　薛鳳昌　商務印書館　民國五十五年
文體分類淺談　徐召勛　安微教育出版社　民國七十五年
古代散文文體概論　陳必祥　文史哲出版社　民國七十六年
文章辨體序說　吳納　長安出版社　民國六十七年

文章明辨序說　徐師曾　長安出版社　民國六十七年
駢文概論　金秬香　商務印書館　民國六十九年
中國散駢文概論　方孝岳　莊嚴出版社　民國七十年
中國近代文學論文集（共六卷）　北京中國社會科學出版社　民國七十二年
中國近代文學作家論　任訪秋　河南人民出版社　民國七十三年
中國近代文學爭鳴第一輯　上海書店　民國七十八年
夢苕庵清代文學論集　錢仲聯　山東齊魯書社　民國七十二年
晚清白話文運動　譚彼岸　湖南人民出版社　民國四十五年
中古文學史論文集　曹道衡　北京中華書局　民國七十七年
中國歷代文論選　郭紹虞　木鐸出版社　民國七十年
中國近代文論選　郭紹虞　木鐸出版社　民國七十一年
清代文學批評資料彙編　吳宏一　成文出版社　民國六十七年
清人文集別錄　張舜徽　明文書局　民國七十一年
晚清文學叢鈔　阿英　北京中華書局　民國四十九年
晚清革命文學　張玉法　經世書局　民國七十年
清代文學　張宗祥　香港商務印書館　民國五十三年

中國新文學的源流　周作人　上海書店　民國二十三年
中國近代文學之變遷　陳子展　上海書店　民國二十三年
新文學運動史料　張若英　上海光明書店　民國二十三年
現代中國文學史　錢基博　台北影印本　未著年代
中國近代文學史　任訪秋　河南大學出版社　民國七十七年
中國新文學史　司馬長風　台北影印本　未著年代
中國近代文藝思潮論稿　葉易　上海復旦大學出版社　民國七十四年
中國近廿年文藝思潮　李何林　重慶生活出版社　民國二十八年
中國古文學史七書　王瑤等　鼎文書局　民國六十六年
中國散文史　陳柱　商務印書館　民國六十九年
中國散文史　郭預衡　上海古籍出版社　民國七十九年
中國駢文發展史　張仁青　臺灣中華書局　民國五十九年
中國駢文史　劉麟生　商務印書館　民國六十九年
中國韻文史　龍沐勛　樂天出版社　民國五十九年

五、

青谿舊屋儀徵劉氏五世小記　梅鶴孫　大陸內部油印稿
劉師培左傾又右傾　吳相湘　聯合報副刊　民國六十年七月廿三日
短命學人劉師培棄學從政失足恨　林斌　江蘇文物五期
大江南北兩劉三（劉季平劉師培）上下　陳敬之　暢流十八十二期、十九卷一期
記劉師培　醒醽　暢流卅五卷十二期
章太炎與劉申叔論數目　湘共零墨　中國時報副刊　民國五十年十月十四日
劉師培的懼內　劉心皇　中國時報副刊　民國六十六年八月八日
劉師培的無政府主義　吳雁南　貴州社會科學一九八一第五期
論劉師培的無政府主義思想　經盛鴻　南京大學學報一九八六第三期
劉師培與社會主義講習會　洪德先　思與言廿二卷五期
無治主義與傳統思想——劉師培　郭穎頤　香港中文大學中國文化研究所學報四卷二期
歷史的文壇兩大派——桐城與儀徵　徐凌霄　國藝一卷二期
北大感舊錄　周作人　傳記文學廿卷二、四、五期
關於亞州和親會　湯志鈞　辛亥革命史叢刊第一輯
記黃季剛先生文辭之美　劉太希　傳記文學四十六卷六期
社會主義講習會資料　楊天石　中國哲學第一輯

論天義報與劉師培等人的無政府主義　楊天石　王學庄　近代中國人物一九八三
論辛亥革命前的國粹主義思潮　楊天石　新建設一九六五年二月號
端方與預備立憲　潘崇雄　思與言廿二卷五期
辛亥革命時期部分人物別名錄　陳玉堂　辛亥革命史叢刊第五輯
清末民初的知識分子　張朋園　思與言七卷三期
章太炎與端方關係考析　楊天石　王學庄　南開大學學報一九七八第六期
讀劉師培與端方書——革命的前一幕　宋佶人　清華周刊　四十二卷六期
劉師培《攘書》研究　胡楚生　清代學術研討會思想與文學論文集
論劉師培的文學觀與文學史研究　王琦珍　文學遺產一九八六第五期
論劉師培的白話文　馮永敏　台北市立師院學報第二十三期
黃季剛先生之生平及其學術　柯淑齡　文化大學中文研究所博士論文　民國七十一年
劉申叔先生之經學　陳慶煌　政大中文研究所博士論文　民國七十二年
劉師培及其文學理論　陳燕　香港中文大學碩士論文　民國七十五年
劉師培的無政府主義　趙廣洙　臺灣大學政治研究所碩士論文　民國七十五年
論我國古今散文體類分合之價值原則與方法　王更生　孔孟學報第五十四期
論中國散文之藝術特徵　王更生　教學與研究第九期